KB055015

한국 인권문제

미국 반응 및 동향 1

한국 인권문제

미국 반응 및 동향 1

한국학술정보

| 머리말

일제 강점기 독립운동과 병행되었던 한국의 인권운동은 해방이 되었음에도 큰 결실을 보지 못했다. 1950년대 반공을 앞세운 이승만 정부와 한국전쟁, 역시 경제발전과 반공을 내세우다 유신 체제에 이르렀던 박정희 정권, 쿠데타로 집권한 1980년대 전두환 정권까지, 한국의 인권은 이를 보장해야 할 국가와 정부에 의해 도리어 억압받고 침해되었다. 이런 배경상 근대 한국의 인권운동은 반독재, 민주화운동과 결을 같이했고, 대체로 국외에 본부를 둔 인권 단체나 정치로부터 상대적으로 자유로운 종교 단체에 의해 주도되곤 했다. 이는 1980년 5 · 18광주민주화운동을 계기로 보다 근적인 변혁을 요구하는 형태로 조직화되었고, 그 활동 영역도 정치를 넘어 노동자, 농민, 빈민 등으로 확대되었다. 이들이 없었다면 한국은 1987년 군부 독재 종식하고 절차적 민주주의를 도입할 수 없었을 것이다. 민주화 이후에도 수많은 어려움이 있었지만, 한국의 인권운동은 점차 전문적이고 독립된 운동으로 분화되며 더 많은 이들의 참여를 이끌어냈고, 지금까지 많은 결실을 맺을 수 있었다.

본 총서는 1980년대 중반부터 1990년대 초반까지, 외교부에서 작성하여 30여 년간 유지했던 한국 인권문제와 관련한 국내외 자료를 담고 있다. 6월 항쟁이 일어나고 민주화 선언이 이뤄지는 등 한국 인권운동에 많은 변화가 있었던 시기다. 당시 인권문제와 관련한 국내외 사안들, 각종 사건에 대한 미국과 우방국, 유엔의 반응, 최초의 한국 인권보고서 제출과 아동의 권리에 관한 협약 과정, 유엔인권위원회 활동, 기타 민주화 관련 자료 등 총 18권으로 구성되었다. 전체 분량은 약 9천여 쪽에 이른다.

2024년 3월

한국학술정보(주)

| 일러두기

· 본 총서에 실린 자료는 2022년 4월과 2023년 4월에 각각 공개한 외교문서 4,827권, 76만 여 쪽 가운데 일부를 발췌한 것이다.

· 각 권의 제목과 순서는 공개된 원본을 최대한 반영하였으나, 주제에 따라 일부는 적절히 변경하였다.

· 원본 자료는 A4 판형에 맞게 축소하거나 원본 비율을 유지한 채 A4 페이지 안에 삽입하였다. 또한 현재 시점에선 공개되지 않아 '공란'이란 표기만 있는 페이지 역시 그대로 실었다.

· 외교부가 공개한 문서 각 권의 첫 페이지에는 '정리 보존 문서 목록'이란 이름으로 기록물 종류, 일자, 명칭, 간단한 내용 등의 정보가 수록되어 있으며, 이를 기준으로 0001번부터 번호가 매겨져 있다. 이는 삭제하지 않고 총서에 그대로 수록하였다.

· 보고서 내용에 관한 더 자세한 정보가 필요하다면, 외교부가 온라인상에 제공하는 『대한민국 외교사료요약집』 1991년과 1992년 자료를 참조할 수 있다.

| 차례

정/리/보/존/문/서/목/록					
기록물종류	문서-일반공문서철	등록번호	10004 14027	등록일자	
분류번호	701	국가코드	US	주제	
문서철명	미국 평화봉사단원의 1980.5.18 광주사태 [민주화 운동] 관련 발언문제, 1980				
생산과	북미담당관실	생산년도	1980 - 1980	보존기간	영구
담당과(그룹)	미주	북미	서가번호	--	
참조분류					
권차명					
내용목차	* 미국평화봉사단의 활동재개문제, 1981-87은 '722.1 US(1981-87)'을 보시오				

마/이/크/로/필/름/사/항				
촬영연도	*롤 번호	화일 번호	후레임 번호	보관함 번호
2010-11-02	2010-05	11	1-114	

1

외 무 부

착신전보

원 본

종 별:
번 호: USW -12124 일 시: 081700
수 신: 장 관 참 조 (사본): 부장
발 신: 주 미 대사

평화 봉사단 관계 기사

78.12.8.자 WP지 8면1단으로 게재된 POLITICAL ACTIVISM PEACE CORPS GOAL. EX-DIRECTOR ASSERTS 제하 기사를 별첨 보고함.

(미북, 미안, 정공, 해공)

별첨 :영문

미주국	공람	년 월 일	담 당	과 장	심의관	국 장	차관보	차 관	장 관

78 12 9 10 18

장관실	/	아주국		정문국	/	총무과		청와대	/	경기원		농수부		과기처	
차관실	/	미주국	③	국경국		외연원		총리실	/	내무부		상공부		수산청	
정차보	/	구주국		통상국		대 사		중 정	/	재무부		동자부		노동청	
경차보		아중동국		영교국				국 회		법무부		보사부		항만청	
기획실		국기국		외문국						국방부		건설부		조달청	
의전실		조약국		감사관실						문교부		문공부	/	코트라	

담 당	주 무	과 장
영		

POLITICAL ACTIVI[illegible] PEACE CORPS GOAL, EX-DI[illegible]OR ASSERTS

BY WARREN BROWN

DR. CAROLYN R. PAYTON, FORCED TO RESIGN TWO WEEKS AGO AS DIRECTOR OF THE PEACE CORPS, YESTERDAY ACCUSED FEDERAL VOLUNTEER PROGRAM ADMINISTRATORS OF TRYING TO TURN THE CORPS INTO AN + ARROGANT, ELITIST+ POLITICAL ORGANIZATION DESIGNED + TO MEDDLE IN THE AFFAIRS OF FOREIGN GOVERNMENTS+.

PAYTON SAID SHE BELIEVES THE PEACE CORPS HAS + STRAYED AWAY FROM ITS MISSION+ OF + PROMOTING WORLD PEACE AND FRIENDSHIP+ AND IS TRYING TO IMPOSE AMERICAN INTELLECTUAL FADS-- POLITICAL AND CULTURAL-- ON HOST COUNTRIES.

FOR EXAMPLE, SHE SAID, + IT IS WORNG TO TELL A GOVERNMENT IN THE THIRD WORLD THAT ITS EFFORTS TO TEACH ITS CITIZENS A WORLD LANGUAGE-- BE IT ENGLISH OR FRENCH-- IS AN ELITIST IDEA+. AND ITS IS + ARROGANT AND NEOCOLONIALIST FOR THE AMERICAN PEACE CORPS TO SAY TO A NATION, + WE WILL NOT LONGER TEACH YOUR CHILDREN MATHEMATICS AND SCIENCE SO THAT SOME SECRETS OF WESTERN TECHNOLOGY WILL BECOME ACCESSIBLE TO THEM BUT THAT WE WILL TEACH YOUR PEASANTS NUMERACY AND LITERACY+ SO THEY CAN COUNT THEIR COWS OR PRINT THEIR NAMES ON A WALL, SHE SAID.

+ I BELIEVE IT IS WRONG TO USE THE PEACE CORPS AS A MEANS OF DELIVERING A MESSAGE TO PARTICULAR CONSTITUENCIES IN THE UNITED STATES, OR TO EXPORT A PARTICULAR POLITICAL IDEOLOGY+, PAYTON SAID IN A SPEECH HERE BEFORE THE CONFERENCE OF THE EASTERN ASSOCIATION OF COLLEGE DEANS.

+ THOSE NOW RESPONSIBLE FOR THE PEACE CORPS SEEM TO WISH THE ORGANIZATION TO BE ENGAGED IN A KIND OF POLITICAL ACTIVISM AND ADVOCACY. THEY WOULD BE PLEASED TO HAVE PEACE CORPS VOLUNTEERS DEMONSTRATE OVERSEAS AGAINST CORPORATIONS THAT ENGAGE IN PRACTICES WITH WHICH THEY DISAGREE, OR THAT MARKET PRODUCTS THEY SEE AS HARMFUL.

+ THEY WOULD SEE THE PEACE CORPS AS A VEHICLE TO ALLOW UNEMPLOYED BLACK GHETTO YOUTH, AS SHORT-TERM VOLUNTEERS, LEARN ABOUT LIFE IN A BLACK SOCIALIST COUNTRY+. 여기서 취(?)

PAYTON, DESCRIBED BY SOME AS AN + ESTABLISHMENT+ BLACK LIBERAL, WAS THE FIRST BLACK AND FIRST WOMAN TO HEAD THE PEACE CORPS, THE GOVERNMENT'S OVERSEAS VOLUNTEER ORGANIZATION. HER 13-MONTH TENURE ENDED NOV.24 AFTER A LONG-RUNNING CONFLICT BETWEEN HERSELF AND ACTION DIRECTOR SAM BROWN, A FORMER ANTIWAR ACTIVIST, WHO HAD JURISDICTION OVER THE PEACE CORPS AND OTHER FEDERAL VOLUNTEER SERVICE PROGRAMS.

BROWN DEMANDED PAYTON'S RESIGNATION BECAUSE OF WHAT WEVER OFFICIALLY DESCRIBED AS + POLICY DIFFERENCES+. PAYTON INITIALLY REFUSED, BUT RELENTED AT THE REQUEST OF PRESIDENT CARTER, WHO SAID THE + UNRESOLVABLE POLICY DIFFERENCES+ BETWEEN THE TWO ADMINISTRATORS WERE HURTING ACTION.

PAYTON'S SPEECH YESTERDAY WAS HER FIRST PUBLIC COMMENT ON HER RESIGNATION.

+ THE PEACE CORPS HAS STRAYED AWAY FROM ITS MISSION, SHE SAID. + AS DIRECTOR, I COULD NOT-- BECAUSE OF THE PECULIER ADMINISTRATIVE STRUCTURE UNDER WHICH THE PEACE CORPS OPERATES-- DO ANYTHING ABOUT THIS SITUATION. AS AN EX-DIRECTOR, I AM FREE TO SOUND THE ALARM.+

BROWN COULD NOT BE REACHED FOR DIRECT COMMENT, JUST AS HE COULD NOT BE REACHED FOR DIRECT COMMENT ON PAYTON'S RESIGNATION.

SOME ACTION OFFICIALS SAID PRIVATELY THAT PAYTON'S STATEMENTS WERE + UNOFRTUNATE+ AND + OUT-LANDISH+. HOWEVER, MARYLOU BATT, AN AGENCY SPOKESWOMAN, SAID: + WE ARE CARRYING OUT THE POLICIES WHICH THE PRESIDENT WANTED AND WHICH THE CONGRESS SUPPORTED. WE ARE TALKING ABOUT DIFFERENCES OF POLICY, NOT OF POLITICS, AS IMPLIED IN DR. PAYTON'S REMARKS+.

BATT SAID CONGRESS HAS GIVEN THE PEACE CORPS A VOTE OF CONFIDENCE BY INCREASING ITS BUDGET BY 9 MILLION DOLLAR, FROM 86 DOLLAR IN FISCAL 1978 TO 95 MILLION DOLLAR IN FISCAL 1979 THE END

3

CFF: USW-12124 081700

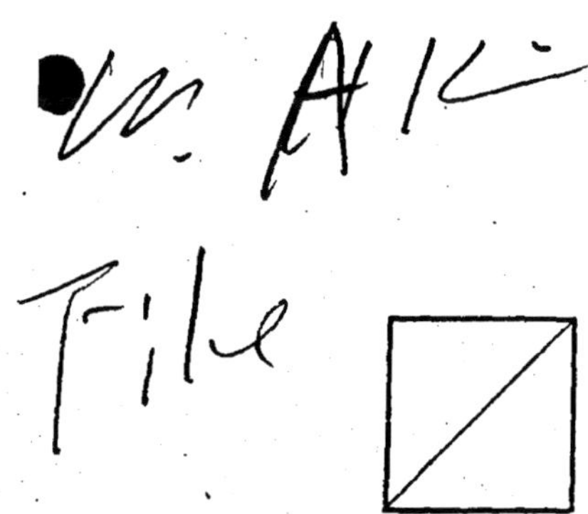

韓國関係主要外信報道

80. 7. 16. (第 2 便 10:30- :)

外信名	主 要 内 容	備 考
AFP (스톡홀름発)	光州事態関聯 美平和奉仕団員의 発言	

4

※ 原文寫本 別添

EXR106

AFP-431

KOREA.

STOCKHOLM, JULY 15 (AFP) - ABOUT 2,000 PERSONS DIED IN THE KWANGJU REBELLION IN MAY, NOT 147 AS OFFICIAL SOUTH KOREAN FIGURES INDICATE, TWO UNITED STATES PEACE CORPS MEMBERS WHO WITNESSED THE REBELLION SAID TODAY.

STEVEN CLARK AND CAROLYN PERRY DESCRIBED THE ARMY INTERVENTION IN THE CITY AS ''PARTICULARLY BRUTAL'' AND A ''CARNAGE'', SAYING VICTIMS INCLUDED INFANTS AND ELDERLY PEOPLE.

THEY SAID THAT SOUTH KOREAN SOLDIERS DELIBERATELY MUTILATED BODIES TO MAKE IDENTIFICATION IMPOSSIBLE AND OTHER BODIES WERE REMOVED BY TRUCKS FOR UNKNOWN DESTINATIONS TO MAKE THE OFFICIAL DEATH TOLL SEEM LIGHTER.

THE TWO, WHO HAD WORKED IN MEDICAL ASSISTANCE PROGRAMS IN SOUTH KOREA FOR TWO YEARS, ALSO CHARGED THAT U.S. AUTHORITIES IN KOREA HAD PROHIBITED PUBLICATION OF THE EYEWITNESS ACCOUNTS OF THE RIOTS GIVEN BY THEMSELVES AND FOUR OTHER PEACE CORPS VOLUNTEERS.

MR. CLARK AND MS. PERRY REFUSED TO INDICATE HOW THEY MANAGED TO ESCAPE HARM.

AFP

Extremely damaging story

AIC file

韓國關係主要外信報道

80. 7. 16. (第 2 便 10 : 30 - :)

外信名	主 要 内 容	備 考
AFP(스톡홀름発)	光州事態関聯 美平和奉仕団員의 発言	

①

②

steven clark
carolyn Perry

(3) results in endorsement of NK propaganda

※ 原文寫本 別添

7/18.

EXR 10 6

AFP-431

KOREAN.

STOCKHOLM, JULY 15 (AFP) - ABOUT 2,000 PERSONS DIED IN THE KWANGJU REBELLION IN MAY, NOT 147 AS OFFICIAL SOUTH KOREAN FIGURES INDICATE, TWO UNITED STATES PEACE CORPS MEMBERS WHO WITNESSED THE REBELLION SAID TODAY.

STEVEN CLARK AND CAROLYN PERRY DESCRIBED THE ARMY INTERVENTION IN THE CITY AS ''PARTICULARLY BRUTAL'' AND A ''CARNAGE'', SAYING VICTIMS INCLUDED INFANTS AND ELDERLY PEOPLE.

THEY SAID THAT SOUTH KOREAN SOLDIERS DELIBERATELY MUTILATED BODIES TO MAKE IDENTIFICATION IMPOSSIBLE AND OTHER BODIES WERE REMOVED BY TRUCKS FOR UNKNOWN DESTINATIONS TO MAKE THE OFFICIAL DEATH TOLL SEEM LIGHTER.

THE TWO, WHO HAD WORKED IN MEDICAL ASSISTANCE PROGRAMS IN SOUTH KOREA FOR TWO YEARS, ALSO CHARGED THAT U.S. AUTHORITIES IN KOREA HAD PROHIBITED PUBLICATION OF THE EYEWITNESS ACCOUNTS OF THE RIOTS GIVEN BY THEMSELVES AND FOUR OTHER PEACE CORPS VOLUNTEERS.

MR. CLARK AND MS. PERRY REFUSED TO INDICATE HOW THEY MANAGED TO ESCAPE HARM.

AFP

7

1980. 7. 21. 15:[illegible]45

- 북미과장 앞으로, Blakemore 참사관 면청토록, AP기사를 전교

- Blakemor 참사관은, 동사본은 Peace Corps Volunteer 들에게 나누어 주겠다고 발언.

KOREAN PAPERS

STOCKHOLM (AP) - THE BLOODY SUPPRESSION OF A STUDENT-LED REBELLION AT THE CITY OF KWANGJU BY SOUTH KOREAN PARATROOPERS LATE LAST MAY CLAIMED TEN TIMES AS MANY VICTIMS AS OFFICIALLY ADMITTED, POSSIBLY AROUND 2,000. THE TRUTH HAS BEEN SUPPRESSED BY AMERICAN AS WELL AS KOREAN GOVERNMENT OFFICIALS, TWO AMERICAN FORMER PEACE CORPS MEMBERS CHARGED HERE SUNDAY.

STEVEN CLARK AND CAROLYN PERRY OF WISCONSIN CAME HERE VIA TOKYO AFTER HAVING LEFT THEIR PEACE CORPS SERVICE IN SOUTH KOREA, TO ''GET THE TRUTH OUT ON BEHALF OF THE KOREAN PEOPLE.''

THEY SAID THEY SMUGGLED OUT A STATEMENT WRITTEN IN THE MORNING OF MAY 21ST BY DESPERATE STUDENT REBELS BEFORE THE ARMY''S FINAL ONSLAUGHT AT KWANGJU MAY 27. THEY ALSO REFERRED TO TESTIMONY FROM SIX OTHER PEACE CORPS VOLUNTEERS WHO WERE IN THE CITY OF 800,000 AND FROM SEVERAL KOREAN CATHOLIC PRIESTS WHO TESTIFIED IN WRITING THEY WITNESSED ATROCITIES COMMITTED BY THE SOLDIERS.

THE DOCUMENTS CARRIED BY CLARK AND PERRY, CITING CHIEFLY CORPS VOLUNTEERS DAVID DOLINGER AND TIM WARNBERG AS WELL AS THE PRIESTS WHO WERE IN KWANGJU AT THE TIME, GAVE DETAILS OF ''BESTIAL INDISCRIMINATE SLAUGHTER OF HUNDREDS OF KWANGJU CIVILIANS AGED 3 TO 80''. THE MASSACRE ALLEGEDLY CLAIMED BETWEEN 1,500 AND ABOUT 2,000 DEATHS ACCORDING TO SOME WITNESSES.

(MORE)

AP-NY-0720 1220GMT

9

면 담 요 록

1. 일 시 : 1 9 80 년 7 월 18 일 (금 요일) 15:00 시 ~ 15:50 시

2. 장 소 : 미주국장실

3. 면 담 자 :

아 측	미 측
이계철 미주국장	Blakemore 정무참사관
(소병용 북미담당관)	

4. 내 용 :

주한 미대사관측의 요청에 의해 면담함.

———————— ◦ ———————— ◦ ————————

(올림픽 문제)

Blakemore 참사관 :

한국측 심판 7명이 모스코바 올림픽에 파견되었다는 바, 우선 이에 놀라움과 유감을 표명하는 바임. IOC 직원등 행정 직원의 파견이라면 이해하겠으나, 심판의 파견만큼은 그간 한미 양국이 금번 올림픽 보이콧트와 관련하여 이미 지불한 크나큰 희생을 고려해서라도 한국측이 재고해 주기를 바람. 동 요청은 본국정부의 훈령에 따른 것인 바, 이들이 출국한 것으로 알지만 소환해 주기를 부탁함.

앙고재	북미담당관	80년 7월 18일	담당	담당관	심의관	국장	차관보	차관	장관
			(서명)	(서명)		(서명)	(서명)	(서명)	

10

미주국에 동건을 제기하는 이유는, 그간 동문제에 관해 주미 한국 대사관과 국무성간에 기왕에 토의가 있었으며 또한 지역국에 의견을 전달하는 것이 효과적이라고 판단하기 때문임.

미주국장 :

올림픽에 관해 미국에 전적 협조하는 것이 우리 입장임. IOC 와 KOC 의 임원 및 심판등의 파견문제도 가능한 한 그수를 극소화 하기 위해 그간KOC 를 설득해 왔으며 그결과 심판 7명을 포함한 총 27명의 파견이 결정된 것임. KOC 는 비정부기구로서 정부가 영향력을 행사하는 데는 한계가 있는 바, 이점 미측의 이해를 바라는 바임. 그간 아국정부가 아국 국민의 스포츠에 대한 지대한 관심에도 불구하고 한미간의 특수관계를 고려, 모스코바 올림픽 불참을 위해 많은 희생을 지불한 것은 주지하는 바와 같음.

(숙정문제)

Blakemore 참사관 :

숙정 움직임에 관해 들리는 바로는 이제 정부부처가 끝나고 난 후에는 언론. 학원계. 종교계등으로 옮겨갈 것이라고 들었음. 정부. 은행은 그간 경제발전 과정에서 불미한 사실이 있었을 것이 짐작되나, 이러한 움직임이 사회전반에 확대될 경우, 미국내에서는 이를 정치적 동기에 의한 것으로 이해할 가능성이 많으므로 이러한 부정적 가능성을 우려하는 바임.

//

미주국장 :

경제계에는 이미 국무총리께서 밝힌 바 있듯이 지속적 경제안정을 위해 숙정 움직임이 파급되지는 않을 것으로 알고 있음. 본인으로서는 언론.학원.종교계에 숙정작업이 파급될 지는 알수 없으나, 정부가 국가.사회전반을 숙정하고 기강을 바로 잡고저 결심하고 어려운 작업을 진행하고 있으므로 최소한의 영향은 어떤 분야라 해도 조금은 있지 않겠는가 하는 생각임.

("미 평화봉사단원"의 광주사태 관련 허위사실 유포)

미주국장 :

(스톡홀름발 AFP 7.15자 기사를 Blakemore 참사관에게 수교한 후) 동 기사에서 주한 미 평화봉사단원이라고 자칭한 Steven Clark 및 Carolyn Perry 등 미국인 2명이 밝힌 내용은 전혀 근거없는 날조이며 이는 북괴의 광주사태 관련 선전을 의도적으로 부추기려는 것으로 판단되는 바, 상기 2명이 정말 미 평화봉사단 요원인지 및 당시 광주에 있었는지의 여부를 조사하여 외신에 공개해명을 해주기 바라는 바임. 미 정부 기관인 평화봉사단의 소속원으로서 이러한 행동을 한 것이 사실일 경우, 적절한 시정조치를 취하길 귀측에 요구하는 바임.

Blakemore 참사관 :

현재 알기로는 이들은 평화봉사단 명단에는 없으나, 다시 확인하여 결과를 알려주겠음. 이들이 거짓이름을 사용했을 경우도 상상할 수 있겠는 바 이러한 경우 미측입장이 매우 어려워질 것으로 봄.

12

——— o ——— o ———

- 3 -

Blakemore 참사관은 잠시후인 동일 16:15에 미주국장에게 전화로 다음과 같이 통보해 옴.

- 다 음 -

Blakemore 참사관 :

조사확인 결과 이들이 평화봉사단원이 아님이 판명되었음.

미주국장 :

그렇다면 공개적으로 동 사실을 해명해 주기 바람.

Blakemore 참사관 :

해명을 자발적으로 하는 것은 힘든 바, 만일 기자가 질문을 해오면 이에 응답하는 형식으로 해명하는 것이 좋겠음.

미주국장 :

그런정도로는 이번사건으로 이미 초래된 피해를 복구하기에 미흡하므로 받아들일 수 없음. 공개해명을 해주기 바람.

Blakemore 참사관 :

최선의 방법은 신문기자 질문에 대한 대답형식으로 해명하는 것임. (동 참사관은 더이상의 토론을 회피함)

13

Blakemore 참사관은 동일 19:00 또 다시 미주국장에게 전화로 다음과 같이 통보하여 왔음.

Blakemore 참사관 : 재차 확인결과, 상기 2인의 이름과 비슷한 이름 (similar names) 이 미평화봉사단원 명단에서 발견되었으며, 이들 유사 성명의 소유자들은 80. 6. 25. 한국에서 출국한 것으로 되어 있음. 미국 정부는 과거 평화봉사단원이 주재국 정부로부터 항의를 받았을 경우 해당 단원을 주재국으로 부터 추방시키는 조치를 취한바 있는데, 이번 경우에는 당사자들이 이미 한국 밖에 나가 있으므로 미국정부가 어떠한 조치를 취하기는 힘들지 않겠는가 하는 생각임.

미 주 국 장 : 비슷한 이름이라고 하는데, 그 이름을 정확히 확인할 수 있는지 ? 아울러 상기 2인이 확실히 평화봉사단원인지를 확인할 수 있는지?

Blakemore 참사관 : 비슷한 이름이 있다는 것만 알고 있으며, 따라서 현재로서 이들이 평화봉사단원인지 여부는 단정적으로 확인하기는 힘듬. 다만 이름이 비슷한 것으로 미루어보아 이들이 아니겠는가 하는 생각임.

14

- 5 -

미주국장은 7.19.19:30 Blakemore 참사관과 전화 통화 하였는 바 동 통화요지는 아래와 같음.

미주국장 :

문제의 미국인 2명이 평화봉사단원인지 여부가 그후 확인되었는지?

Blakemore 참사관 :

아주 유사한 이름을 찾아낼수 있었을 뿐 더이상의 사실을 확인할 수 없었음. 그러나 그 유사한 성명을 가진 사람들이 문제의 미국인들이었을 것으로 판단됨.

미주국장 :

귀하 말대로 문제의 미국인들이 평화봉사단원이라면 이는 중대한 문제라고 보며 미국측에서 이에대한 시정조치가 있어야 될 것으로 생각함.

Blakemore 참사관 :

미 대사관으로서는 이들이 상금 한국에 근무중이라면 주재국에 해로운 발언을 한 것을 사유로 이들을 추방하도록 조치하겠으나, 이들이 한국을 이미 떠나 버렸으므로 미대사관으로서 취할 수 있는 조치가 별무한 것(not much to do) 으로 생각됨. 본건에 관하여는 7.17. 귀하가 표명한 한국정부의 입장을 즉시 워싱턴에 보고한 바 있음.

미주국장 :

귀하가 이들이 평화봉사 단원임을 시인하였고 이들이 한미 양국간에 체결된 평화봉사단 협정에 의해 내한한 자들인 이상 미대사관 측으로서는 당연히 이들의 행동에 대한 책임을 져야 하지 않겠는가?

Blakemore 참사관 :

미 대사관으로서도 이러한 문제가 발생한 데 대하여 매우 유감스럽게 생각하는 바임. 그러나 우리로서는 여사한 억측 (wild speculation) 에 의거한 기사는 무시 (play down) 하여 자연히 사그러 지도록 (die down) 하는 것이 한미 양측에 공히 좋은 게 아닌가 생각함.

미주국장 :

한국정부로볼때 이들 무책임한 2명의 미국인의 발언으로 한국의 위신과 명예가 대외적으로 크게 손상 되었으므로, 이에 대하여 미국정부가 동 기사내용이 사실이 아니며 날조된 것임을 해명하는 시정조치(corrective measures) 를 당연히 취하여야 한다고 생각함. 우리는 이문제에 관하여 우리가 만족할 수 있는 시정조치가 취해질때까지 계속 추궁 (will pursue) 할 것임. 끝.

공람	북미담당관	년 월 일	담당	담당관	심의관	국장	차관보	차관	장관
				[signature]		[signature]	P.		

16

- 7 -

대책 건의

1. 미측에 공개해명을 계속 요구함.

2. 아측 기자로 하여금 미대사관에 질문케 하고 그 해명을 받아 동사실을 서울 및 스톡홀름에서 아측이 외신에 제공함.

3. 아측이 전항 미대사관측 대화를 부분적으로 인용하여 아측이 서울에 스톡홀름에서 해명문을 발표함.

끝.

17

광주사건 당시 주한 미대사관으로부터 구두통보받은

광주체류 평화 봉사단원 명부

Ken Warnberg

David Dolinger

Judith Chamberlain

Julie Pickelaing

18

평화 봉사단 분야별 지역별 인원현황

1. 총인원 : 91명 (80. 7. 현재)

2. 분야별 현황

결핵요원	:	54명
나병요원	:	9명
모자 보건	:	17명
직업 재활	:	3명
사회 사업	:	2명
특수 교육	:	6명

3. 지역별 인원 현황

서울	6	전북	9
경기	15	전남	10
강원	13	경북	8
충북	7	경남	12
충남	8	제주	3

19

한.미 평화봉사단 협정

1. 협정체결 경위

가. 1966.2. 미측의 요구로 Peace Corps 파견에 대한 협정체결 교섭 시작

나. 1966.9.14. 각서교환으로 체결, 발효

다. 1967.3. 한.미 평화봉사단 협정 5항에 의거 동 협정의 구체적 운영을 위한 약정 체결
운영에 관한 주관부처 : 문교부, 보건사회부 (보건의료단)

2. 협정요지

가. 1966.9. 협정체결후 현재까지 49진 약 1700명이 봉사, 이중 교육분야 1200, 보건의료분야 500명

나. 현재 교육분야 26명(80년까지 임기만료) 보건의료단 70여명 (82.7.임기만료)이 있으나 이후는 동 사업계획이 종료될 예정임.

-10

다. 73년 이후 미의회에서 예산 삭감으로 운영상의 축소내지 bi-nationalism (수원 국가 참여) 방안을 모색하고 있음. 이에따라 교육수준 향상이 높은 아국등에서는 우선적으로 축소내지 종결이 예상됨.

4. 협정종료

협정 당사자 일방의 서면통고로 종료의사 표시후 90일 이후에 종료.

Peace Corps 단원 인적사항

1. David Dolinger

생년월일 :

입 국 일 :

전근무처 :

현 재 :

2. Tim Warnberg

생년월일 :

입 국 일 :

전근무처 :

현 재 :

---

* 이들은, 광주사태 당시 주한 미대사관측이 당부의 조회에 대답하여 통보하여온 광주체류 평화봉사단원 4명중 2명임.

* 80.7.21.14:35. Blakemore 참사관은 (1) Dolinger 는 "정치적 발언(political remarks)때문에" 해고가 이미 되었는 바, 출국여부는 알수 없으며 (2) Warnberg 는 "본분에 충실하게 근무하고 있다 (behaved himself very well) " 고 통보하여 옴.

Peace Corps 단원 인적사항

1. David Dolinger

생년월일 :
입 국 일 :
전근무처 :
현 재 :

2. Tim Warnberg

생년월일 :
입 국 일 :
전근무처 :
현 재 :

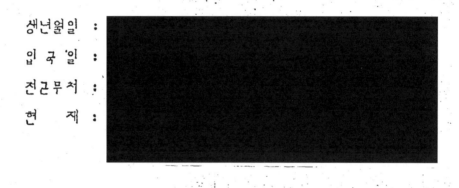

---

* 이들은, 광주사태 당시 주한 미대사관측이 당부의 조회에 대답하여 통보하여온 광주체류 평화봉사단원 4명중 2명임.
* 80.7.21.14:35, Blakemore 참사관은 (1) Dolinger는 "정치적 발언(political remarks)때문에" 해고가 이미 되었는 바, 출국여부는 알수 없으며 (2) Warnberg는 "본분에 충실하게 근무하고 있다 (behaved himself very well)" 고 통보하여옴.

주한 미평화봉사단의 광주사태 허위사실 유포

(국내외보고사항)

1. 별첨 스톡홀름발 7.15자 AFP 기사가 보도한 자칭 주한미평화봉사단 2명의 광주사태 허위사실 유포와 관련하여 외무부 미주국장은 80.7.18. 주한미대사관 Blakemore 참사관에게 아측의 불만을 표시하고 공개해명조치를 요구하였음.

2. AFP 기사내용요지

광주사태를 목격한 주한미평화봉사단원 2명(Steven Clark, Carolyn Perry)에 따르면 사망자는 공식발표된 147명을 훨씬 상회하는 2000여명이며, 군의 개입은 "특히 야만적"이었음.

#

Peace Corps 관계 현황

\# 80. 7. 19. 10:30 과기처 기술협력국 총괄과 박순열 사무관에게 확인결과, Peace Corps 도착예정인은 총괄과에서 파악할 수는 없으며 보사부와 농수부에서 나누어 관할하고 있다함을 통보받음.

관리번호	80-381

외 무 부

종 별

발신전보

번 호 : WUS-0718 일 시 : 211720

수 신 : 주미 대사

발 신 : 장 관

제 목 : 한국근무 Peace Corps 단원의 광주사태와 관련 발언

7.15자 AFP 통신에 의하면 한국에 근무한 바 있는 주한 미평화봉사단 단원 2명이 스톡홀름에서 광주사태와 관련 아국에 대단히 위해한 과장 왜곡된 발언을 하였는 바, 이와관련 그간 본부가 주한 미대사관측에 대한 활동사항을 참고로 알림.

1. 80.7.18. 본부는 주한 미대사관에 아측의 불만을 표시하고 적절한 시정조치를 요구하였음.

- 미대사관측은 동인들이 한국 국내에 있다면 평화봉사단에서 제적, 추방하는등의 조치를 취할 수 있겠으나 동인들이 이미 출국한 후이기 때문에 실효적인 제지가 곤란하다는 입장을 밝힘.
- 본부는 미대사관측에 전기 2명이 양국간에 체결된 협정에 따라 내한하였음에 비추어 그들의 언행에 대하여 미국정부가 책임을 져야한다고 주장하고 이에대한 미측의 시정조치를 요구하고 있음.

2. 80.7.21. AP 통신은 전항 AFP 보도와 유사한 내용을 보도하면서 상기 2명이 현재 한국에 근무하고 있는 다른 2명의 말을 인용하였다고 하므로, 본부는 미대사관측에 현재 한국에 주재하는

예 고 :

발신시간 :

최종결재	
기 안 자	박 혜 수

접 수	담 당	주 무	과 장
(서명)			

2명의 평화봉사단원으로 하여금 상기 AP 통신이 보도한 것은 왜곡. 과장된 것으로써 사실이 아니며, 자기들의 말을 그릇되게 인용(wrongly quote) 한 것이라고 해명하도록 요청한 바 있음.

- 상금 미측 이에대한 조치 없음.

(미 북)

앙고재	북미담당관	80년7월26일	담당	담당관	심의관	국장	차관보	차관	장관
					/			전결 /	

예고문에의거 재분류(1980.12.31.)
직위 성명

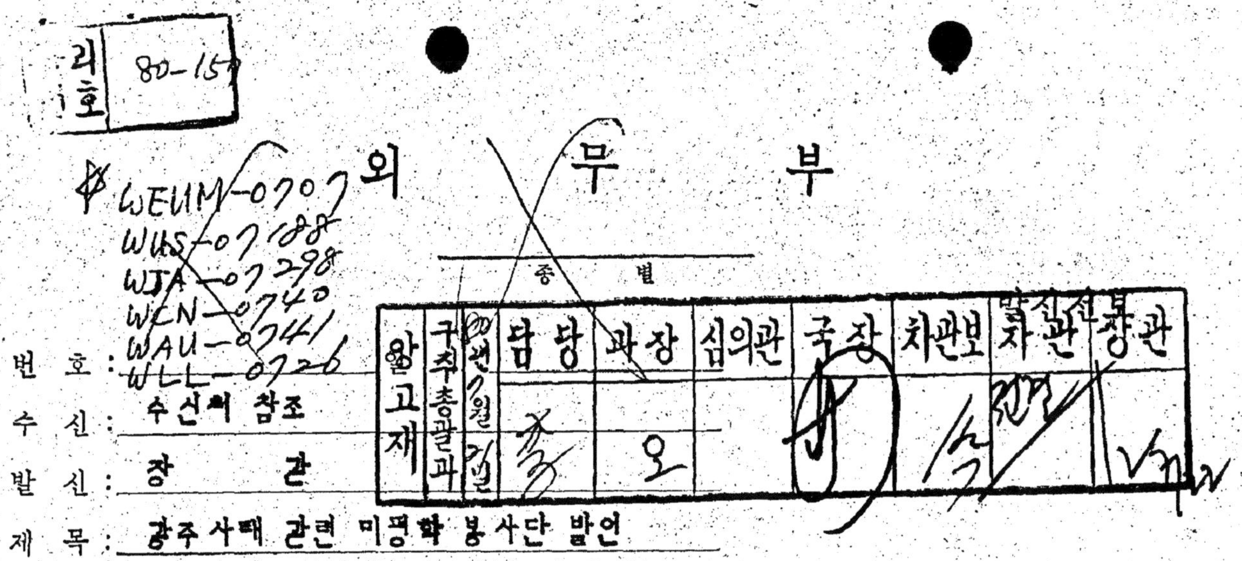

80-15
외 무 부
WEUM-0707
WUS-07188
WJA-07298
WCN-0740
WAU-07741
WLL-0726
종 별
담당 과장 심의관 국장 차관보 차관 장관

번 호:

수 신: 수신처 참조

발 신: 장 관

제 목: 광주사태 관련 미평화봉사단 발언

1. 미 평화 봉사단원으로 아국에서 근무를 마친후 귀국도중 스톡홀름에서 행한 Steven Clark 와 Carolyn Perry 양인의 광주사태 발언과 관련, 동 광주사태시 희생자수는 2,000명에 달한다는 동 최근의 외신보도에 대해 주재국 인사 및 언론기에서 귀관에 해명 또는 확인 문의가 있을 경우에 동외신보도는 사실 무근의 왜곡된 보도로서 대단히 유감스러운 일임을 표명하기 바람.

2. 광주사태시 사망자수는 174명, 부상자수 380명 (AM-0601, 0612, 0616 참조)임.

(구총)

수신처 : 주미, 일, 카나다, 호주, 뉴질랜드 대사.

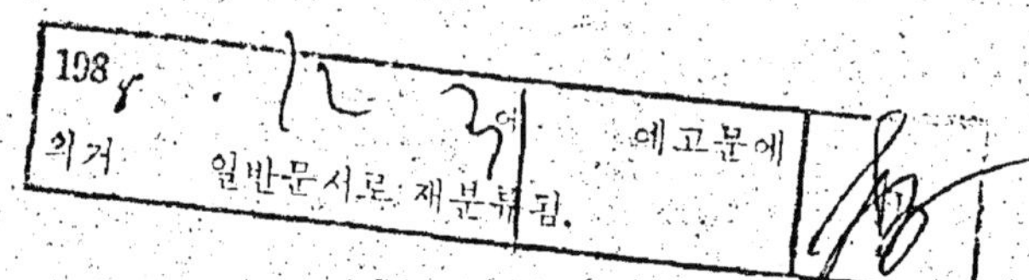

예 고: 일반재분류(80.12.31)

발신시간:

최종결재	
기 안 자	이 충 석

접 수	담 당	주 무	과 장

Statement by Spokesman of Korean Overseas Information Service

July 22, 1980

We deplore the irresponsible repetition of groundless rumors in Stockholm concerning the Kwangju turmoil by Steven Clark and Carolyn Perry, who claim to be former Peace Corps volunteers in Korea.

After order was restored in Kwangju, immediate measures were taken to determine the facts concerning the nine days of rioting and the circumstances of all casualties. Kwangju citizens were encouraged to report any observed incidents of excessive force or previously unreported casualties. A thorough investigation revealed a total of 174 fatalities.

It is regrettable that such persons have used false claims to eyewitness status to malign the Republic of Korea with ugly rumors already shown to be groundless.

29

R

STOCKHOLM -- KOREAN PAPERS 3

3

THE KOREAN GOVERNMENT MAINTAINS ITS OFFICIAL VERSION THAT THE SUPPRESSION OF THE KWANGJU CITIZENS CLAIMED 174 DEAD, INCLUDING SOME 52 OF THE 3,000 U.S. EQUIPPED SPECIAL PARATROOPERS ORDERED IN BY GENERAL CHUN DOO HWAN.

THE KWANGJU RISING IN MAY HAS BEEN FOLLOWED BY PURGES AND MASS ARRESTS. DISSIDENT LEADER KIM DAE JUNG WHO WAS ARRESTED MAY 18 IS ABOUT TO BE PUT BEFORE COURT MARTIAL. HE IS ACCUSED OF INSTIGATING THE SHORT-LIVED REVOLT, WHICH STARTED THE SAME DAY WITH A RELATIVELY PEACEFUL DEMONSTRATION FOR DEMOCRATIC RIGHTS AND END TO MARTIAL LAW.

THE TWO AMERICANS CHARGED THAT THE U.S. SEOUL EMBASSY AND GOVERNMENT HELPED THE KOREAN GOVERNMENT SUPPRESS THE TRUTH ABOUT THE MASSACRE AT KWANGJU, AND SIMILAR INCIDENTS IN OTHER CITIES, BY PUTTING THE LID ON THE AMERICAN VOLUNTEERS'' TESTIMONY AND USING PRESSURE TO SILENCE SOME OF THEM.

AT LEAST TWO OF THE VOLUNTEERS WERE WARNED FOR TALKING TO REPORTERS THAT THEIR PEACE CORPS ASSIGNMENTS WERE IN JEOPARDY AND DOLINGER LATER HAD TO GO, CLARK AND PERRY SAID. THEY APPEALED THAT THE VOLUNTEERS WOULD GET OPPORTUNITY TO MAKE THEIR TESTIMONY PUBLIC IN U.S. MEDIA.

END

AP-NY-0720 1236GMT

30

W613

R

STOCKHOLM -- KOREAN PAPERS 2

THE TESTIMONY BY THE AMERICAN PEACE CORPS MEMBERS AND KOREAN PRIESTS ACCORDING TO THE PAPERS PRESENTED BY CLARK AND PERRY HERE INCLUDED THE FOLLOWING SPECIFIC CHARGES:

--THAT 600 CIVILIANS AGED BETWEEN 3 AND 80 WERE KILLED OUTRIGHT FROM LATE MAY 19 UNTIL THE AFTERNOON OF MAY 20. ONE AMERICAN, TIM WARNBERG WAS QUOTED AS SAYING HE SAW A BAYONETED THREE-YEAR OLD CHILD BROUGHT DEAD INTO HOSPITAL.

--THAT BETWEEN 1,000 AN 2,000 PEOPLE WERE KILLED ROM MAY 16 UNTIL MAY 27, WHEN THE REBELLION AT KWANGJU WAS FINALLY CRUSHED, IN THAT CITY ALONE. ACCORDING TO A RECENT REPORT FROM PRIESTS, SMUGGLED OUT VIA A JAPANESE CATHOLIC MISSION, THERE WERE 500 DEATHS ''CERTIFIED BY KWANGJU CITIZENS AND FOREIGN REPORTERS'' (NOT IDENTIFIED) AND ANOTHER 960 PEOPLE LISTED AS MISSING BY MID-JUNE.

--THAT PEOPLE WERE TIED WITH METAL WIRE AROUND THE NECK THEIR HANDS BEHIND THE BACK AND THE WIRE RUNNING DOWN TO THEIR ANKLES, THEN BEATEN PARICULARLY IN THE GROIN UNTIL THEY SQUIRMED SO THEY SLIT THEIR OWN THROATS WITH THE WIRE.

--THAT A NUMBER OF GIRL STUDENTS WERE FORCED TO STRIP NAKED PUBLICLY, THEN BEATEN BLOODY BY THE SOLDIERS SO THAT MANY OF THE GIRLS DIED. OTHER WOMEN WERE RAPED.

--THAT A BUS LOAD OF PEOPLE OF VARIOUS AGES WERE MACHINEGUNNED TO DEATH. DOLINGER WAS QUOTED AS HAVING SEEN THE BULLET RIDDLED BUS. HE ALSO SAID HE SAW HELICOPTER GUNSHIPS FIRE FRAGMENTATION BULLETS INDISCRIMINATELY INTO CROWDS OF CIVILIANS.

--THAT THE ARMY TOOK TRUCK LOADS OF BODIES OUT OF THE CITY TO VARIOUS PLACES, INCLUDING A GARBAGE DUMP WHERE LOADS OF CORPSES WERE BURNED, TO KEEP THE DEATH COUNT DOWN. DEAD BODIES WERE HUNG FROM TREES IN A PARKHAND A CORPSE DRAGGED AROUND BY AN ARMORED CAR AS A DETERRENT. MANY OF THE DEAD WERE SAID TO HAVED THEIR FACES STAMPED TO A PULP TO PREVENT IDENTIFICATION.

--THAT THOUSANDS OF CITIZENS WERE TIED AND BEATEN, MARCHED ONTO ARMY TRUCKS AND CARRIED OUT OF THE CITY, NEVER TO RETURN.

(MORE)

KOREAN PAPERS

STOCKHOLM (AP) - THE BLOODY SUPPRESSION OF A STUDENT-LED REBELLION AT THE CITY OF KWANGJU BY SOUTH KOREAN PARATROOPERS LATE LAST MAY CLAIMED TEN TIMES AS MANY VICTIMS AS OFFICIALLY ADMITTED, POSSIBLY AROUND 2,000. THE TRUTH HAS BEEN SUPPRESSED BY AMERICAN AS WELL AS KOREAN GOVERNMENT OFFICIALS, TWO AMERICAN FORMER PEACE CORPS MEMBERS CHARGED HERE SUNDAY.

STEVEN CLARK AND CAROLYN PERRY OF WISCONSIN CAME HERE VIA TOKYO AFTER HAVING LEFT THEIR PEACE CORPS SERVICE IN SOUTH KOREA, TO ''GET THE TRUTH OUT ON BEHALF OF THE KOREAN PEOPLE.''

THEY SAID THEY SMUGGLED OUT A STATEMENT WRITTEN IN THE MORNING OF MAY 21ST BY DESPERATE STUDENT REBELS BEFORE THE ARMY''S FINAL ONSLAUGHT AT KWANGJU MAY 27. THEY ALSO REFERRED TO TESTIMONY FROM SIX OTHER PEACE CORPS VOLUNTEERS WHO WERE IN THE CITY OF 800,000 AND FROM SEVERAL KOREAN CATHOLIC PRIESTS WHO TESTIFIED IN WRITING THEY WITNESSED ATROCITIES COMMITTED BY THE SOLDIERS.

THE DOCUMENTS CARRIED BY CLARK AND PERRY, CITING CHIEFLY CORPS VOLUNTEERS DAVID DOLINGER AND TIM WARNBERG AS WELL AS THE PRIESTS WHO WERE IN KWANGJU AT THE TIME, GAVE DETAILS OF ''BESTIAL INDISCRIMINATE SLAUGHTER OF HUNDREDS OF KWANGJU CIVILIANS AGED 3 TO 80''. THE MASSACRE ALLEGEDLY CLAIMED BETWEEN 1,500 AND ABOUT 2,000 DEATHS ACCORDING TO SOME WITNESSES.

(MORE)

AP-NY-0720 1228GMT

32

외 무 부

착신전보

종 별 :
번 호 : SDW-0720
수 신 : 장 관
발 신 : 주스웨덴대사
제 목 : AFP 기사 대응조치

정 문 국 / 장 관 실 / 차 관 실 / 정 차 보 / 구 주 국 / 청 와 대 / 중 정 / 문 공 부

연:SDW-0714

대:WSD-0730

1. 대호 공보관으로 하여금 7.17 15:30 AFP 지사를 방문,광주사태의 진상을 설명,대호 기사의 왜곡보도를 지적하고 특히 사망자수와 관련, 한국과 같이 개방된 국가에서 가족과 친지들이 있는데 사망자 명단 과 사망자수를 어떻게 속일수 있겠는가 지적, AFP 와 같은 대통신이 어떻게 그러한 무책임한 주장을 기사화 할수있는가라고 항의토록한바 AFP 측은 7.15 CLARK 와 PERRY 양인의 방문이 있었고 마침 동일자 DAGENS NYHETER 에 기사화 되었기 FILE 했다고 설명하면서 향후 한국문제 기사화시에는 공보관에게 확인 하겠다고 하였음.

2. 양인은 7.15 UPI , 7.16 REUTER 를 방문하였으나 기사화 하지않았다고 했으며 AP 는 방문치 않았음.

3. 양인이 동신사 방문시 제공한 기사자료는 다음파편 송부위계임.

(해신,정공)

예고문:일반문서로 재분류 (1980.12.31.)

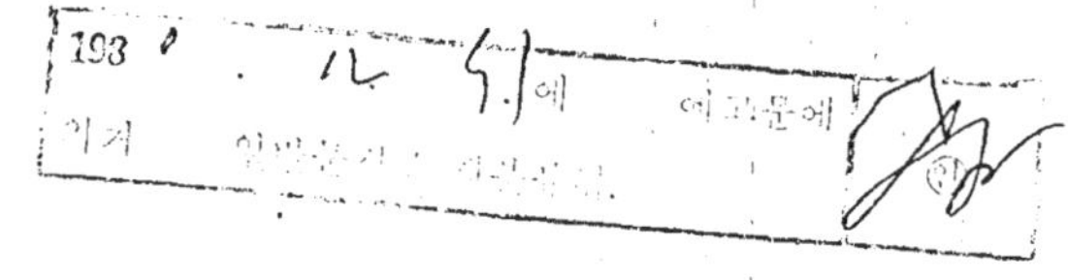

07/19/80

09:46

- 1-

전 언 통 신 문

분류기호 : 미북 700-28346

수 신 : 문교부장관, 과학기술처장관, 보사부장관

발 신 : 외무부장관

제 목 : 미 평화봉사단 관계관 회의

아국에 파견된 미 평화봉사단의 활동 검토를 위한 관계관 회의를 아래와 같이 소집코저 하오니 참석하여 주시기 바랍니다.

1. 일 시 : 80. 7.22. 15:00

2. 장 소 : 외무부 미주국장실 (중앙청 418호)

3. 참 석 자 : 외무부 미주국장 (주재) 청와대 이수영과장
   〃 조약국 조약1과장 문화공보부 외신과장
   과기처 기술협력국 총괄과장
   문교부 사회국제교육국 국제교육과장
   보사부 의정국 의정1과장

4. 준비사항 : (1) 소관별 평화봉사단원 명단(종사분야, 입국일자, 근무처등)
   (2) 소관별 평화봉사단 사업실적
   (3) 부처별 평화봉사단 사업실적 평가및 금후 사업계획 필요성에 대한 입장
   (4) 기타, 미 평화봉사단 사업실적 및 금후의 사업계속 필요성 검토에 도움이 될 참고사항

34

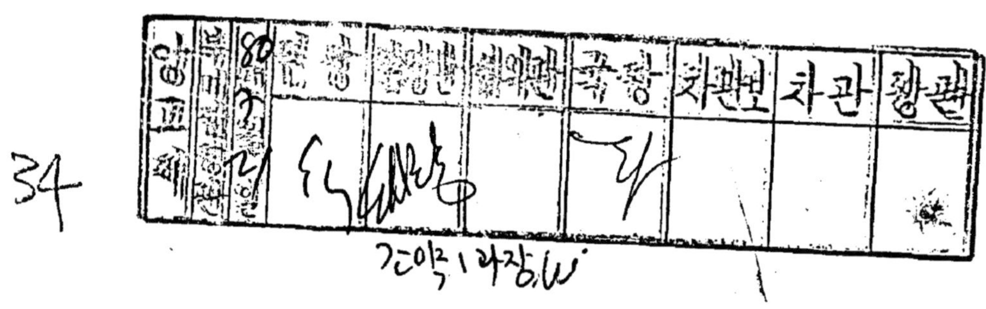

조약1과장

송 화 자 : 미주국 북미과 임홍재 사무관

수 화 자 : -과기처 황순종 사무관

(80.7.21.11:30분 통화)

-문교부 권태일 (파견교사)

(80.7.21.11:40분 통화)

-보사부 신재갑 사무관

(80.7.21.11:55분 통화)

관리번호	80-386

외 무 부

종 별

발신전보

번 호 : WUS-07200 일 시 : 221930

수 신 : 주미 대사

발 신 : 장 관

제 목 : Peace Corps 단원의 고주사례 관련 발언

연 : WUS-07180

연호와 관련하여 문공부는 7.22. 외신기자들에게 해외공보관 대변인 명의의 발표문을 배부하고 보도토록 하였는 바, 동발표문 내용은 기타전된 KPS 를 참고하시기 바람. (미북)

앙고재	북미담당관	80년 7월 22일	담 당	심의관	국 장	차관보	차 관	장 관

예 고 :

발신시간:

최종결재	
기 안 자	

접 수	담 당	주 무	과 장

36

Statement by Spokesman of Korean Overseas Information Service

July 22, 1980

We deplore the irresponsible repetition of groundless rumors in Stockholm concerning the Kwangju turmoil by Steven Clark and Carolyn Perry, who claim to be former Peace Corps volunteers in Korea.

After order was restored in Kwangju, immediate measures were taken to determine the facts concerning the nine days of rioting and the circumstances of all casualties. Kwangju citizens were encouraged to report any observed incidents of excessive force or previously unreported casualties. A thorough investigation revealed a total of 174 fatalities.

It is regrettable that such persons have used false claims to eyewitness status to malign the Republic of Korea with ugly rumors already shown to be groundless.

37

W625
R 33
KOREAN

SEOUL, SOUTH KOREA (AP) - A SOUTH KOREAN GOVERNMENT SPOKESMAN TUESDAY DENOUNCED AS ''IRRESPONSIBLE REPETITION OF GROUNDLESS RUMORS'' RECENT ALLEGATIONS THAT THE SUPPRESSION OF A REBELLION IN KWANGJU IN MAY CLAIMED TEN TIMES AS MANY VICTIMS AS OFFICIALLY ADMITTED.

SPEAKING TO REPORTERS IN STOCKHOLM LAST WEEKEND, STEVEN CLARK AND CAROLYN PERRY OF WISCONSIN SAID THE TRUTH ABOUT THE KWANGJU INCIDENT HAS BEEN SUPPRESSED BY U.S. AND SOUTH KOREAN GOVERNMENT OFFICIALS.

THE SPOKESMAN SAID IN A STATEMENT IT WAS REGRETTABLE THAT THE TWO AMERICANS, ''WHO CLAIM TO BE FORMER PEACE CORPS VOLUNTEERS'' IN KWANGJU, ''HAVE USED FALSE CLAIMS TO EYEWITNESS STATUS TO MALIGN THE REPUBLIC OF (SOUTH) KOREA WITH UGLY RUMORS ALREADY SHOWN TO BE GROUNDLESS.''

HE SAID THAT AFTER ORDER WAS RESTORED IN THE PROVINCIAL CITY OF KWANGJU, THE GOVERNMENT TOOK IMMEDIATE STEPS TO DETERMINE THE FACTS CONCERNING THE RIOTING AND THE CIRCUMSTANCES OF ALL CASUALTIES.

''KWANGJU CITIZENS WERE ENCOURAGED TO REPORT ANY OBSERVED INCIDENTS OF EXCESSIVE FORCE OR PREVIOUSLY UNREPORTED CASUALTIES. A THOROUGH INVESTIGATION REVEALED A TOTAL OF 174 FATALITIES,'' THE STATEMENT SAID.

NICK MELE, SPOKESMAN FOR THE AMERICAN EMBASSY, SAID THE TWO ARE NOT PEACE CORPS VOLUNTEERS IN KOREA NOW AND THAT HE DID NOT KNOW IF THEY WERE CORPS MEMBERS AT THE TIME OF THE KWANGJU REBELLION.

HE SAID THAT HE UNDERSTOOD THERE WERE FOUR PEACE CORPS VOLUNTEERS IN AND AROUND KWANGJU AT THE TIME OF THE KWANGJU INCIDENT.

REFERRING TO THE CLAIMS THAT AMERICAN OFFICIALS SUPPRESSED THE TRUTH ABOUT THE KWANGJU INCIDENT, MELE SAID THAT TO THE BEST OF HIS KNOWLEDGE THERE HAD BEEN NO SUCH ATTEMPTS, ALTHOUGH PEACE CORPS MEMBERS WERE REMINDED OF THEIR LEGAL OBLIGATION NOT TO INTERFERE IN KOREAN DOMESTIC POLITICS.

HE ADDED THAT AS AMERICAN CITIZENS THEY WERE FREE TO SAY OR DO ANYTHING OTHER THAN WHAT WOULD CONSTITUTE POLITICAL INTERFERENCE.

CLARK AND PERRY SAID THEY IN STOCKHOLM THEY LEFT THEIR PEACE CORPS SERVICE IN SOUTH KOREA TO ''GET THE TRUTH OUT ON BEHALF OF THE KOREAN PEOPLE.''

THEY SAID THEY HAD SMUGGLED OUT A STATEMENT ALLEGEDLY WRITTEN BY STUDENT REBELS BEFORE THE ARMY RETOOK KWANGJU ON MAY 27. THEY ALSO SAID THEY HAD TESTIMONY FROM SIX OTHER PEACE CORPS VOLUNTEERS WHO WERE IN KWANGJU AND FROM SEVERAL KOREAN CATHOLIC PRIESTS WHO THEY SAID TESTIFIED IN WRITING THEY WITNESSED ATROCITIES COMMITTED BY KOREAN SOLDIERS.

END

미 평화봉사단 관계관 회의

1. 일　　시　　:　1980. 7. 22. 15:00

2. 장　　소　　:　외무부 미주국장실

3. 참 석 자　　:　외무부　미주국장

외무부	미주국장
"	북미담당관
"	조약 1과장
청와대	이수 영과장
문교부	사회국제교육국 국제교육과장
보사부	의정국 의정 1과장
과기처	기술협력국 총괄과장
문공부	외신과장

공람	북미담당관	80년 7월 23일	담당	담당관	심의관	국장	차관보	차관	장관

39

미주국장 : 회의개최 선언. 금일 미 평화봉사단 관계관 회의는 미평화봉사단원으로 아국에서 근무하다 최근 출국했다고 밝힌 2명의 단원이 광주사태를 왜곡 유포한 불미스런 사건이 최근 발생한 바 있어 향후 이런사건의 재발을 방지키 위한 대책수립의 일환으로 미 평화봉사단의 현 운영실태를 점검하기 위하여 소집하게 된 것임.

과 기 처 : 72년 미국정부와 과기처간에 맺어진 평화봉사단 용역 제공에 관한 운영협정(보안협정)에 의하면 과기처가 동업무에 관한 우리정부의 창구부처이나 실제로는 관계부처가 미측 봉사단과 직접 접촉이 가능. 과기처는 관계부처로부터 사후 보고를 접수하는 정도임.

미주국장 : 과기처가 창구부처로서 미측으로부터 아국에 봉사단 파견시마다 명단을 통보받고 있는지?

과 기 처 : 통보받고 있음. 80.1.현재 명단 가지고 있음.

북미담당관 : 광주사태의 왜곡 유포후 사실 확인키 위해 창구부처를 찾으려 했으나 어려웠음. 과기처가 창구부처라면 봉사단 인원 변동, 협정 위반사항에 대한 책임문의등 관할해야 할 것임. 과기처의 확인 인원과 미평화봉사단 본부측의 확인 인원에 차이가 있음.

40

- 2 -

과 기 처 : 총체적 파악 어려움. 문교.보사부가 실질적으로 관할함.

미주국장 : 미측 보고는 정확한가?

과 기 처 : 보고의 신빙성 확인할 수 없음. 보고가 없는 경우도 있음. 문교.보사부의 보고가 있었어야 했을 것임.

문 교 부 : 평화봉사단의 문교부 지원사업은 66년부터 시작되어 금년까지 1,143명으로 금년에 종결예정임.
보건단으로 파견된 7명중 4명(보사부관할)은 특수교육 (정신 박약아 교육등)에 종사하고 있음.

미주국장 : 현재까지의 미평화봉사단의 봉사는 총체적으로 볼때 어떻게 평가될 수 있다고 보는가?

문 교 부 : 긍정적인 면이 컸던 것은 사실이나 필수적이며, 크게 유익했다고 평가할 수는 없다고 봄. 아측도 평화봉사단 지원을 최대로 활용치 못했던 점이 있었다고 봄.
(예 : 학교 영어교사의 경우 고장과 봉사단원인 미국인 교사와의 의사소통의 부족등으로 지휘 감독상 문제점 발생)

보 사 부 : 정확인 평가는 어려우나 문교부측 comment에 동감임.
현지 91명이 근무중임. 7.31. 53명이 입국예정. 금년에 종결예정임.

41

미주국장 : 미속지원 종료에 대하여 양측이 합의한 바 있는가?

보 사 부 : 주한 미대사가 보사부장관을 예방, 구두로 종결의사를 밝힌 바 있음.

문 교 부 : 한국주재 평화봉사단 단장이 통보해 왔음. (기록 있음)

조약1과장 : 협정 종료는 양측 일방에서 서면통고로 종료의사 표시후 90일 이후에 종료.

북미담당관: 과거 확인한 평화봉사단 인원현황과 평화봉사단 본부측 인원현황과의 차이는 어떻게 설명될 수 있는가?

문 교 부 : 평화봉사단으로 내한 계약기간을 봉사하고, 귀국치 아니한 잔류자가 있어 차이가 있는 것 같음.

미주국장 : 잔류자의 법적지위는 어떤가?

조약1과장 : 법적지위에 변동 있을 것임. 그러나 양측의 관리소홀을 이용, 평화봉사단원으로서의 지위를 계속 향유가 가능했을 것임.

북미담당관: 잔류자의 체한은 향후 유사한 사태의 재발방지를 위해 법무부에서 철저히 관할해야 함.

미주국장 : 미측의 명단 보고의무는 명시적으로 되어 있는가?

과거처, 조약1과장 : 협정상에는 보고의무는 없으나 양해사항인 것으로 알고 있음.

북미담당관 : 금번 광주사태를 외곡 유포시킨자들의 성명은 Steven Clark 및 Carolyn Perry 인 바, 동인들의 이름을 확인할 수 있는가? 왜곡 보도의 설명을 위해 확인이 필요함.

보사부 : 6.13. 출국한 보건단원중 Steven Hunziker 및 Carolyn Turnbyfill 는 있음. 동인들의 근무처는 대구 엠마병원 이었음.

북미담당관 : 평화봉사 사업시작 이래 계약위반 및 마약등 형사 문제등으로 해약, 출국한 예가 있었는가?

보사부 : 상기예 없음.

미주국장 : 아측이 평화봉사단원에 대하여 재정적으로 지원하는 것이 있는지?

보사부 : 단원 각인에게 ₩23,000 지원함 (정부 예산)

문교부 : ₩20,000 지원함.(정부 예산)

43

미주국장 : 단원들의 체한중 부업여부는 어떤가?

문 고 부 : 단원들이 근무중 가정교사, 학원교사등 부업하는 예가 있는 것으로 알고 있음.

미주국장 : 과기처가 창구부처이므로 평화봉사단본부에 현재 국내 체류중인 봉사단 인원현황을 확인, 외무부에 통보바람.

과 기 처 : 전체적인 입국인원 통보는 없음.

문 고 부 : 입국인원중 일정기간 국내교육후 한국내 근무 희망자는 문교부에 통보해옴.

보 사 부 : 마찬가지로 확인된 보건단 인원현황은 입국인원과 반드시 동일한 것은 아님.

미주국장 : 오늘 관계관 회의에서 금번사건에 대한 구체적 대책방안의 도출을 위하여 평화봉사단의 운영실태를 점검하고, 관계부처의 의견을 취합해 볼 수 있었다는 점에 극히 유익한 토의였다고 생각함. 향후 유관기관의 협조바람.

끝.

44

주한 미평화 봉사단 참고자료

I. 한.미 평화봉사단 협정

1. 협정 체결 경위

가. 1966.2. 미측의 요구로 Peace Corps 파견에 대한 협정 체결 교섭 시작

나. 1966.9.14. 각서교환으로 체결, 발효

다. 1967.3. 한.미 평화봉사단 협정 5항에 의거 동 협정의 구체적 운영을 위한 약정 체결
운영에 관한 주관 부처 : 문교부, 보건사회부(보건의료단)

2. 협정 요지

가. 1966.9. 협정 체결후 현재까지 49진 약 1,700명이 봉사, 이중 교육분야 1,200, 보건 의료분야 500명

나. 현재 교육분야 26명 (80년까지 임기 만료) 보건 의료단 70여명 (82.7. 임기 만료) 이 있으나 이후는 동 사업 계획이 종료될 예정임.

다. 73년 이후 미의회에서 예산 삭감으로 운영상의 축소 내지 bi-nationalism (수원 국가 참여) 방안을 모색하고 있음. 이에 따라 교육 수준이 높은 아국등에서는 우선적으로 축소 내지 종결이 예상됨.

3. 협정 종료

협정 당사자 일방의 서면 통고로 종료의사 표시후 90일 이후에 종료

46

- 2 -

II. 평화 봉사단 분야별 지역별 인원 현황

1. 총 인원 : 91명 (80. 7. 현재)

2. 분야별 현황

결핵 요원	:	54명
나병 요원	:	9명
모자 보건	:	17명
직업 재활	:	3명
사회 사업	:	2명
특수 교육	:	6명

3. 지역별 인원 현황

서 울	6	전 북	9
경 기	15	전 남	10
강 원	13	경 북	8
충 북	7	경 남	12
충 남	8	제 주	3

47

III. 미국 평화봉사단 개요

Peace Corps 의 창설 경위 및 법적 성격

1. 창설 경위 :

1961.3.1. 케네디대통령의 지시로 잠정적으로 국무성령에 의하여 발족

해외원조법 Sec. 643.(d) 가 Peace Corps 의 직능, 직원 사무소 재산등에 관하여 과도적으로 규정하다가 1961. 9.22. Peace Corps Act 제정

2. 법적 성격 :

대통령 직속하 독립적 성격을 가지면서 직무수행에 관하여는 계통의 일원화를 도모하기 위하여 국무성이 상급기관 역할 (특별 법적 기관)

3. Peace Corps 의 활동 :

Peace Corps Act 에 명시된바 없고 Section 2 에 추상적으로만 규정

4. 활동 대상국 :

주로 후진국으로 아프리카제국 및 동남아지역

5. 협정체결의 필요성 :

Peace Corps 가 법적기관이며 대통령은 적어도 매년 1회 이상 의회에 보고 요함. 끝.

48

- 4 -

평화봉사단파견현황

1. 단원현황 : 91명

결핵 : 54　　사회사업 : 2

나병 : 9　　특수교육 : 6

모자보건 : 17　　직업재활 : 3

* 시.도별 현황 및 년도별 파견현황 별첨.

2. 파견계획

평화봉사단원 최종 파견계획으로서 '80.7.31. 53명 입국예정

나관리요원 : 18

특수교육요원 : 11

결핵관리요원 : 24

'82.7.31.로서 사업종결

3. 소관업무

가. 결핵요원

1) 보건소 내소환자 안내

2) 환자등록 및 치료업무

3) 개담검사

4) 투약 및 추구업무

5) 보건교육

나. 나관리요원

1) 보건소 내소환자 안내

2) 신환자 발견업무

3) 환자등록

4) 환자치료 및 관리업무

5) 정착촌 환자의 치료

49　6) 보건교육

다. 모자보건요원

1) 임산부등록

2) 분만개조

3) 영유아 건강관리

4) 모성건강관리

마. 특수교육요원

1) 언어교정

2) 직업재활

3) 물리치료

4. 사업의 성과 및 계속필요성

가. 1967년 이후 결핵 및 나관리사업에 보조요원으로서 봉사

나. 모자보건 및 지체부자유아에 대한 재활 및 특수교육에 봉사

50

년도별 미평화봉사단원 현황

80. 7. 20.

년도 구분	계	67	68	70	71	72	73	74	75 7		76	77		78				79		80
진		K-4	K-6	K-13	K-18	K-25	K-28	K-31 K-32	K-34	K-35	K-37 K-38	K-41	K-42	K-44	K-45	K-46	K-47	K-48	K-49	K-50
입 국	521	68	36	27	26	33	27	37	1	61	33	2	23	2	27	10	21	36	23	28
출 국	430	68	36	27	26	33	27	37	1	61	33	2	23	2	22	5	9	10	7	1
현 재	91														5	5	12	26	16	27

51

도별, 업무별 단원현황

80. 7. 20

진별 \ 도별	계	서울	경기	강원	충북	충남	전북	전남	경북	경남	제주
계	91	6	15	13	7	8	9	10	8	12	3
K-42											
K-45	5						3	1	1		
K-46	5	3							2		
K-47	12	2	2		1		2	2	3		
K-48	26	1	4	5	3	1	2	1	1	8	
K-49	16		4	3	1		1	4		2	1
K-50	27		5	5	2	7	1	2	1	2	2

결핵 : 54　　나병 : 9　　모자보건 : 17

사회사업 : 2　　특수교육 : 6　　직업재활 : 3　　계 : 91

보건교육 / 특수교육단원 (도별)

도별	진별	입국일자	성 명	근 무 지	귀국 예정일	비고
서울	K-46	7/16/78	Catherin Sharpsteen	이화여자대학교 특수교육과	12/11/80	특수교육(농)
	K-46	"	Alan Stevenson	한국구화학교	"	특수교육 (농)
	K-46	"	Noren Lush	미 정	8/11/81	
	K-47	9/29/78	Steven Oswald	성 베드로학교	12/11/80	특수교육
	K-47	"	Michael Cook	서울 애화학교	"	특수교육
	K-48	4/27/79	Sally Fox	보건사회부 모자보건과	7/7/81	모자보건
	K-48	"	Rose Janofsky	이화여자대학교 부속병원 산부인과	"	모자보건
경기도	K-47	9/29/78	Jane Johnson	수원자혜학교	12/11/80	특수교육
	K-47	"	Linda Novak	인천송혜학교	"	특수교육
	K-48	4/16/79	Brian Spear	용인군 보건소	7/7/81	나병
	K-48	4/27/79	Howard Seltzer	성 원선시오집	"	사회사업
	K-48	"	Anne Seltzer	성원선시오집	"	사회사업
	K-49	8/16/79	Kenneth Beach	연천군 보건소	10/24/81	결핵
	K-49	"	Cynthia Hart	여주군 보건소	"	결핵
	K-49	"	Robin Anthony	안성군 보건소	"	결핵
	K-49	"	John Aller	가평군 보건소	"	결핵

53

도별	진별	입국일자	성 명	근 무 지	귀국 예정일	비고
경기도	K-50	4/22/80	Nancy Kruse	광주군 보건소	7/3/82	결핵
	K-50	"	Gordon Ruesch	수원시 보건소	"	결핵
	K-50	"	Robert Voetsch	양평군 보건소	"	결핵
	K-50	"	Valarie Sartor	김포군 보건소	"	모자보건
	K-50	"	Patrice Montesclaros	용인군 모현면 보건지소	"	모자보건
강원도	K-48	4/27/79	Alison Manny	고성군 보건소	7/7/81	결핵
	K-48	"	Brenton Burkholder	인제군 보건소	"	결핵
	K-48	"	Gavin Timoney	양양군 보건소	"	결핵
	K-48	"	Thomas Wells	명주군 보건소	"	결핵
	K-48	"	Lucile Wells	명주군 보건소	"	모자보건
	K-49	8/16/79	David Allan	정선군 보건소	10/24/81	결핵
	K-49	"	David Contreras	양구군 보건소	"	결핵
	K-49	"	Michael Gijanto	영월군 보건소	"	결핵
	K-50	4/22/80	John Craig	삼척군 보건소	7/3/82	결핵
	K-50	"	Gregory Engle	홍천군 보건소	"	결핵
	K-50	"	James Lee	춘성군 보건소	"	결핵
	K-50	"	Maureen Engle	홍천군 모자보건쎈타	"	모자보건
	K-50	"	Carol Keller	춘성군 신동면 보건지소	"	모자보건

54

도별	진별	입국일자	성명	근무지	귀국 예정일	비고
충청북도	K-47	9/29/78	Alice Gear	충주시 보건소	12/11/80	결핵
	K-48	4/27/79	Joel Lindh	영동군 보건소	7/7/81	결핵
	K-48	"	Kyuok Kim	중원군 보건소	"	결핵
	K-48	"	William Sproul	청원군 보건소	"	나병
	K-49	8/16/79	Andrea P. Usiak	보은군 보건소	10/24/81	결핵
	K-50	4/22/80	Susan Copenhaver	괴산군 보건소	7/3/82	결핵
	K-50	"	Caren Schnur	단양군 보건소	"	결핵
충청남도	K-48	4/27/79	Rock Peterson	서산군 보건소	7/7/81	결핵
	K-50	4/22/80	Joseph Piccoli	당진군 보건소	7/3/82	결핵
	K-50	"	Mary Robards	연기군 보건소	"	결핵
	K-50	"	David Titus	논산군 보건소	"	결핵
	K-50	"	Chungja Kim	서산군 운산면 보건의료 사업소	"	모자보건
	K-50	"	Patricia Titus	논산군 연산면 보건지소	"	모자보건
	K-50	"	Kathleen Mende	천원군 성환읍 보건지소	"	모자보건
	K-50	"	Dawn Handler	공주군 정안면 보건지소	"	모자보건

도별	진별	입국일자	성 명	근 무 지	귀국 예정일	비고
전라북도	K-45	4/21/78	Dennis Lazarus	미정	7/30/81	
	K-47	9/29/78	Sean B. Goldrick	옥구군 보건소	12/11/80	결핵
	K-47	"	Karen Standerwick	임실군 보건소	"	결핵
	K-48	4/16/79	Rex Hoffman	김제군 보건소	7/7/81	나병
	K-48	"	Julie G. Strong	남원군 보건소	"	나병
	K-49	8/16/79	Thomas Deske	이리시 보건소	10/24/81	결핵
	K-50	4/22/80	Bruce Muirhead	진안군 보건소	7/3/82	결핵
전라남도	K-45	4/21/78	Timothy Warnberg	전남의대 피부과	7/30/81	나병
	K-47	9/29/78	Judity Chamberlin	헌해원	12/11/80	나병
	K-47	"	John Wisniewski	해남군 보건소	"	결핵
	K-48	4/16/79	Paul Courtright	나주군 보건소	7/7/81	나병
	K-49	8/16/79	John Bean	보성군 보건소	10/24/81	결핵
	K-49	8/16/79	Joseph Lang	고흥군 보건소	"	결핵
	K-49	"	Joseph Foltz	강진군 보건소	"	결핵
	K-49	"	Julie Pickering	영광군 보건소	"	결핵
	K-50	4/22/80	Craig Topeff	신안군 보건소	7/3/82	결핵
	K-50	"	Michael Lane	진도군 보건소	"	결핵

56

도별	진별	입국일자	성 명	근 무 지	귀국 예정일	비고
경상북도	K-45	4/21/78	Paul Bantle	한국사회사업대학 사회사업과	7/30/81	사회사업
	K-45	"	Michael Guralnick	한국사회사업대학 사회사업과	"	사회사업
	K-46	7/16/78	Thomas Wilson	한국사회사업대학	8/11/81	직업재활
	K-47	9/29/78	David Loeding	청송군 보건소	12/11/80	결핵
	K-47	"	Michael Maddox	영양군 보건소	"	결핵
	K-47	"	Margaret Pollack	의성군 보건소	"	결핵
	K-48	4/27/79	Tucker Dacey	대구 남구모자보건쎈타	7/7/81	모자보건
	K-50	4/22/80	Derek Wagner	울진군 보건소	7/3/82	결핵
경상남도	K-48	4/27/79	David Breer	합천군 보건소	7/7/81	결핵
	K-48	"	Jeanine Fairchild	김해군 보건소	"	결핵
	K-48	"	Linda Vorhis	고성군 보건소	"	결핵
	K-48	"	Paula Berlin	충무시 보건소	"	모자보건
	K-48	"	Nancy Kelly	고성군 모자보건쎈타	"	모자보건
	K-48	"	Christin Dickson	울주군 모자보건쎈타	"	모자보건
	K-48	4/16/79	Staton Magee	진양군 보건소	"	나병
	K-48	"	Benjamin Bryan	진양군 보건소	"	나병
	K-49	8/16/79	Gerald McLoughlin	창녕군 보건소	10/24/81	결핵
	K-49	"	Alexander Myrick	밀양군 보건소	"	결핵
	K-50	4/22/80	Honor Phillips	양산군 보건소	7/3/82	결핵

57

도별	진별	입국일자	성 명	근무지	귀국 예정일	비고
제주도	K-49	8/16/79	Brenda Carey	남제주군 보건소	10/24/81	결핵
	K-50	4/22/80	Margaret Eglinton	남제주군 보건소	7/3/82	모자보건

결 핵	49 명
나 병	9 명
모자보건	16 명
특수교육	6 명
직업재활	1 명
사회사업	4 명
총	87 명

미 정 2 명

대한민국 과학기술처와 주한 미 평화봉사단의 협약서 (72. 6. 30)

이 협약서는 1966년 9월 대한민국 정부와 미국정부 사이에 평화봉사단 협정과 Agreed Understanding 에 관하여 체결되었던 외교각서의 내용을 수행하기 위한 것이다.

1971년 9월 11일자 대한민국 국무총리실로 부터의 서신에 의거하여 과학기술처는 주한미평화봉사단에 관련된 모든 활동이나 대한민국 정부와 주한 미 평화봉사단의 상호관심사를 협의, 조정하는 책임을 진다. 단 어떤 사항이 과학기술처 이외의 다른 정부기관이나 부처의 특정한 책임분야나 관심사에 관한 것일 때는 (주한미) 평화봉사단은 직접 그 관계부처와 일 할 수 있다.

제 1 장

주한 미 평화봉사단을 위하여 과학기술처가 담당할 수 있는 임무:

가. 기 획

1. 연례적으로 워싱톤 평화봉사단 본부에 제출하도록 되어있는 주한 미 평화봉사단의 중요프로그램 계획문서인 "사업계획서"를 기안하는 일을 위해 특히 매년 4월 이전에 프로그램이나 운영및 정책상의 전반적인 조언을 제공한다
2. "사업계획서 초안"을 6월 워싱톤 평화봉사단 본부에 제출하기에 앞서 검토 논평한다.
3. 과학기술처 이외에 기관이 한 프로그램으로서 5명 이상의 단원을 요청할때 이를 접수, 논평하고 주한 미 평화봉사단이

59

5명 이내의 프로그램 요청을 처리 하였을때, 이에 대한 주한 미 평화봉사단의 통보를 받는다.

나. 평 가

1. 주한 미 평화봉사단의 프로그램이나 운영상의 평가를 과학기술처가 독자적으로 또는 평화봉사단과 합동으로 담당 실시한다.
2. 평가 결과를 검토 논평한다.
3. 평가 결과에 따라 대한민국 정부와 그 이익에 관계되는 필요한 프로그램의 변경조치를 위해 조력한다.

다. 주한 미 평화봉사단에 대한 지원

1. 단원이 될 사람들을 선발하고 훈련시키는데 사용될 물적, 인적 자원을 마련하는 일에 필요에 따라 조력한다.
2. 단원이 될 사람들의 국내 훈련이나, 단원및 단원의 한국인 동료 직원과 평화봉사단 직원의 회의에 필요한 제반 설비를 마련하는 일에 미 평화봉사단과 함께 참여한다.
3. 대한민국 정부와 주한 미 평화봉사단 사이의 연락 사무를 담당할 과학 기술처의 대표를 임명한다.
4. 미국 국회의원이나 기타 주요한 인사가 주한 미 평화봉사단을 방문하게 될 경우 미 평화봉사단을 지원하는 주체가 된다.
5. 한국, 특별히 한국 정부의 여러 부처가 미 평화봉사단의 프로그램 운영및 정책에 대해서 효율적인 공동임무 수행의욕과 관심을 갖도록 주선 권장한다.
6. 과학 기술처는 정기적으로 단 일년에 적어도 한번씩 평화봉사단이나 한국에서의 봉사활동의 개발에 관심을 가진 민간인 대표와 정부기관의 대표로 구성된 자문위원회를 주관한다. 이 자문위원회의 구성은 주한 미 평화봉사단과 과학기술처의 합의에 의해 차후 결정한다.

60

2

제 2 장

주한 미 평화봉사단은 과학기술처에 대하여 아래와 같은 책임을 진다.

가. 주한 미 평화봉사단의 사업계획과 평가를 돕기 위하여 제시된 과학기술처의 의견이나 정책을 충분히 고려 할 것이며, 과학기술처의 의견이나 정책에 상반되는 기획 결정 사항이 있을 때는 그것을 과학기술처에 통고한다.

나. 국내에서 이미 널리 알려 졌거나 또는 널리 알려질 가능성이 있는 일로서 주한 미 평화봉사단이나 단원에 관한 모든 중요문제를 과학 기술처에 통고한다.

다. 한국에 있는 단원들의 프로그램에 관련하여 취해지는 모든 중요 조처를 상시 과학 기술처에 통고한다.

이 협약서는 양측 서명하는 즉시 효력을 발생한다.

이 협약서는 양측의 동의를 얻어 수정 할 수 있다.

이 협약서는 어느 한 쪽 기관으로 부터 서면으로 해약을 통고한후 30일이 지나면 해약 될 수 있다.

주한 미 평화봉사단과 한국 정부의 부처나 기관사이에 이미 이루어 졌거나 앞으로 이루어질 협약이나 합의와 이 협약이 상충할 경우 이 협약서의 내용이 우선권을 갖는다.

이 협약서는 한국어와 영어로 작성된다. 언어상의 차이나 기타 이유로 인하여 의문이 생길경우 양측은 선의와 우호적인 타협으로 문제를 해결하도록 시도 할 것이다. 그러나 그러한 경우엔 한국어 문서를 공식적인 최종 문서로 삼는다.

3

61

최 형 섭
과학기술처 장관

에드워드 피.스칼
주한미평화봉사단장 직무대리

4

62

72.6.30

MEMORANDUM OF UNDERSTANDING
BETWEEN

MINISTRY OF SCIENCE AND TECHNOLOGY AND PEACE CORPS

This Memorandum is intended to implement the Diplomatic Notes of September 1966 regarding the Peace Corps Agreement and Agreed Understanding between the Republic of Korea and the United States.

On the basis of the September 11, 1971, communication from the Republic of Korea Prime Minister's Office, the Ministry of Science and Technology (MOST) will assume the responsibilities of a point of contact and coordination of activities pertaining to the Peace Corps in Korea (PC/K) and matters of mutual concern to PC/K and the Republic of Korea Government (ROKG). It is understood that nothing in this Memorandum shall preclude the Peace Corps from working directly with the separate Ministries and Offices of the Republic of Korea when the matters of discussion deal with the specific interests and responsibilities of that Ministry or Office.

I.

Among the responsibilities of the MOST on behalf of the Peace Corps in Korea are:

A. Planning:

1. Provide general guidance with regard to programs, operations and policy and especially before April of each year for the purpose of assisting PC/K in drafting the annual submission to Peace Corps/Washington of the Country Plan, which is PC/K's major program planning document.

2. Review and comment on the draft Country Plan prior to its submission to Washington in June.

3. Receive and comment on all program requests for five or more Volunteers for a single program which originate outside MOST and receive notification from PC/K when program requests for five or fewer Volunteers are filled.

63

B. Evaluation:

1. Separately or jointly participate in developing and carrying out evaluations of PC/K's programs and operations.

2. Review and comment on the findings of the evaluations.

3. Assist in effecting necessary program changes based on the evaluations as they may relate to the ROKG and its interests.

C. PC/K Support:

1. Assist as necessary in arranging for Korean personnel and materials to be used in the recruitment and training of potential Volunteers.

2. Participate with PC/K in arranging for facilities in Korea for training, and for conferences of Volunteers, Korean counterparts and staff.

3. Designate a Ministry representative to provide liaison between the ROKG and PC/K.

4. Provide a focal point for assistance to PC/K on such matters as visits to PC/K of members of the U. S. Congress and other VIPs.

5. Stimulate within Korea, especially among the various ROKG Ministries and Offices an effective partnership role and interest in the programs, operations and policies of PC/K.

6. MOST will sponsor periodically, but at least once a year, a meeting of an Advisory Group of ROKG and private representatives, who have an interest in the Peace Corps and the general development of voluntary service in Korea. Membership in this Advisory Group shall be agreed upon by PC/K and MOST.

69

II

The Peace Corps will have the following responsibilities to the MOST:

A. Fully consider MOST's opinions and policies in reviews and comments made to assist PC/K in Planning and Evaluation, and advise MOST of any proposed programming decisions which are counter to the opinions and policies of MOST.

B. Notify MOST of all significant matters regarding PC/K and its Volunteers which have received or may receive substantial publicity in Korea.

C. Keep MOST currently informed as to significant actions being taken regarding the programming of Volunteers in Korea.

This Memorandum will go into effect immediately upon its being signed by both parties.

This Memorandum may be terminated by either party effective 30 days after the date of notice in writing given by either party to the other of its intention to terminate.

This Memorandum will have priority, in cases of conflict, over the Memorandums and Understandings which have already been and will be concluded between ROKG Ministries or Offices and PC/K.

This Memorandum is made in both the Korean language and the English language. In cases of questions due to language variance or other reasons, the parties will attempt to resolve the matter through good faith and amicable negotiations, but, if necessary, the Korean version will be considered the final official document.

(Date)	Choi, Hyung Sup Minister Ministry of Science and Technology
(Date)	Edward P. Scott Acting Director Peace Corps/Korea

65

전 언 통 신 문

수화자: 과기처 기술 협력국장

송화자: 외무부 미주국 북미담당관

일 시: 80.7.24. 14:33

북미담당관: 아래요지의 내용을 한.미 평화봉사단 운영협정의 한국측 당사자인 과학기술처가 주한 미 평화 봉사단 측에 적절하게 그리고 시급하게 통보하라는 상부지시가 있어 이를 전달함.

「그동안Peace Corps 가 한국에서의 봉사를 통해서 성과를 거둔것으로 사료하는 바, 이제 추가로 파견될 계획으로 있는 53명의 파견이 필요하다고 생각하는가?

우리로서는 필요없다고 생각함.」

기술협력국장: 전달 내용알겠음. 그러나 과기처가 운영협정상 창구부처라고는하나 활동면에서는 사실상 해당 부처가 평화봉사단측과 직접 접촉해왔으며 동업무에 따른 외교교섭은 외무부가 행하여 왔음.

따라서 과기처가 상기 내용을 평화 봉사단에 통지 하는것이 적당한지?

북미담당관: 지금 전달한 사항은 이미 과기처에서 통보하도록 상부에서 결정된 것을 본인이 전달하는것이므로 그렇게 이해바라며, 만일 이의가 있으면 적절한 통로로 제시하는것이 좋겠음.

기술협력국장: 알겠음. 끝.

공람	북미담당관	80.7.24일	과 장	[illegible]	심의관	국 장	차관보	차 관	장 관

66

미 주 국

1980. 7. 24. 14:33

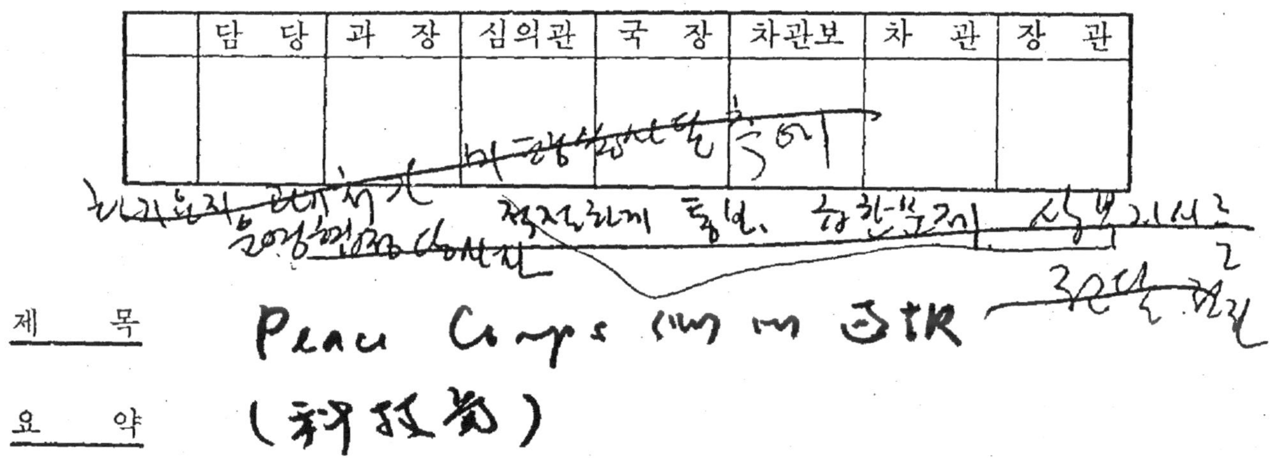

	담 당	과 장	심의관	국 장	차관보	차 관	장 관

제 목 Peace Corps [illegible]

요 약 ([illegible])

[illegible] Peace Corps [illegible]

[illegible]

조치사항 [illegible]

관계 부처

외교안보 외무부. 이런 회의를 고려하게 하는 것 적당한지 의심.

순: 이야기하는 것은 상부지시. 내용 검토해보겠음. 이의 있으면 대화 통로를 통해 정정히 강의.

68

미주3과 7/25
착신전보
6h
File

외 무 부

종 별 :

번 호 : DEW-07121　　　　일 시 : 240910

수 신 : 장 관　　　　사본:부 장

발 신 : 주덴마크 대사

제 목 : 평화봉사단원 회견

정 문 국
장 관 실
차 관 실
정 차 보
구 주 국
중 정
문 공 부

대:AM-0716, WEUM-0707

연:DEW-0792

1. 덴막어 조간지 AKTUELT 는 7.23. WE ARE ASHMED OF THE ROLE OF U.S. IN SOUTH KOREA 제하에 대호 평화봉사단원 CLARK 및 PERRY 남녀와 스톡홀름 거주 반한교포 김영두 등 3명의 인터뷰를 통해 광주 사태관련 대호 내용을 상기 3명 회견사진 13 X 8 센티와 광주 폭동진압사진 17 X 10 센티 1매와 함께 타블로이드 판 8면에 4단 보도함.

2. 주요 내용은 다음과 같음.

가. 평화봉사단원이었던 2명은 한.미 양당국이 감추려하는 잔혹상을 세계에 알리기 위해 스칸디나비아에 왔다.

나. 클르크말: 우리는 직접 당하지는 않았으나 증인들로부터 자료를 얻었으며 그 자료에 의하면 2 내지 3천명이 죽은것으로 결론지울수 있다. 주한미대사관에 말했으나 침묵하라는 말만 들었다.

다. 페리말: 봉사단원 1명이 NYT 와 회견했는데 금방 CIA 로 부터 경고 받았다.

라. 클라크 : CIA 는 우리가 스칸디나비아 어디에 있는지를 알기위해 미국에 있는 우리 친구들을 접촉하고 있다. 서울 육본에서는 온갖 고문이 진행되고 있다. 한국국민은 북한공산주의자보다 더 무서워하고 있다.

마. 페리 : 모든 도시에는 CONCENTRATION CAMP 가 있다.

바. 김영두(자칭 지난 10년간 망명중인 CHAIRMAN OF THE KOREAN FRONT FOR DEMOCRACY)말: 이제는 보수 그룹마저 전두환정권을 비판하고 있다. 오직 고급관리, 부유한 자본가, 미국만이 지지하고 있다.

사. 클라크 : 미군이 철수 하면 한국경제는 한시간내에 붕괴할것이다.

외신2과
통 제 관

07/24/80
22:05 69

인권을 논하면서 광주 사태후 2억불의 원조를 한 카터는 위선자다.

아. 동지 기자 ULRIK HOLMSTRUP 와의 이 회견기는 남녀 2명 이 한국에서의 미국의 역활을 부끄럽게 생각하고 있다고 논평함.

3. 당관은 회견기자, 편집국장 면담을 요청하엿으나 전자는 외출중, 후자는 휴가중이라 명 7.24. 하오에 편집 국장 대리와 면담키로 함. 조치결과는 추보하겠으며 동 지는 발행부수 55,000 의 사민당 기관지로 좌경 중립지임.

4. 연호 보고와 같이 당지에서는 대호 기사가 보도된바 없었으나 단원 2명이 당지에 입국함으로서 회견이 주선된 것으로 판단하며 앞으로 당지 외에도 상기 반한교포 김영두가 계속하여 독일, 프랑스등 남부 유럽으로 안내하여 동종의 회견을 주선할것으로 예측되는바 해당공관에 통보, 대처할것을 건의함.

(정공,해신)

예고:일반문서로 재분류(1980.12.31)

70

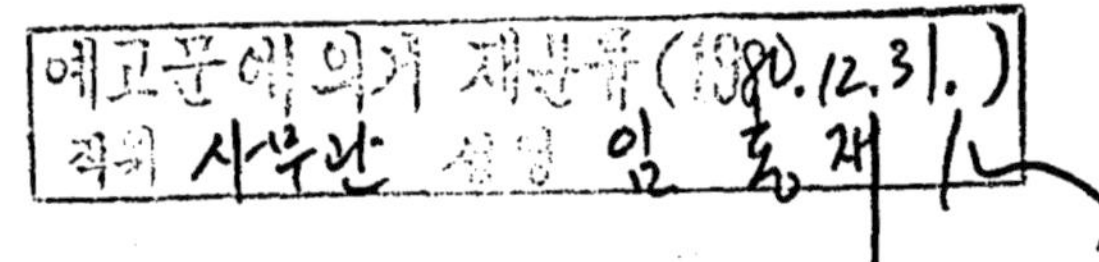
예고문에 의거 재분류(1980.12.31.)
직위 사무관 성명 임 동재

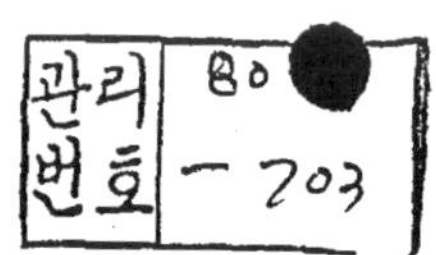

외 무 부

착신전보

종 별 : URGENT

번 호 : DEW-07122 일 시 : 241010

수 신 : 장 관 사본:부 장

발 신 : 주덴마크 대사

제 목 : 반한교포, 아국대표단 유인 시도

구 주 국
장 관 실
차 관 실
정 차 보
정 문 국
중 정
문 공 부

1. 서전 반한 교포 김영두로 추측되는 자가 7.23. 12:00 경 당지 유엔 여성회의 본회의장에 나타나 아국대표를 유인 시도한것으로 판단되는 사건이 발생하였음.

2. 상황 및 경위 :

가. 7.23. 12:00 경 미상의 교민 1명이 당지 여성회의 본회의장에 나타나 우연히 마주친 아국 NGO 대표 박영혜 (숙대교수)에게 접근 이태영 여사를 찾음으로 오지 않았다고 하자 박교수에 관해 몇가지 물은후 자기는 이곳 교포인데 어데 가는지 태워다 주겠다고함으로,

나. 박교수는 NGO 회의장에 가는 길인데 동료가 있으니 기다리라고 하고 회의장 로비에 들어왔음. 아국의 기조 연설이 있음으로서 아국 NGO 대표들이 방청, 지원차 본회의장에 왔었음.

다. 그때 당관 공관원 2명이 동 내용을 듣고 직감적으로 이상히 여겨 즉시 나가보았는바 동명은 숨어 있는듯하다가 아측 인원이 나타나자 급히 그의 차량 쪽으로 감으로 불렀으나 그는 시동을 하고 출발하려 했음.

라. 누구냐고 묻자 서전의 태권도 사범 임종수라고하며 이태영 여사를 만나러 왔으나 없다고 하니 가야겠 다고 하며 재차 물어볼 사이도 없이 급히 달아나 버렸음. (차내에는 타인은 없었음)

3. 확인사항 :

가. 동명의 인상착의와 차종 (청색 SAAB 99L 형, 차량번호 :FRY-219) 를 스톡호름 공관에 문의한바 김영두 및 그의 차량임이 확인됨.

나. 동명이 문제의 평화 봉사단원 2명을 대동하고 당지에서 광주 사태와 관련된 인터뷰 기사가 '' 악튜엘트'' 지 7.23. 일자에 게재되었으며 동명의 사진이 김영두와 유사함. (보도 기사 내용 별도 보고 DEW-07121)

07/24/80
22:08

4. 조치 사항:

- 1-

가. 즉시 각 대표들에게 출국시까지 경각심을 갖도록 재차 주의를 환기시켰으며.

나. 주재국 경찰에 통보 아국 대표단의 신변 보호요청하였음.

다. 당관에서는 현재 김영두의 행방 추적중이며 파악되는대로 추보 위계임. (구북,국일,정공,해신)

예고:일반 문서로 재분류(1980.12.31)

72

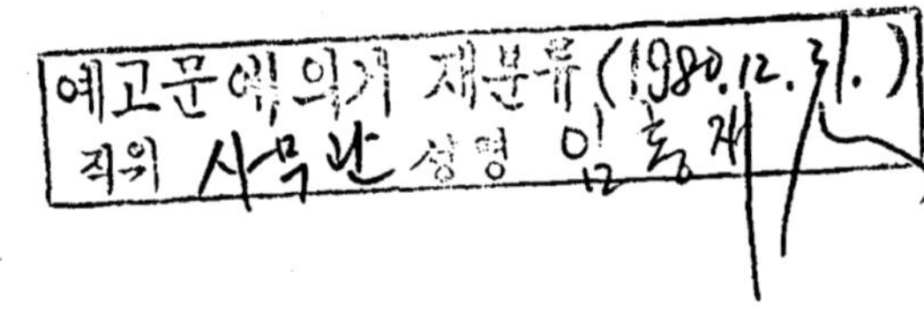

외 무 부

착신전보

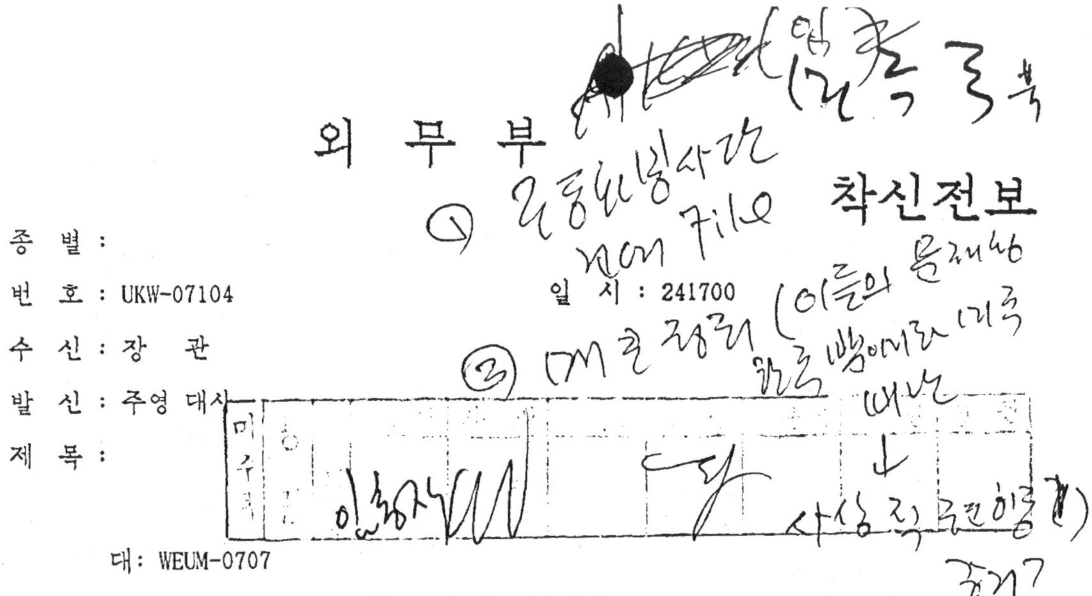

종 별 :

번 호 : UKW-07104 일 시 : 241700

수 신 : 장 관

발 신 : 주영 대사

제 목 :

정문국

대: WEUM-0707

1. 미평화봉사단원으로 78.4-80.6 간 체한했다는 STEVEN CLARK 의 서한이 7.19. 자 THE GUARDIAN 의 LETTERS TO THE EDITOR 란에 WHO WOULD LEAD YOU EUROPEANS IS RUSSIA HIT US AMERICANS FIRST 제하 3 단 4 인치 기사로 게재됨.

2. 상기 기사에 대한 주재국 인사 MR. PETER MASON 및 MS ANNA WHEATLEY 의 반박서한이 7.23. 자 THE GUARDIAN 의 LETTERS TO THE EDITOR 란에 HOW MR.CLARK, OF THE US PEACE CORPS, HAS GOT IS ALL WRONG 제하 3 단 5 인치 기사로 게재됨.

3. EXCERPT OF LETTER FROM STEVEN CLARK IN WISCONSIN, U.S.(JULY 19):

SIR. - IN THE UNITED STATES, WE ARE TOLD, EUROPEANS CRY OUT FOR STRONG AMERICAN LEADERSHIP. IS THIS TRUE ?

IN WHAT ARENA DO YOU NEED MY COUNTRY'S GUIDANCE ? PERHAPS IN ECONOMICS ? IT'S A CIVILISED SYSTEM OF ECONOMICS THAT ALLOWS THE MAJORITY SHAREHOLDER TO LEAD THE PARADE. TRUE, THE CHAIR OF LEADERSHIP IS PURCHASED WITH DOLLARS, NOT WISDOM, BUT IT'S A SYSTEM OF ORDER.

BUT I ASSURE YOU THOSE ARE JUST RUMOURS. I HAVE JUST COME FROM OUR MAJOR ALLY IN ASIA, SOUTH KOREA. NOW , YOU SHOULD REMEMBER THAT WE HAVE ASKED A GREAT DEAL MORE OF THE KOREANS THAN WE HAVE ASKED OF YOU EUROPEANS IN THE CONTAINMENT OF COMMUNISM.

THE KOREANS, LIKE YOU, IN RECENT MONTHS BECAME CONFUSED. THEY GOT SELFISH AND TRIED TO GO IT ALONE. THEY TRIED TO UPSET THE ORDER, AND WE SIMPLY DID NOT PERMIT IT. SOME DISTASSTEFUL MEASURES HAD TO BE TAKEN, BUT I THINK WE HAVE PROVEN OUR WILLINGNESS TO SPARE NO MORAL OR FINANCIAL

장관실 차관실 정차보 청와대 총리실 중정

73

07/25/80 11:14

- 1-

EXPENSE IN THE MAINTENANCE OF OUR COMMITMENT TO THOSE OF YOU ON THE FRONT LINE AGAINST COMMUNISM.

REST ASSURED. WE WOULD DO NO LESS FOR YOU THAN WE HAVE FOR OUR SOUTH KOREAN FRIENDS.

4. EXCEPT OF LETTER FROM PETER MASON IN LEICESTER, U.K.8JULY 239:

SIR, - IF MR STEVEN CLARK, OF THE US ''PEACE'' CORPS (LETTERS, JULY 19), MEANS WHAT HE SAYS, IT SEEMS WE HAVE A MUCH TO FEAR FROM THE AMERICANS, AS WE DO THE RUSSIANS. HE SAYS: THE KOREANS LIKE YOU, IN RECENT MONTHS BECAME CONFUSED. THEY GOT SELFISH AND TRIED TO GO IT ALONE... AND WE SIMPLY DID NOT PERMIT IT.

IF THE PEOPLE OF THIS COUNTRY POPULARLY DECIDE TO REJECT AMERICA'S RABID ANTI-COMMUNISM, WILL WE BE CRUSHED BY AN AMERICAN BACKED MILITARY ?

I FIND IT HARD TO BELIEVE THE AMERICANS COULD BE SO STUPID - BUT OTHER COUNTRIES, WE KNOW, ARE NOT SO LUCKY, AND CANNOT ENJOY SUCH CONFIDENCE (SOUTH KOREA BEING ONE)

BUT MR CLARK DID HINT AT ONE IMPORTANT POINT. WE MUST LEARN TO SEPARATE THE WHETHER MARXIST. LENINIST, TROTSKYIST, MAOIST OR STALINIST, FROM RUSSIAN POLITICAL IDEOLOGY, WHICH IS NO MORE THAN A FEARFUL SELF-AGGRANDISEMENT IN PROTECTION OF ITS SPHERE OF INFLUENCE.

5. EXCERPT OF LETTER FROM ANNA WHEATLEY IN HENSTEAD, SUFFOLK (JULY 239:

SIR, - WORKING ON THE PREMISE THAT THE LETTER FROM STEVEN CLARK IS TO BE TAKEN SERIOUSLY, I WOULD LIKE TO POINT OUT THAT, THANKS TO THE NUCLEAR ARSENAL INTO WHICH OUR LEADERS AND THEIR MINION, THE BRITISH PREMIER, ARE BENT ON TURNING OUR COUNTRY, IT IS UNLIKELY THAT THERE WILL BE MANY OF US FOLKS LEFT ALIVE TO REQUIRE LEADERSHIP, ESPECIALLY FROM SUCH SELF-IMPORTANT WARMONGERS AS AMERICANS ARE, IF MR CLARK IS AT ALL REPRESENTATIVE OF THEM. (해신, 정공, 구총)

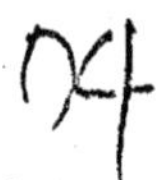

- 2-

관리번호	80-650

면 담 요 록

1. 일 시 : 1980 년 7 월 25 일 (금요일) 15:00 시~ 시

2. 장 소 : 외무장관실

3. 면담자 :

외무장관

Monjo 대사대리
(배석 : 미주국장)

4. 내 용 :

7.25. 외무장관은 주한 미대사관 Monjo 대사대리의 방문을 받고 면담한 바 그 주요요지는 다음과 같음.

—————— ○ —————— ○ ——————

Monjo 대사대리 : 바쁘신중 시간을 내주셔서 고마움.

어제저녁 과학기술처 기술협력국장은 미평화봉사단 Mayer 단장을 불러 오는 7.31. 한국에 도착 예정인 53명의 평화봉사단원 문제와 관련 한국정부가 동 봉사단원의 접수를 거부할 것으로 보인다는 내용을 전달하였으며, 이에따라 Mayer 단장은 미대사관과 협조하여 동 사실을 워싱턴에 긴급 보고하였으며 본인도 그 내용을 국무성에 보고한 바 있음.

75

이에 대하여 금일 아침 현재 휴가로 워싱톤에 체류중인 Gleysteen 대사로부터 본인에게 전화를 하여 자신의 personal message 를 장관님께 꼭 전달해 달라는 요청이 있었음. 그 내용은 두 가지로 요약될 수 있는바 첫째는 만일 한국정부가 평화봉사단 협정을 종료하기를 원한다면 그것은 한국정부의 주권에 관한 사항이므로 미국정부로서 간여할 수 없는 문제이나, 최종그룹으로 한국에 오는 평화봉사단원 53명이 현재 미국 서해안의 시애틀에 집결하여, 한국 출발을 서두르고 있는 이시점에서 한국정부가 갑자기 이들의 접수를 거부한다면 미국으로서는 낭패이며 한미관계에 좋지않은 영향을 미칠까 우려됨. 한국정부가 이들 평화봉사단원의 접수를 거부한다면 미국정부는 부득이 평화봉사단 협정자체에 관한 재검토와 더불어 다른 상호협력관계(other cooperative relations) 를 재검토하지 않을 수 없는 입장에 처하게 될 것으로 우려된다는 것임.

둘째로는 한국관헌에 연행되어 신문받고 있는 것으로 알려지고 있는 외신기자들에 관한 문제인 바, 이문제에 대하여 NYT 지 고위간부가 국무성에 조회하여 오는등 미언론계가 큰 관심과 우려를 표명하고 있다는 것임.

Gleysteen 대사는 말하기를 자기가 휴가차 한국을 떠날때에 한국의 정부 지도자들과 만날 기회가 있었는 바,

06

- 2 -

이들로부터 미국에 가거던 한국의 현실정과 한국정부의 입장을 설명해 줄 것을 부탁 받았는데, 이번사건으로 그러한 임무를 수행하기가 어렵게 될 것으로 우려된다고 함.

장 관 : 우리가 최근 국내사태로 입은 피해의 복구를 위해 모든 노력을 경주하고 있는 때에, 평화봉사단원이 해외에서 주재국에 대한 악선전을 하고 다니는 것은 매우 유감스러운 일이라 하겠음. 그들의 소행이 끼친 피해는 매우 크다고 평가되며 북괴의 허위선전에 휘발유를 뿌리는 격이 되고 있음.

대사대리 : 본인도 이들관련 평화봉사단원 행동이 매우 무책임한 것으로 생각하며 심히 유감스럽게 생각하고 있음.

장 관 : 평화적인 봉사를 하려온 사람들이, 봉사임기를 끝낸후 한국을 떠나 한국을 비방하는 선전을 하고 다니는 사실에 대해 한국정부의 분노는 매우 크다는 것을 말하고 싶음. 그리하여 정부내부에서 이에대한 논의가 있었고 그결과 창구인 과학기술처의 관계국장이 Mayer 단장과 접촉한 것으로 암.

우리로서는 한국에 오는 평화봉사단원들은 한국법을 준수하고 한국사정을 이해하려고 노력해야 하는 것이 중요하다고 봄.

177

대사대리 : 이들 평화봉사단원들은 한국의 국내 정치문제에 대해서 언급을 해서는 안되는 법적의무 (legal obligation)를 가지고 있음이 사실임. 이들 평화봉사단원의 한국 근무중에는 이들에 대한 통제가 가능하나, 한국을 떠난 후에 일부 몰지각한 자들에 대하여 그들의 언론자유 (freedom of speech)를 통제하기가 어려운 데 문제가 있다고 하겠음.

장 관 : 만약 다른나라에 봉사하러온 평화봉사단원들이 문제만 일으킨다면 어느누가 그들을 받아들이겠는가? 임기가 끝난후라도 자기가 봉사한 나라를 비방하지 않는다는 도의적 책임이 있다고 나는 생각함.

대사대리 : 장관님 뜻을 잘 이해하겠으며, 전적으로 동감임. 그러나 53명 평화봉사단원들이 현지 시애틀에 집결하여 이제 6일후면 한국으로 출발하려고 준비하고 있는 때에, 갑작스럽게 한국정부로부터 접수 거부의 통보를 받는다면 매우 낭패스러운 일인 바, 만약 장관님께서 이문제가 해결되도록 애써주신다면 본인으로서는 이들이 한국에 도착한 후 언행에 절대 조심하도록 강경한 주의를 줄 것임을 약속 드리겠음.

장 관 : 53명 평화봉사단원들이 이미 서해안에 집결되어 있다하니 그러한 사정을 고려, 나로서는 관계부처와 협의하여 조치하도록 해 보겠음.

- 4 -

그러나 그전제조건으로서 그들이 와서 그들의 행동을 잘하여 (behave themselves) 향후에는 여사한 일이 다시 일어나지 않도록 단단한 조치가 있어야 되겠음.

대사대리 : 일부 평화봉사단원의 행동은 미국에 대해서도 크게 해독을 끼치는 일 (poisonous) 이라고 생각함. 그러나 젊은 평화봉사단원이 아닌 과거에 국무성 한국과 근무를 한 연로한 자중에도 퇴직한 후 한국을 비방하는 몰지각한 자도 있었음.

장 관 : 과거 한국 및 국무성 한국과에 근무를 한 자가 그러한 행동을 한다는 것은 있을 수 없는 일이라고 생각하며 우리로서는 이해 곤란함.

대사대리 : 만약 장관님의 도움으로 이들 53명 평화봉사단원이 예정대로 한국에 도착한다면 Mayer 단장이 재차 강경한 경고를 할 것임을 거듭 약속 드리겠음.

나 개인으로서도 평화봉사를 통해 양국간에 우의의 다리를 놓기위해 온 자들이 봉사대상국을 비방했다는 행위에 대해 매우 통탄스럽게 생각하고(distressed) 있음.

장 관 : 금명간에 이문제에 관한 조치결과를 알려주도록 하겠음.

대사대리 : 또 한가지는 구속되어 있는 외신기자와 관련된 것인데 이들에 대한 조치방침은 어떠한지요?

79

장 관 : 본직이 알기에는 이들은 최근 이희성 계엄사령관의 외신 기자 회견내용 보도와 관련, 군검찰부(김대중 사건을 처리하고 있는)로부터 수사협조 요청을 받고, 신문을 받고 있는 것으로 아는 바, 그들은 신문이 끝나는 대로 곧 석방될 것으로 암.

대사대리 : 장관님께서 바쁘신중에 시간을 내주신 데에 대해 다시한번 감사드림.

끝.

3번 관리번호 80-698

기안용지

분류기호 문서번호	미북 700-931	(전화번호)	전결규정 조 항 전결사항
처리기간		차관	장관
시행일자	80. 7.23.		
보존년한			

보조기관			협조	
차관보				구주국장
국장		심의관		조약국장
담당관				
기안책임자	임홍재	북미담당관실		

경유 수신 참조	대통령 각하, 국무총리	발송 1980.7.25 외무부	통제 검열 1980.

제목	미 평화봉사단원의 광주사태 허위사실 유포에 대한 조치 및 대책

1980.7.15. 스톡홀름발 AFP 통신은 미평화봉사단원으로 아국에서 근무중 광주사태를 현장에서 목격하였다고 주장하는 2인의 미국인의 과장된 허위사실 유포를 그대로 인용, "광주사태시 실제 사망자수는 2,000여명에 달하며 동 사태진압 과정 또한 '대단히 잔인한' 것 이었다"는 취지기사를 보도하여 수개국 언론이 이통신을 인용 진파하므로써 아국의 국위와 명예에 피해를 준 사건이 있었으므로 당부는 이의 시정을 위하여 주한 미대사관측과 접촉하였는 바, 동 결과를 별첨과 같이 보고드립니다.

첨부 : 미평화봉사단 2명의 광주사태 허위사실 유포에 대한 조치 및 대책. 끝.

정서 관인 발송

첨부물에서 분리되면 보통문서로 재분류

81

0201-1-8A (갑) 1969. 11. 10승인

1

190mm×268mm (2급인쇄용지60g/㎡) 조달청

미 평화봉사단 2명의 광주사태 허위사실 유포

1. 문제의 발생

스톡홀름발 7.15자 AFP 기사는 자칭 주한 미평화봉사단원이라고 밝힌 Steven Clark, Carolyn Perry 의 광주사태에 관한 허위사실 주장을 그대로 인용 아래와 같은 요지로 보도하였읍니다. "광주사태를 목격한 주한 미평화 봉사단원 2명에 따르면 사망자는 공식발표된 147명을 훨씬 상회하는 2,000여명이며 군의 행동은 '대단히 잔인한' 것 이었음."

2. 당부가 취한 조치

당부는 전기 2명의 스톡홀름발 발언으로 아국의 국위와 명예가 심히 손상된 점을 중시하여 다음과 같이 조치한 바 있읍니다.

80.7.17-18. 아측 관계관(미주국장)은 주한 미대사관측 (Blakemore 정치 참사관)에게 아측의 유감을 표시하고 상기 2명의 신원을 미측에서 확인하고 동시에 동인들의 발언이 사실이 아님을 적절한 방법으로 공개 해명할 것을 요구하였읍니다.
이에대하여 주한 미대사관측은 상기 2인이 성명철자에 다소 차이는 있으나, 미평화봉사단원으로 근무하다가 6월 중순경에 출국한 자들임을 인정하면서, 시정조치에 관하여는 평화봉사단원이 정치에 관여하는등 문제가 발생하는 경우에는 해당단원을 주재국으로부터 추방 시키는 조치를 취할수 있는 바 이번경우에는 당사자들이 기출국 했으므로 시정조치를 취하는 것이 사실상 불가능 하다는 입장을 취하였읍니다.

80.7.20. 스톡홀름발 AP 통신은 상기 AFP 통신을 다시 인용 보도하면서, 전기 미평화봉사단원의 진술은 당시 광주에 체류중이었던 David Dolinger 및 Tim Warnberg 등 다른 2인의 단원의 진술을 주로 인용했다고 보도한 바 있읍니다.

80.7.21. 당부 관계관은 주한 미대사관측에 광주사태 당시 광주에 체류했던 것으로 AP 통신에 인용 보도된 2인의 신원을 확인해 줄 것을 요청하였는 바, 미대사관측은 David Dolinger 및 Tim Warnberg 이 당시 광주에 체류한 사실이 있음을 확인 통보해 왔읍니다. 한편 당부는 별도로 상기 2인의 신원을 확인한 결과 그들의 신원은 다음과 같습니다.

David Dolinger

생년월일 :

입 국 일 :

전근무처 :

현 재 :

Tim Warnberg

생년월일 :

입 국 일 :

전근무처 :

현 재 :

* 단 이들에 대하여 80.7.21. 미대사관측은

(1) Dolinger 는 "정치적 발언 (political remarks) 때문에" 해고가 이미 되었는 바, 출국여부는 알수 없으며,

(2) Warnberg 는 "충실히 근무하고 있다 (behaves himself very well)"고 통보해 옴.

- 3 -

80.7.21. 당부는 미대사관측에 잔류중인 전기 2인으로 하여금 스톡홀름발 AFP 및 AP 통신을 공개 부인하도록 요구하였읍니다. 이에대한 미국측에서의 조치는 상금 없읍니다.

80.7.22. 당부는 미평화봉사단의 아국내 활동에 대하여 청와대, 문교부, 과기처, 보사부, 문공부 담당관들이 참석한 관계관 회의를 소집, 평화봉사단의 봉사실적 및 현황을 검토하였읍니다.

당부는 또한 구주지역 전공관장 및 주미, 일본, 카나다, 호주, 뉴질랜드 공관장에게 Steven Clark, Carolyn Perry 양인의 광주사태 발언과 관련 주재국 인사와 언론계에서 해명 또는 확인 문의가 있을경우 동인들의 주장은 광주사태 진상을 왜곡 과장한 것으로 대단히 유감스러운 일임을 표명토록 지시하였읍니다.

80.7.23. 외무장관은 주한 미대사관 Monjo 대사대리와 면담하고, 미평화봉사단원의 광주사태 왜곡 주장으로 아국의 명예가 크게 훼손되었으며 북괴가 광주사태를 악이용 대남 비난 및 악선전을 강화하고 있는 현

- 4 -

시점에서 미국의 평화봉사단원이 그러한 행위를 해서는 안될 것임을 밝혔읍니다.

이에 대하여 Monjo 대사대리는 이번일에 대하여 미안하게 생각한다고 말하고 문제의 미 평화 봉사단원 2명은 익명을 사용한 것으로 생각하며 동인들이 이미 출국하여 동인들에게 어떤조치도 취할수 없는 입장이라고 말했읍니다.

동 대사대리는 또한 AP 통신에 인용 보도된 2인중 1인은 주재국 정치문제 관여금지의 내부 규정 위반으로 권고 사직하고 이미 출국한 것으로 알고 있으며 주한 미평화봉사단장은 단원 전부에게 정치활동에 관여치 말라는 경고를 한 바 있다고 밝혔읍니다.

동일 당부관계관은 주한 미대사관 정치참사관을 면담하고 다음과 같은 시정조치를 요청하였읍니다.

가. 스톡홀름발 외국보도를 상기 잔류인 Dolinguez 및 (Nornberg) 으로 하여금 공개부인케 함.

나. 주한 미대사관으로 하여금 ~~상기~~ 잔류 근무중인 미 평화 봉사단원~~(본관단) 91명 및 7.31.입국 예정인 91명~~ 전원에 대하여 이번사건을 계기로 향후 여사한 행위를 범하는 일이 다시는 없도록 문서로 엄중 경고케 함.

이에대하여 동참사관은 2인중 1인인 David Dolinger 는 이미 출국한 것으로 알고 있으므로 현재 잔류자인 Tim Warnberg 가 외국 신문기자에 대하여 이를 해명하는 방안이 있겠으나 일단 평화봉사단 책임자등과 협의하여 결과를 알려 주겠다고 말하고,

현재 한국에 근무하고 있는 평화봉사단 전원에게 경고서한을 발송하는 문제는 그들을 불필요하게 자극하는 결과가 될 수도 있다고 보므로 좋은 방안이 아닌 것으로 본다는 자기의견을 제시하면서 역시 협의후 알려주겠다고 말하였읍니다.

80.7.24. 오전에 당부 관계관이 미대사관 정치참사관과 통화하고 23일 아측이 요구한 조치에 대한 미측 결정 내용을 문의하였는 바 미측의 답변은 다음과 같았읍니다.

가. Warnberg 로하여금 신문 기자에 대하여 해명케하는 문제:

주한 미평화봉사단 Meyer 단장은 7.23.서울에서 Warnberg 를 면담하였는 바 동인은 스톡홀름에서 문제의 발언을 한 전 평화봉사단원 2인을 광주사태 이전인 4월중에 만난이후 그들을 본 사실이 없음을 해명하였음.

87

그러나 동인으로 하여금 이 사실을 기자들에 대하여 직접 해명토록 하는 것이 그것 자체가 정치적인 언동으로 해석될 것이므로 주재국 정치에 관여하지 말라는 지시와 배치된다고 해석되어 시행할 수 없다는 것이 미대사관의 입장임.

나. 주한 평화봉사단 전원에 대한 경고서한 발송 :

Monjo 대사대리가 7.23. 외무장관에 대하여 밝힌 바와 같이 평화봉사단 Meyer 단장은 평화봉사단원이 주재국 정치에 어떤 형식으로든지 관여해서는 안된다는 기본지침에 따라 재한 단원 전원에게 정치활동 불간여 지시를 한 바 있음을 확인하였음. 그러나 당부가 요구하고 있는 바와 같이 서면경고를 다시내는 문제에 대해서는 상금 결정을 보지 못하고 있음.

당부는 이에 따라 7.31.일 도착 예정인 아국에 대한 평화봉사단 최종 그룹에 대한 접수 계획을 철회한다는 취지를 미측에 대하여 과기처측이 전달토록 통보하였읍니다.(최종그룹 53명)

3. 금후대책

1) 다음 아측 요구사항을 미측이 이행토록 계속 노력함.

가. 스톡홀름발 왜곡 보도를 잔류인으로 하여금 공개 부인케 함.

나. 주한 미대사관으로 하여금 상금 근무중인 미 평화봉사 단원 91명, 7.31. 입국예정인 53명 전원에 대하여 이번 사건을 계기로 향후 여사한 일이 발생하는 일이 다시 없도록 문서로 엄중 경고케 함.

2) 한국주재 외신기자로 하여금 Warnberg 와 접촉, 동인이 광주사태 발생전인 80.4.이후 Clark 와 Perry 양인을 만난 사실이 없음 (7.24. 미대사관 관계관의 제보)을 시인케 한후 이를 보도함.

3) 7.31. 입국예정인 53명의 단원을 선별적으로 접수하는 문제를 검토함. (단, 아측의 접수거부 통보에도 불구하고 미측이 파견을 희망하는 경우)

4) 한국에서의 미평화봉사단 사업은 82. 7월에 종결될 예정임도 감안하여, 이번사건을 계기로 한.미평화봉사단 협정을 적기에 종결하는 방향으로 검토함.

끝.

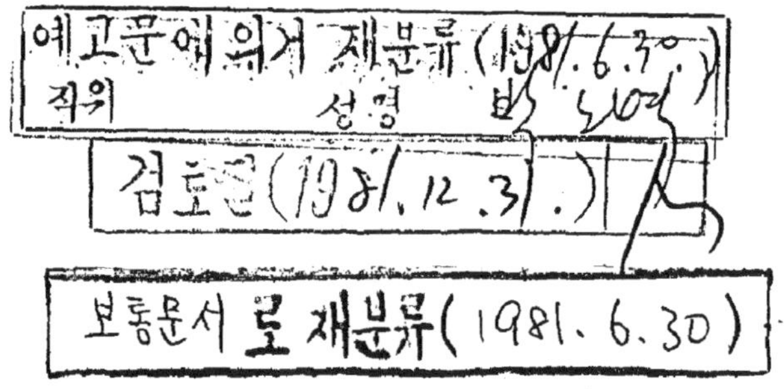

- 8 -

과 학 기 술 처

총괄630- 48 70-4225 1980. 7. 25.

수신 외무부 장관

참조 미주국장

제목 미 평화봉사단장과의 면담결과

1. 80.7월말 입국 예정인 미평화봉사단 보건요원 53명의 파한에 관한 귀부 미주국장과의 협의결과에 따라 당처 기술협력국장은 아래와 같이 동 봉사단 주한대표 Mr. Mayer와 긴급 면담하였는 바 이의 결과를 별첨 통보합니다.

가. 일 시 : 80.7.24, 18:40-19:00

나. 장 소 : 과학기술처 기술협력국장실

다. 면담자 : 주한미 평화봉사단장 Mr. Mayer

기술협력국장 강 박 광

마. 면담내용 : 별첨.

첨부 : 면담내용 1부. 끝.

보통문서로 재분류(1980.12.31.)

예고문에 의거 재분류(1980.12.31.)
직위 성명

과 학 기 술 처 장 관

96

평화 봉사단장과의 면담 결과 보고

일시 : 1980. 7. 24, 18:40-19:00

장소 : 과학기술처 기술협력국장실

참석자 : 평화봉사단장 Mr. Mayer

기술협력국장 강 박 광

면담내용 :

국장 : 66년이래 평화봉사단의 봉사활동에 심심한 감사를 표한다. 금년에도 상당수의 봉사단원이 신규도착했으며, 또한 7월말로 53명이 추가로 도착예정으로 아는바 지금 어느단계까지 사업이 진전되고 있는가

단장 : 지금 미국 시아틀에 집합, 파한 전의 준비작업 (예방, 접종, 준비교육등) 중이다.

국장 : 평화봉사단 활동이 금회 파견 53명으로 종결될 것으로 알고 있으나 최종 파견분에 대해서 이들이 한국에 필히 파견되어야 한다고 당신은 생각하는가

단장 : 평화봉사단원은 한국정부의 공식요청에 의해서 파견되는 것이다

국장 : 최종 파견분에 대해서는 초청을 취소하는 편이 타당하다는 것이 우리측의 의견인데 당신의 입장은 어떠한가

91

단장 : 이는 최근 광주 사태와 관련된 평화봉사단원의 발언과 관련된 것으로 이해한다. 그러한 한국측의 의견은 공식적인 결정인가.

국장 : 그렇게 이해해도 무방하다.

단장 : 그 결정은 외무부의 결정인가

국장 : 나는 그에 관해 답변할 입장이 아니다.

단장 : 공식적인 결정일 경우 문서로 최단시일내에 통보해 주기 바란다.

국장 : 상관과 의논해 최대한 협조를 하겠다

단장 : 이 사실을 금일내로 워싱톤과 주한 미대사관에 보고하겠다. 그러한 결정은 한 미 관계의 악화를 초래할 수 있음을 예상해야 할 것이다.

국장 : 우호관계를 유지하기 위한 쌍방간의 노력의 여지가 아직은 남아 있다고 생각한다.

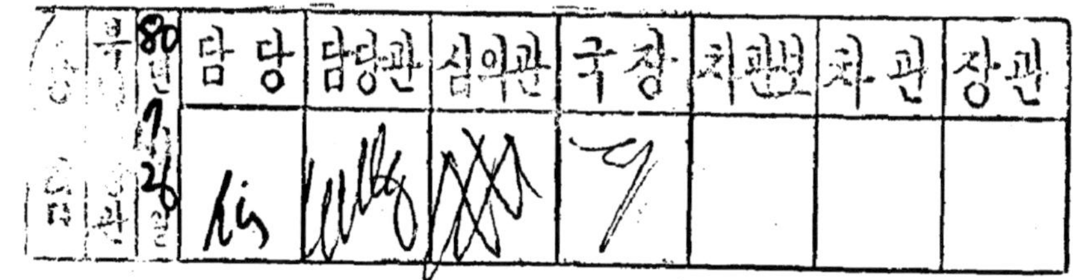

80년 7월 26일	담 당	담당관	심의관	국 장	차관보	차 관	장 관

92

예고문에 의거 재분류(1980. 12. 31.)
직위 사무관 성명 임 홍재

관리번호 80-699

외 무 부

발신전보

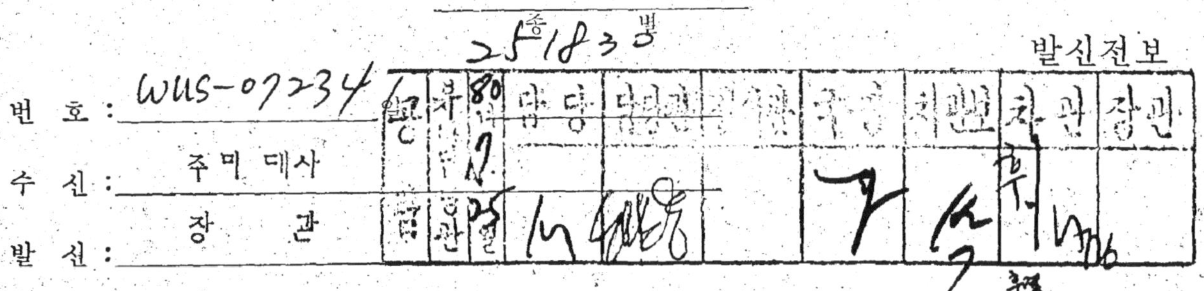

번 호 : WUS-07234

수 신 : 주미 대사

발 신 : 장 관

Peace Corps 단원의 광주사태 관련 발언

연 : WUS-07180

1. 연호 미평화봉사단원 광주사태 발언과 관련 본부는 이의시정을 위하여 다음의 요구사항을 미측에 제시하고 이를 이행토록 주한 미대사관과 접촉하여 왔음.

가. 연호 2항 AP 통신에 인용 보도된 단원중 잔류인 Tim Warnberg 로 하여금 S. Clark 및 C. Perry 양인의 스톡홀름 발언이 사실이 아님을 공개 부인케 함. (다른 1인 D. Dolinger 는 정치적 발언 때문에 권고 사직되어 기출국 했다 함)

나. 주한 미대사관이 재한 평화 봉사단 전원에게 아국 국내 정치문제에 간여치 말도록 서면 경고함.

이에대해 미측은 잔류인의 공개부인은 이것자체가 정치적 행위로 해석되어 미평화봉사단의 국내문제 불간여라는 내부규정에 위배됨으로 좋은 방법이 아니며, 경고서한 발송은 단원을 오히려 자극할 염려가 있어 이또한 바람직 하지 않다는등 아측 요구사항

발신시간

93

최종결재	
기 안 자	

접 수	담 당	주 무	과 장

이행에 협조가 곤란하다는 반응을 보여왔음.

2. 정부는 미평화 봉사단원 2명의 스톡홀름 발언이 아국의 국위에 끼친 피해가 큰 점을 고려하고 또한 상금 근무중인 미평화 봉사단원(91명)의 향후 여사한 행동을 미연에 방지키 위하여 금번 사건에 강경 대처키로 방침을 결정하고, 7.24. 일 한.미 평화 봉사단 운영협정의 아측 당사자인 과기처로 하여금 주한 미 평화 봉사단장에게 7.31. 미측이 추가로 파견예정인 53명(이들은 1982.7월까지 근무예정인 아국에 대한 미평화 봉사단 사업으로는 최종사업 인원임)의 접수 거부의사를 다음요지로 통보케 하였음.

"그동안 Peace Corps 가 한국에서 봉사를 통해 성과를 거둔것으로 사료하는 바, 이제 추가로 파견될 계획으로 있는 53명의 파견이 우리로서는 필요없다고 생각함."

3. 전항 아측의 추가 파한예정인 53명의 접수거부 통보에 대하여 동 단장은 놀라움을 표시하고 워싱턴에 즉각 보고하겠다고 하였음.

4. ~~상금~~ 정부입장은 만일 미측이 납득할 수 있는 시정조치를 취하고 금후 여사한 사건의 재발방지에 대하여 성의를 보이면서 아측에 접수거부를 재고해 줄 것을 요청해 온다면, 추가 파한예정인 53명 단원중 아측이 필요로 하는 요원만을 선별적으로 접수할 예정인 바 하는 방안도 고려할 ~~이바~~ 귀하는 참고로 하기 바람. (미북) 이는 미측의 성의여하에 달려있다는 것을 알리니,

일반 로 재분류(1981 .6.30)

94

검토필(1980 12.31)

예고문에 의거 재분류(1981.6.30.) 직위 성명

(북미과)

1980 年 7 月 日

題目: ~~韓 美~~ 平和奉仕団원의 (광주 사태 관련) 발언 (사건 개요)

美洲局

① 主要協定內容

가. 大韓民国政府와 美合衆国 政府間의 平和奉仕団에 関한 協定 (Agreement relating to the Peace Corps between the Government of the Republic of Korea and the Government of the United States of America)

1) 発効日 : 1966.9月

2) 主要內容

- 平和奉仕団員(Peace Corps Volunteers)에 対하여 韓国 居住 其他 美国国民보다 不利하지 않는 待遇 合意

95

No. 2

。租稅免除等 租稅関係 特典 부여

。韓.美 兩国中 어느 한 當事者가 書面 通告後 90日 後에 協定 終結

– 運營協定(美平和奉仕団과 科技處間 協定)
(Memorandum of Understanding between Ministry of Science and Technology and Peace Corps)
– 72.6.30 締結

② 実績

– 1966.9 協定締結後 49陣 1,700名 派遣 (現在 91名 駐韓)

– 最終派遣人員 53名이 7.31 到着予定

。1982. 7月에 事業終結予定

96

외 무 부

No. 3

(3) Stockholm 事件

- 7.15 前在韓 美平和奉仕團員 Steven Clark 와 Carolyn Perry 兩人이 光州事態에 對한 虛偽. 誇張 發言 (AFP 報道)
- 7.18. AP 가 再次 報道

(4.) Copenhagen (Denmark) 事件

- 前述 2人이 Copenhagen에 瑞典居住 反政府僑胞 김영두 와 同行. 記者會見을 하고 光州事態 誇張 宣傳

◦ 死亡者 2,000 - 3,000名
◦ 陸軍本部에서 온갖 고문 進行
◦ 모든 都市에 收容所.

97

외 무 부

No.

5. 韓美兩國立場 対峙

가. 我側

- 残留人으로 하여금 前期兩人의 主張을 公開 否認케 함
- 在韓 平和奉仕団 全員에게 書面 警告
- (上記 我側 要求에 対하여 美側이 不應함으로) 7.24日 19:00 外務部로 科技處(技術協力局長)로 하여금 我側이 最終団員 53名을 接受하지 않겠다고 通報

나. 美側

- Mayer 平和奉仕団長이 今 7.25 午前 科技處 技術協力局長에게 美側立場 通報
- 最終派遣団 53名을 接受

98

외 무 부

No.

치 않겠다는 것이 韓國政府의 立場이라면 美側은 이에 따르겠음.

— ~~對韓國 援助計劃 全面檢討~~ 平和奉仕團 協定의 再檢討 및 其他 協力関係에 對한 全面再檢討.

6. 7.25日 現在 狀況 (問題解決)

— 7.25. 15:00 Monjo 代理大使가 外務部長官을 訪問, 前述 Mayer의 通牒內容을 大体로 反復하고, 그러나 美側은 外務長官이 周旋하여 本件 問題를 원만하게 解決하여 줄 것을 希望한다고 말함.

— 同時에 美側으로서는 平和奉仕團員의 如斯한 行爲를 防止하도록 最善의 努力을 다할 ~~것임을 말함~~ 것임 이라고 다짐.

> (여론시 당초 미측에 강력 경고하여 미측이 순복하게 하는 당초목적이 이루어졌으므로) 이에

— 當部는 午後 늦게 (저녁) 美側의 要請을 받아들이기로

외 무 부

No.

하였음을 美 大使館側에 通告하였음.

~~하고 ... 提起 ...~~

끝

— Monjo 대사대리로 이에 감사함을 표시(?)하였음.

끝

80. 7. 31(木) 10:15分
局長님께 報告드림.

100

북미과. 김(?)

외 무 부

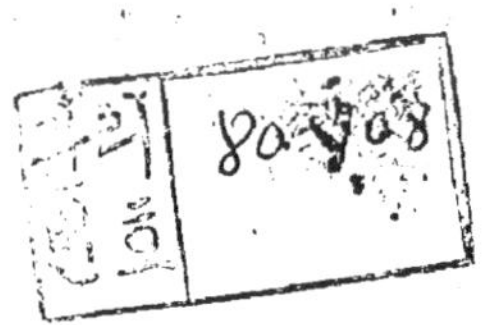

기안용지

분류기호 문서번호	미북 700-938	(전화번호)	전결규정 조 항 전결사항
처리기간		차관	장관
시행일자	80. 7. 26.		
보존년한			

보조기관			협조
	차관보		
	국장	심의관	
	담당관		
기안책임자	임홍재	북미담당관실	

발송 1980. 7. 26 외무부

검열 1980. 7. 26 통제

경유 수신 참조	대통령 각하, 국무총리
제목	미 평화봉사단원의 광주사태 허위사실 유포에 대한 조치 및 대책

연 : 미북 700-931 (80.7.25)

연호 미평화 봉사단원의 광주사태 허위사실 유포에 대한 조치 및 대책의 진전상황을 별첨 보고드립니다.

첨부 : 미평화 봉사단원의 광주사태 허위사실 유포에 대한 조치 및 대책. 끝.

정서

관인

발송

101

첨부물에서 분리되면 일반문서로 재분류

0201-1-8A (갑)
1969. 11. 10승인

190mm×268mm (2급인쇄용지60g/㎡)
조달청

미 평화봉사단원의 광주사태 허위사실

유포에 대한 조치 및 대책

80. 7. 25 입 미측이 평화봉사단원이 반한적 언동을 하는 일이 없도록 최선의 노력을 할 것이라는 확약과 함께 최종 파견단원을 예정에 따라 접수하여 줄 것을 간곡히 요청하여 왔으므로 당부는 본건과 관련 당초의 목적이 달성 된 ~~었으므로~~ 것으로 보고 이에 동의 하였는 바, 동조치의 상세한 경과는 다음과 같습니다.

- 7. 24. 과기처를 통하여 미평화봉사단 최종그룹 53명(7.31.입국 예정)의 접수거부 의사를 미평화봉사단에 통고함에, 7.25. 오전 미평화봉사단장은 과기처 기술협력국장을 방문하고 과기처의 접수 거부 의사가 한국정부의 입장이라면 이에 따르겠다고 말하고 이에 대한 미측의 입장은 평화봉사단 협정의 재검토 및 기타 협력관계의 전면 재검토가 될 것이라고 밝혔음.

- 그러나, 동일 오후 15:00시 Monjo 대사대리가 외무부장관을 방문, 평화봉사단원 53명이 이미 시애틀에 집결하여 한국으로 출발 준비를 완료하고 있는 차제에 아국이 이들의 접수를 거부하면 미국으로서는 사후처리에 어려움이 많을 것이라는 점과 경제등 한.미 제반협력관계에도 불가피하게 영향이 끼치게 될 것이라는 점등을 들며 동시에 다시는 여사한 일이 재발하지 않도록 최선의

108

노력을 다할 것이라고 다짐하면서 외무장관이 이에 개입하여 당초 예정대로 접수할 수 있도록 협조하여 달라고 요청하여 왔음. 이에 외무장관은 미측 사정이 그렇다면 '관계부처와 협의하여' 선후책을 강구해 보도록 하겠다고 말하였음.

- 동일 18:00시 당부 관계관(미주국장)은 Monjo 대사대리에게 협의결과 관계부처는 평화봉사단원을 당초 계획대로 접수하기로 결정하였다고 통보하였음. 끝.

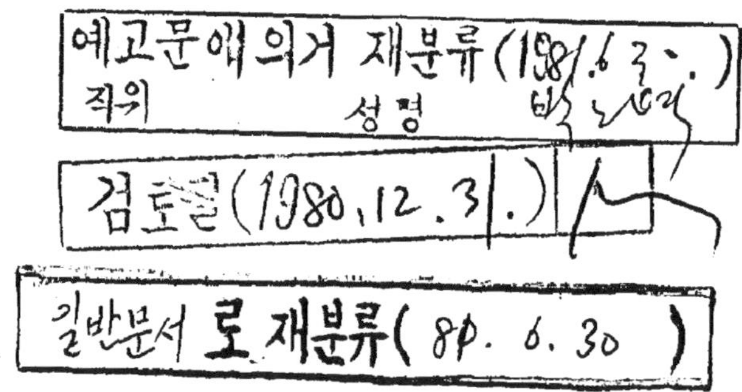

103

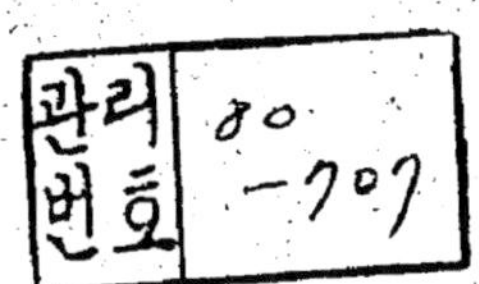
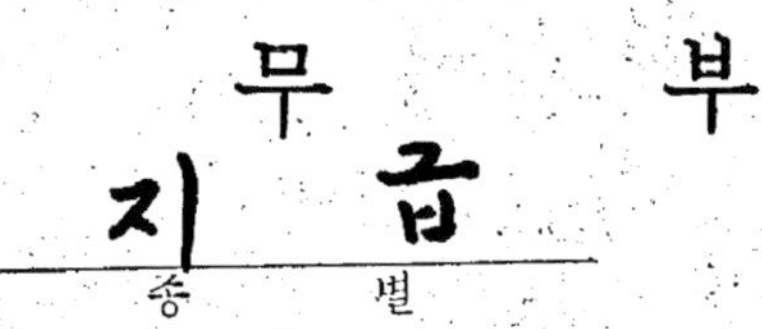

외 무 부

지 급

종 별

발신전보

번 호 : WUS-07248 일 시 : 261300

수 신 : 주미대사

발 신 : 장 관

Peace Corps 단원의 광주사태 발언

연 : WUS-07234

1. 금 7.25. 15:00. Monjo 대사대리는 본직을 방문하고 평화봉사단원 53명이 이미 시애틀에 집결하여 아국으로 출발준비를 완료하고 있는 차제에 아국이 이들의 접수를 거부하면 미국으로서는 사후처리에 어려움이 많을 것이라는 점과 경제등 한.미 제반협력관계에도 불가피하게 영향이 미치게 될 것이라는 점등을 들며 동시에 다시는 여사한 일이 재발하지 않도록 최선의 노력을 다할 것이라고 다짐하면서 '본직이 이에 개입하여' 당초 예정대로 접수할 수 있도록 협조바란다고 말했음.

2. 이에 본직은 미측사정이 그렇다면 '관계부처와 협의하여' 선후책을 강구해 보도록 하겠다고 말하였음.

3. 금 18:00시 본부는 주한 미대사관측에 대하여 협의결과 관계부처는 평화봉사단원을 당초 계획대로 접수하기로 결정하였다고 통보하였음.

발신시간 '81.6.30 삭제

최종결재	
기 안 자	

접 수	담 당	주 무	과 장

104

4. 본건은 당초 접수 거부입장을 당부가 아닌 과거처로 하여금 미측에 통보하게 하고, 당부가 개입하여 그 번복 결정을 한 형식을 취한 것임을 참고로 하시기 바람. (미북)

예고문에 의거 재분류(1981.6.30.)
직위 성명

양고재	북미담당관	80년 7월 21일	담당	담당관	심의관	국장	차관보		장관

일반 로 재분류(81. 6. 30)

검토필(1980.12.31.)

105

중 앙 정 보 부

965-6814

정삼 460- 2861 80. 9. 6

수신 외무부장관

제목 광주사태 허위발설 관련 미평화봉사단원 인적사항 통보

80.7.15 스톡홀름에서 AFP, AP 등에 광주사태와 관련, 허위사실을 제보함으로써 한국의 대외 이미지를 크게 손상시킨바 있는 미평화봉사단원의 인적사항을 별첨과 같이 통보하오니 미평화봉사단 본부및 주한 미평화봉사단에 대한 적절한 조치를 강구하시기 바랍니다.

첨부 : 미평화봉사단원 인적사항및 동향 1부. 끝.

중 앙 정 보 부 장

106

미평화봉사단원 인적사항및 동향

1. 인적사항

가. 성 명 : Steven Clark Humziker (남)

생년월일 : ██████████

출 생 지 : Madison, Wisconsin

나. 성 명 : Carolyn Perry Turbyfill (여)

생년월일 : ██████████

출 생 지 : Newton, North Carolina

2. 체한동향

가. 상기 2명은 78.4월 미평화봉사단 45진으로 입국, 78.4.21-78.6.30간 충북 청주소재 동단훈련센터에서 한국어등 보충교육을 받은후,

나. Steven Clark Humziker는 경북 성주군 보건소에서, Carolyn Perry Turbyfill는 경북 칠곡군소재 엄마병원에서 각각 근무.

다. 1979.1.12 Steven Clark Humziker가 엄마병원으로 전입, 1979.2월 경북 외관에서 동거타가 1980.6.10 출국하였음.

3. 참고사항

상기자들은 체한기간중 전남도내에서 근무한 사실이 없는자임. 끝.

107

미 주 국

1980 . 9 . 9 .

	담 당	과 장	심의관	국 장	차관보	차 관	장 관

제 목 : 광주사태 허위발언 관련, 미 평화봉사단원 인적사항

요 약

1. 인적사항

   o Steven Clark Hunziker(남:28세)
   o Carolyn Perry Turbyfill (여:25세)

2. 체한동향

   o 양인 모두 78.4월 평화봉사단 45진으로 입국

   o 78.4.21-6.30. 청주에서 한국어등 보충교육 이수후 Hunziker 는 경북소재 보건소에서, Turbyfill 은 경북소재 엠마병원에서 근무

조치사항

   o 79.1.12. Hunziker 가 엠마병원으로 전입, 79.2월 외관에서 동거다가 80.6.10. 출국

108

3. 참고사항

상기인들은 체한기간중 전라남도에서 근무한 사실이 없음.

4. 대 책

미 평화봉사단 본부 및 주한 미평화봉사단에 대한 적절한 조치강구 필요

109

관리 번호 80-896

기안용지

분류기호 문서번호	미북 700-1184	(전화번호)	전결규정 조 항 전결사항
처리기간		국 장	
시행일자	80.9.15.	9/15	
보존년한			

보조기관			협조
	담당관	9/15	
기안책임자	김하중	북미담당관실	

경유 수신 참조	중앙정보부장 제 3국장 (2국장)	발신	1980. 8. 15 외무부	통제	검열 1980. 9. 15 통제관

제목: 미 평화봉사단원의 광주사태 허위사실 유포에 대한 조치결과 통보

관련문서 : 정삼 460-2861 (80.9.6)

미 평화봉사단원의 광주사태 관련 허위사실 유포와 관련하여 그동안 당부가 취한 조치내용을 별첨과 같이 통보하오니 참고하시기 바랍니다.

첨부 : 동조치내용 1부. 끝.

정서

관인

발송

첨부물에서 분리되면 일반문서로 재분류

110

0201-1-8A (갑)
1969. 11. 10승인

190mm×268mm (2급인쇄용지60g/㎡)
조달청 1,000,000매인쇄

미 평화 봉사단원의 광주사태 허위사실 유포에 대한 조치

1. 문제의 발생

가. 80.7.15. AFP 기사는 스톡홀름발로 자칭 주한 미평화 봉사단원이라고 밝힌 Steven Clark, Carolyn Perry 양인의 광주사태에 관한 허위사실 주장을 인용 보도

나. 동인들은 "광주사태를 목격한 주한 미평화 봉사단원 2명에 따르면 사망자는 공식발표된 147명을 훨씬 상회하는 2,000여명이며 군의 행동은 대단히 잔인한 것이었다"고 주장

2. 당부 조치사항

80.7.17-18.

- 당부 관계관은 주한 미대사관측에게 유감을 표시하고, 상기 2명의 신원을 확인해 줄 것과 동인들의 발언이 사실이 아님을 적절한 방법으로 공개 해명할 것을 요구

- 미측은 동인들이 미평화봉사단원으로 근무하다 기출국한 자들로서 시정조치가 사실상 불가능하다는 입장을 표명

111

7.20. ο 스톡홀름발 AP 통신은 상기 AFP 통신을 인용, 보도하면서 전기 2명의 광주사태 당시 광주에 체류중이었던 David Dollinger 및 Tim Warnberg 등 2명의 단원의 진술을 주로 인용했음을 보도

7.21. ο 당부 관계관은 주한 미대사관측에 AP 통신에 인용, 보도된 2명의 신원을 확인해 줄 것을 요청

ο 미측은 동인들이 당시 광주에 체류하고 있었음을 확인

ο 당부 관계관은 미측에 동인들로 하여금 스톡홀름발 AFP 및 AP 통신을 부인토록 요구

7.22. ο 당부는 관계부처(청와대, 문고부, 과기처, 보사부, 문공부) 관계관 회의를 소집, 주한 미평화봉사단의 봉사실적 및 현황 검토

ο 당부는 구주지역 전공관장 및 주미, 일본, 캐나다, 호주, 뉴질랜드 공관장에게 주재국 인사와 언론계에서 문의가 있을시 상기 발언이 왜곡 과장된 것임을 해명토록 지시

- 2 -

7.23. o 외무장관은 Monjo 대사대리에게 동 발언으로 아국의 명예가 크게 훼손되었다고 말하고 유감의 뜻 표명

o Monjo 대사대리는 이번일에 대하여 미안하게 생각한다고 말하고, 주한 미 평화봉사단장이 단원 전부에게 정치활동에 관여치 말라는 경고를 한 바 있다고 발언

o 당부 관계관은 주한 미대사관측에 현재 한국에 잔류중인 Warnberg 로 하여금 상기 보도를 공개 부인할 것과, 잔류 근무중인 미 평화봉사단원 전원에게 문서로 엄중 경고할 것을 요청

7.24. o 주한 미대사관측은 7.23자 아측 요구에 대하여, Warnberg 로 하여금 신문기자에 대하여 해명하는 문제는 시행키가 어려우며, 주한 평화봉사단 전원에 대한 경고서한 발송문제는 상금 미결정이나 이미 평화봉사단장이 단원 전원에게 정치활동 불간여 지시를 한 바 있음을 확인

o 과기처는 주한 미평화봉사단측에 미평화봉사단 최종 그룹 53명의 접수 거부 의사를 통고

113

7.25. ㅇ Monjo 대사대리는 외무장관에게 앞으로 다시는 여사한 일이 재발치 않도록 노력할 것임을 다짐하고, 미 평화봉사단원을 예정대로 접수할 수 있도록 협조하여 줄 것을 요청

ㅇ 당부는 주한 미 대사관측에 대하여, 관계부처와 협의결과 평화봉사단원을 당초 계획대로 접수하기로 결정하였음을 통고

끝.

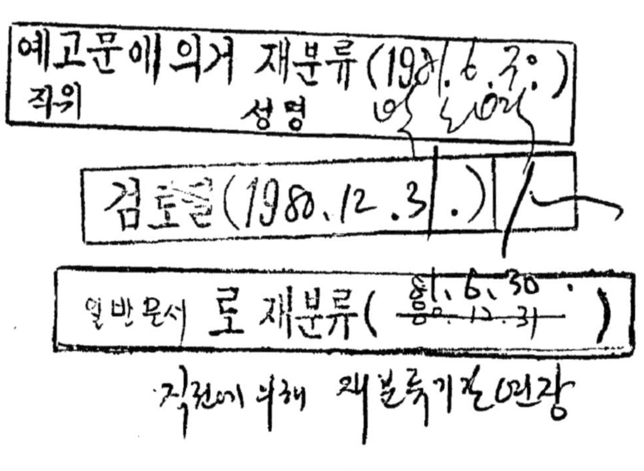
예고문에의거 재분류(198 . 6 . 30 .)
직위 성명
검토필(1980.12.31.)
일반문서로 재분류(81. 6. 30.)
직권에 의해 재분류기한 연장

114

- 4 -

정 리 보 존 문 서 목 록					
기록물종류	일반공문서철	등록번호	19556	등록일자	2003-02-13
분류번호	701	국가코드	US	보존기간	영구
명 칭	한국 인권문제에 대한 미국관계기관의 문의, 1981-85				
생 산 과	북미과	생산년도	1981~1985	담당그룹	북미국
내용목차	1. 계엄법위반 구속자 이문영(전 고려대 법대 교수) 1981 2. 국가보안법 위반 등 구속자, 1982-83 3. 광주사건 관련자 이신범, 1982-84 4. 통혁당 사건 관련자 임동규에 대한 처우, 1984-85				

0001

1. 계엄법위반 구속자: 이문영 (전 고려대 법대 교수) 1981

0002

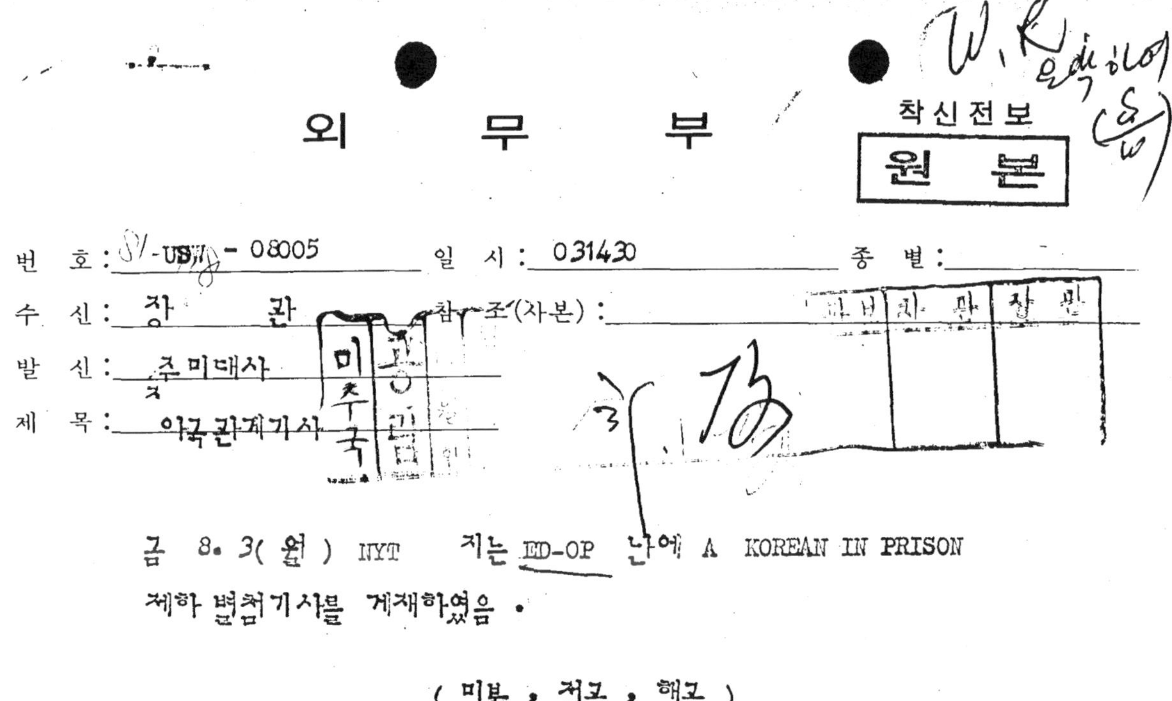

외 무 부

착신전보

원 본

번 호 : USW-08005　일 시 : 031430　종 별 :

수 신 : 장 관　참 조(사본) :

발 신 : 주미대사

제 목 : 아국관계기사

금 8. 3(월) NYT 지는 ED-OP 난에 A KOREAN IN PRISON

제하 별첨기사를 게재하였음.

(미북, 정공, 해공)

수신시간 :

장관실		의전실		아프리카국		통상국		외연원	/	문공부	/
차관실	/	아주국		국기국		영교국		B	/		
정차보	/	미주국	0	조약국		외문국		P	/		
경차보		구주국		정문국	/	총무과		A	/		
기획실		중동국		국경국		감사관실		W	/		

담 당	통제관

0003

A KOREAN IN PRISON

COLUMBUS, OHIO-A FRIEND OF MINE, A LAW PROFESSOR IN SOUTH KOREA, WAS ARRESTED LAST YEAR, IMPRISONED, AND BEATEN SO SEVERELY THAT HE COULD NOT RAISE HIS ARMS. HE WAS IN SOLITARY CONFINEMENT: LAST WINTER, IN HIS CELL HE SUFFERED FROSTBITE ON HIS FACE AND ON AN EAR. HE CAN CONTEMPLATE SPENDING NEXT WINTER IN THE SAME PRISON.

I HAVE GREAT RESPECT FOR THIS MAN AND HIS COURAGE, AND HIS GRASP OF THE SIMPLE, CENTRAL PRINCIPLE THAT TO LIVE, ONE MUST GIVE HIS LIFE.

HE IS LEE MOON YOUNG. IN 1952, HE WAS IN THE SOUTH KOREAN ARMY: I IN THE UNITED STATES ARMY. I HELPED HIM FIND A SCHOOL AND A SPONSOR IN THE UNITED STATES.

HE WAS AT THE UNIVERSITY OF MICHIGAN WHEN I BEGAN LAW PRACTICE IN ANN ARBOR. MY FIRST ASSIGNED CASE WAS THAT OF A BLACK YOUTH CHARGED WITH WRONG-FULLY ENTERING AN AUTOMOBILE. HIS FAMILY AND FRIENDS DIDN'T HAVE THE USD 250 FOR BOND: ATTORNEYS WERE FORBIDDEN TO PUT UP BAIL. WHEN MOON YOUNG HEARD OF IT, HE INSISTED ON PROVIDING THE MONEY, DESPITE THE FACT THAT HE WAS SKIPPING BREAKFAST TO ECONOMIZE. IN HIS SOFT, HALTING ENGLISH, HE TOLD ME HE COULD NOT UNDERSTAND HOW A PERSON COULD BE KEPT IN PRISON FOR NOT HAVING USD 250.

LAST YEAR, IMPATIENT WITH THE CARTER ADMINISTRATION, I WROTE THE PRESIDENT ABOUT MY FRIEND'S SITUATION, ENCLOSING A CHECK FOR USD 250 AS + THE LEAST I COULD DO FOR MOON YOUNG.+

A WHITE HOUSE AIDE UNDRAMATIZED MY GESTURE BY RETURNING THE CHECK, ADMONISHING ME THAT IT WAS AGAINST THE PRESIDENT'S POLICY TO ACCEPT MONEY. I SENT THE USD 250 TO THE AMERICAN FRIENDS SERVICE COMMITTEE TOWARD ITS CAMPAIGN TO SAVE THE OPPO-SITION LEADER KIM DAE JUNG FROM EXECUTION.

IT WAS HIS ASSOCIATION WITH MR. KIM THAT GOT MOON YOUNG IN PRISON. HE WAS QUOTED AS HAVING TOLD MR. KIM THAT HE WAS NOT INTERESTED IN POLITICAL OFFICE BUT THAT HE WOULD ADVISE HIM.

HE WAS IN PRISON BEFORE, WHEN PARK CHUNG HEE WAS PRESIDENT. HE HAD AMPLE OPPORTUNITY TO LEAVE SOUTH KOREA. WHEN HE WAS IN OHIO A FEW YEARS AGO, HE TOLD ME THAT HE EXPECTED PERSECUTION, -EVEN DEATH- THE WORDS STARTLED ME THEN, AND NOW RING IN MY EARS. HE WAS REMOVED FROM HIS PROFESSORSHIP AT KOREA UNIVERSITY.

0004

THAT DIDN'T SILENCE HIM, SO HE WAS IMPRISONED. HE AND OTHERS WERE RELEASED WHEN CHUN DOO HWAN TOOK OFFICE. THEY WERE ARRRESTED BY GENERAL CHUN IN MAY 1980. —2—

WHEN MR. KIM'S LIFE WAS SPARED IN THIS YEAR'S +AMNESTY,+ THE SENTENCES OF MOON YOUNG AND SOME OTHERS WERE REDUCED FROM 20 YEARS TO 15. ONE GETS THE FEELING THAT THE CHAPTER, AND THE BOOK, ARE CLOSED. THE LAST LETTER TO ME FROM THE STATE DEPARTMENT, IN MAY, DECLARED THAT THE DEPARTMENT DOES +NOT BELIEVE IT EITHER APPROPRIATE OR PRODUCTIVE FOR THE U.S. TO INTERVENE.+

THE AMERICA NEWS MEDIA HAVE TURNED TO OTHER SUBJECTS. KOREANS FEEL ABANDONED.

WE HEAR LITTLE FROM SOUTH KOREA BECAUSE OF TOTAL CENSORSHIP OF PRESS AND MAIL, AND THE EFFECTIVENESS OF THE KOREAN CENTRAL INTELLIGENCY AGENCY, EVEN IN THIS COUNTRY. THE FULL-PAGE ADS PURCHSED BY AMERICAN KOREANS WELCOMING PRESIDENT CHUN IN FEBRUARY WERE A TRIBUTE TO THE K.C.I.A.

MOON YOUNG'S WIFE HELD A PRAYER MEETING RECENTLY FOR WIVES AND FRIENDS OF THE PRISONERS, AND FOR THIS SPENT FOUR DAYS IN JAIL. SHE GETS TO GO TO THE ISLAND JAIL ONCE A MONTH FOR A 15 MINUTE VIEW OF MOON YOUNG THROUGH A DOUBLE GLASS.

HE IS NOT ALLOWED TO SPEAK OF CONDITIONS, BUT ONCE HE TOLD HER IT WAS GOOD TO SEE LIGHT. THOSE WHO HAVE SEEN THE PRISONERS SAY THAT SOME STILL BEAR SCARS FROM LAST WINTER'S FROSTBITE.

I WENT TO SOUTH KOREA IN 1952 WITH IDEALS LIKE MOON YOUNG'S. WE SPENT OUR TIME THERE, AND A GOODLY NUMBER SPENT THEIR LIFE'S BLOOD, TO SAVE SOUTHEAST ASIA FROM COMMUNIST RULE.

LOOKING BACK AT UNITED STATES INVOLVEMENTS, I THINK THAT THE SOVIET UNION HAS SUCCEEDED IN STRIPPING US OF OUR PRINCIPLES, FOR WHICH WE HAVE SUBSTITUTED AN INVERTED IDEOLOGY UNDER WHICH WE BIND OURSELVES TO DICTATORSHIPS THROUGHOUT THE WORLD. I AM TOLD THIS IS NECESSARY AND THAT THE HUMAN COST CAN'T BE HELPED. BE THAT AS IT MAY, IT DOESN'T FOLLOW THAT WE SHOULD AVERT OUR EYES FROM WHAT IS HAPPENING ON THIS FRONTIER OF LIBERTY, WHICH WAS ESTABLISHED WITH OUR BLESSING AND OUR BLOOD.

AT THIS TIME OF RENEWED PATRIOTISM IN AMERICA, IT IS IMPORTANT FOR US TO RECOGNIZE THE QUALITY OF THE DEVOTION OF THESE MEN TO THEIR IDEALS, WHICH ARE THE VERY ONES WE REVERE IN OUR FOUND-ING FATHERS.

JAMES R. HANSON IS A LAWYER.

0005

END

CFM:USW-08005 031430

국무성 정오 브리핑

질문 : Do you have any comment on the NYT article
(8.5) by James Hanson concerning the imprisonment of Mr. Moon Young Lee in Korea? Mr. Hanson quoted the Department as saying that 'we do not believe it either appropriate or productive for the U.S. to intervene.'

답변 : While we do not have any comment on the
(8.6) article per se, I would draw your attention to the entire portion of the Department's letter quoted by Mr. Hanson: "Please be assured that we have not forgotten those Koreans who are still in prison. We try to follow closely actions taken that affect their welfare and have been encouraged by the several rounds of amnesty that have occurred since the first of the year. We do not believe, however, that it would be either appropriate or productive for the U.S. government to intervene more actively on their behalf."

0006

Howard Nash (Cable TV 및 Video 제작사 사장)

의 반박투고문

August 5, 1981

Dear Sir:

With a sweep of emotion, you've allowed one man with limited understanding of Korea, to be the voice in criticizing their legal system and integrity as a nation. In allowing such a one-sided article to be published, you once again confirmed that your attitude toward Korea is anything but just. The fact Mr. Hanson failed to mention why his friend was arrested in the first place, is reason enough to dismiss the article. But you went ahead and printed it anyway.

South Korea (for those on your staff) who may have forgotton is a country under siege. Unlike the United States, they do not always know whether a college protest is harmiless voice of expression, or nothern ideologies inciting unrest. Precautions must be taken, precautions we do not always agree with. But to dismiss political realities when criticiaing a nation is to dismiss rational thinking as well. In Mr. Hanson's case, giving credence to political realities is impossible. He takes this issue too personally. But a newspaper, a responsible newspaper, should be the pragmatic, even handed mind when deciding whose work is to be published.

In this case you failed.

0007

Joseph Notovitz(광고회사 경영주)의 반박투고문 ·

August 10, 1981

Dear Sir:

Your August 3rd OP - ED article " A KOREAN IN PRISON" by James R. Hanson is distressing. Bowing to the sweep of one man's emotion you have allowed a personal friendship to cast yet another darkening shadow on Korea's entire legal system and integrity of the Korean people as a whole.

Surely, Mr. Hanson, an attorney himself, must realize that the laws of a nation take precedence over personal appeals based on ties of friendship. Imprisonment is not meant to be a kind experience. Not for those who must undergo it and not for those are emotionally involved with those sentenced.

The exact offense which lead to Mr. Lee Moon Young's imprisonment is not mentioned in your article. I am certain that Mr. Lee was dealt with fairly and sentenced according to the laws of Korea. Mr. Hanson does not argue the sentence, only the treatment Mr. Lee is receiving under it.

Does not the U.S. prison system evidence by riots and prison takeovers, confront its citizens with the same disturbing question of prison conditions and treatment? Why must an emotional finger point thousands of miles to one instance of poorly understood justice and implicate a country's entire legal system?

I still eagerly await a positive article on Korea or her people on the OP - ED page of the New York Times. Justice can be cruel: Not so for news reporting.

0008

이문영의 징역형에 관한 기사에 대한 Joseph Notovitz 의 서

YKE434 13-2019 YXC732 XDC584 132007 NYA 806
:PROKORIN:
NEW YORK, AUG. 12, 1981, KPS -100
KOREAN CULTURAL SERVICE RECEIVED COPY OF LETTER WRITTEN BY JOSEPH NOTOVITZ OWNER OF AD AGENCY ON WEDNESDAY.
FULL TEXT OF LETTER FOLLOWS=
DEAR SIR:

YOUR AUGUST 3RD OP - ED ARTICLE +A KOREAN IN PRISON+ BY JAMES R. HANSON IS DISTRESSING. BOWING TO THE SWEEP OF ONE MAN'S EMOTION YOU HAVE ALLOWED A PERSONAL FRIENDSHIP TO CAST YET ANOTHER DARKENING SHADOW ON KOREA'S ENTIRE LEGAL SYSTEM AND INTEGRITY OF THE KOREAN PEOPLE AS A WHOLE.

SURELY, MR. HANSON AN ATTORNEY HIMSELF, MUST REALIZE THAT THE LAWS OF A NATION TAKE PRECEDENCE OVER PERSONAL APPEALS BASED ON TIES OF FRIENDHSHIP. IMPRISONMENT IS NOT MEANT TO BE A KIND EXPERIENCE. NOT FOR THOSE WHO MUST UNDERGO IT AND NOT FOR THOSE ARE EMOTIONALLY INVOLVED WITH THOSE SENTENCED.

THE EXACT OFFENSE WHICH LEAD TO MR. LEE MOON YOUNG'S IMPRISONMENT IS NOT MENTIONED IN YOUR ARTICLE. I AM CERTAIN THAT MR. LEE WAS DEALT WITH FAIRLY AND SENTENCED ACCORDING TO THE LAWS OF KOREA. MR. HANSON DOES NOT ARGUE THE SENTENCE, ONLY THE TREATMENT MR. LEE IS RECEIVING UNDER IT.

YKE439 13-2026 YXC734 XDC585 132009 NYB 935
:PROKORIN:
KPS 100 LETTER TWO LAST

DOES NOT THE U.S. PRISON SYSTEM EVIDENCE BY RIOTS AND PRISON TAKEOVERS, CONFRONT ITS CITIZENS WITH THE SAME DISTURBING QUESTION OF PRISON CONDITIONS AND TREATMENT? WHY MUST AN EMOTIONAL FINGER POINT THOUSANDS OF MILES TO ONE INSTANCE OF POORLY UNDERSTOOD JUSTICE AND IMPLICATE A COUNTRY'S ENTIRE LEGAL SYSTEM?

I STILL EAGERLY AWAIT A POSITIVE ARTICLE ON KOREA OR HER PEOPLE ON THE OP - ED PAGE OF THE NEW YORK TIMES. JUSTICE CAN BE CRUEL: NO SO FOR NEWS REPORTING=
NEW YORK, AUGUST 12, 1981, REUTERS

0003

REUTER EM

NNNN
YKE498 14-2103 YXC317 XDB477 142058 NYA 061
:PROKORIN ONE:
NEW YORK, AUG. 14, 1981, KPS 102

KOREAN CULTURAL SERVICE RECEIVED COPY OF LETTER WRITTEN BY HOWARD NASH OWNER OF HOWARD NASH ENTERPRISES ON AUG. 5. FULL TEST OF LETTER FOLLOWS:

WITH A SWEEP OF EMOTION, YOU'VE ALLOWED ONE MAN WITH LIMITED UNSERSTANDING OF KOREA, TO BE THE VOICE IN CRITICISING THEIR LEGAL SYSTEM AND INTEGRITY AS A NATION. IN ALLOWING SUCH A ONE SIDED ARTICLE TO BE PUBLISHED, YOU ONCE AGAIN CONFIRMED THAT YOUR ATTITUDE TOWARD KOREA IS ANYTHING BUT JUST. THE FACT (MR. HANSON) FAILED TO MENTION WHY HIS FRIEND WAS ARRESTED IN THE FIRST PLACE, IS REASON ENOUGH TO DISMISS THE ARTICLE-BUT YOU WENT AHEAD AND PRINTED IT ANYWAY.

MORE EM

0010

NNNN

¤ YKE502 14-2110 YXC320 XDB479 142102 NYA 063

:PROKORIN TWO LAST:

SOUTH KOREA (FOR THOSE ON YOUR STAFF WHO MAY HAVE FORGOTTEN), IS A COUNTRY UNDERSEIGE. UNLIKE THE UNITED STATES, THEY DO NOT ALWAYS KNOW WHETHER A COLLEGE PROTEST IS HARMLESS VOICE OF EXPRESSION, OR NOTHERN IDEALOUGES INCITING UNREST. PRECAUTIONS MUST BE TAKEN, PRECAUTIONS WE DO NOT ALWAYS AGREE WITH. BUT TO DISMISS POLITICAL REAITIES WHEN CRITICISING A NATION IS TO DISMISS RATIONAL THINKING AS WELL. IN MR. HANSON'S CASE, GIVING CREDENCE TO POLITICAL REAITIES IS IMPOSSIBLE - HE TAKES THIS ISSUE TOO PERSONALLY. BUT A NEWSPAPER, A RESPONSIBLE NEWSPAPER, SHOULD BE THE PRAGMATIC, EVEN HANDED MIND WHEN DECIDING WHOSE WORK IS TO BE PUBLISHED.

IN THIS CASE YOU FAILED.

NEW YORK, AUG. 14, 1981= REUTERS

REUTER EM

0011

외 무 부

착신전보

사 본

관리번호: 81-762

번 호: NYW-0855 일 시: 131600 종 별:

수 신: 장 관 참 조(사본):

발 신: 주 뉴욕총영사

제 목: PNIO:

1. 당관은 NYT 8.3. 일자 JAMES HANSON 의 기고에 대한 반박문을 작성, 당 문화원과 거래를 갖고 있는 CABLE TV 및 VIDEO 제작사의 HOWARD NASH 사장 명의로 8.6.일에 NYT 로 발송토록 했음.

2. 다른 반박문은 상기인과 거래가 있는 광고회사 경영주 JOSEPH NOTOVITZ 가 8.10. NYT 투고했음.

3. 반박문의 요지는 이문영이 투옥된 이유나 경과에 대해서는 일언반구도 없이 감정에 치우치면 안될 변호사가 너무 감정적이라는 지적과 이문영의 처우를 기준 따지면 죄수들의 폭동이나 강간이 일어나는 미국 형무소들은 어떤가 하는 내용임.

4. 투고문 KPS 송고 예정임. (정문)

예고: 81.12.31. 일반.

미주국	공람	년 월 일	기안	담당	과장	국장	차관보	차관	장관

수신시간:

장관실		의전실		아프리카국		통상국		외연원	
차관실		아주국		국기국		영교국			/
정차보	/	미주국	/	조약국		외문국			/
경차보		구주국		정문국	0	총무과		A	/
기획실		중동국		국경국		감사관실			

담당	주무	과장
30		

0012

관리번호 81-763

외 무 부

지급
종 별

발신전보

번 호 : 20NY-0861 일 시 : 171230

수 신 : 주뉴욕 총영사

발 신 : 장 관

제 목 :

대 : NYW-0855

NYT 8.3(월)자 James Hanson 외 이문영 교수 관계 기고문에 대하여 Howard Nash 명의로 발송한 반박문 지급 보고바람. (미북)

앙고재	북미담당관	년 월 일	담당	담당관	심의관	국장	차관		장관
						전결			

0013

81.12.31 일반

최종결재	
기 안 자	

접 수	담 당	주 무	과 장

관리번호 81-116

외 무 부

착신전보

원 본

번 호: NYW-0870 일 시: 181700 종 별:

수 신: 장 관 참 조(사본):

'81 8 19 15-51

발 신: 주 뉴욕총영사

제 목:

미주국 공람	년 월 일	담당	담당관	국장	차관보	차관	장관

연: NYW-0845

대: WNY-0861

대호 NYT 8.3.HANSON 의 이문영 교수관계 JOSEPH NOTOVITZ 및 HOWARD NASH 의 기고내용 KPS-100 (해공, 외신과 수신)및 KPS-102로 기보고하였는바 참고 바람.(미북, 정공, 해신)

예고: 81.12.31. 일반.

0014

수신시간:

장관실		의전실		아프리카국		통상국		외연원		문공부	
차관실		아주국		국기국		영교국		B	/		
정차보	/	미주국	O	조약국		외문국		P	/		
경차보		구주국		정문국	/	총무과		A	/		
기획실		중동국		국경국		감사관실					

담당	주무	과장
42		

기 안 용 지

분류기호 문서번호	미북 700-	(전화번호)	전결규정 조 항 전결사항
처리기간		국 장	
시행일자	1981.9.8.		
보존년한			
보조기관	담당관		협조
기안책임자	김형국	북미담당관실	

경유 수신 참조	법무부장관 검찰총장	발신	통제
제목	수감자 관계문의		

미하원 Edward J. Markey 의원은 8.27자

서신을 통해 전고려대학교 법대교수 이문영에 대한 인적사항,

죄명, 형기 및 면회등을 주미 한국 대사관에 문의해 왔는 바,

동의원의 문의에 적절히 회신할 수 있도록 필요한 자료를 당부로

송부하여 주시기 바랍니다.

첨부 : 관계공문 및 동서신(사본) 각 1부. 끝.

정서 | 관인 | 발송

0015

0201-1-8A (갑)
1969.11.10 승인

190mm×268mm (인쇄용지(2급)60g/m²)
조 달 청 (1,500,000매 인쇄)

주 미 대 사 관

2650

미국(정) 700 - 1981. 9. 2.

수 신 : 장 관

참 조 : 미주국장

제 목 : 미 하원의원 인권관계 문의 서한

미하원 Edward J. Markey 의원(D - MA)은 8. 27.자 별첨 서신을 통해 현재 구속중에 있는 전 고려대학교 법대교수인 이문영에 대한 인적사항, 죄명, 형기 및 면회등에 관하여 문의해 온바 있아오니 동 내용을 당관에 통보하여 주시기 바랍니다.

첨 부 : 동 서신사본 1부. 끝.

주 미 대 사

0016

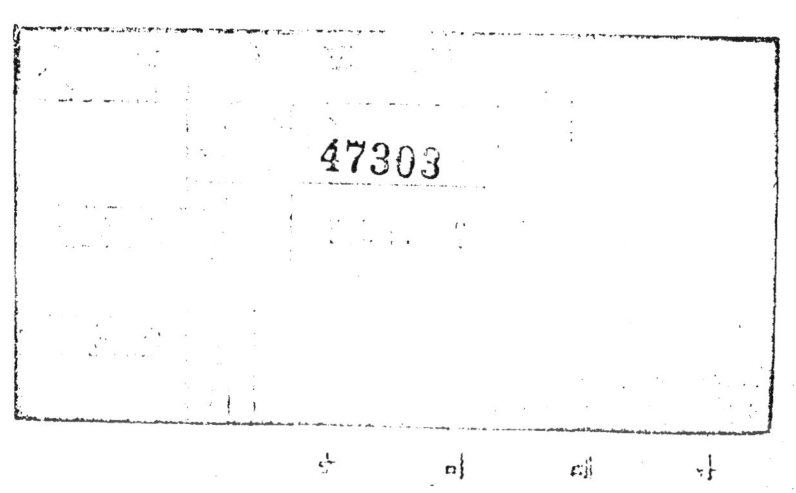

0017

EDWARD J. MARKEY
7TH DISTRICT, MASSACHUSETTS

COMMITTEES:
ENERGY AND COMMERCE
INTERIOR AND INSULAR AFFAIRS
CHAIRMAN
SUBCOMMITTEE ON OVERSIGHT AND INVESTIGATIONS

Congress of the United States
House of Representatives
Washington, D.C. 20515

403 CANNON HOUSE OFFICE BUILDING
WASHINGTON, D.C. 20515
(202) 225-2836

DISTRICT OFFICES:
2100A JOHN F. KENNEDY BUILDING
BOSTON, MASSACHUSETTS 02203
(617) 223-2781

464B SALEM STREET
MEDFORD, MASSACHUSETTS 02155
(617) 396-4800

August 27, 1981

Ambassador Byung-Hion Lew
Republic of Korea
2320 Massachusetts Avenue, N.W.
Washington, D.C. 20008

Dear Mr. Ambassador:

It has come to my attention that Lee Moon Young, formerly a law professor at Korea University, is now in prison in Korea.

I have been contacted by a number of American war veterans who served in Korea with Lee Moon Young. They came to know him as a man of courage, principal, and honesty; they are deeply troubled by his imprisonment.

I would greatly appreciate any information you could provide me regarding the status of prisoner Lee Moon Young, including his convicted offense, his term of sentence, and visitation rights.

Thank you for your consideration.

Sincerely,

Ed Markey

Edward J. Markey
Member of Congress

EJM/ls

0018

기 안 용 지

분류기호 문서번호	미북 700-	(전화번호)	전결규정 조 항 전결사항
처리기간		국 장	
시행일자	1981.9.17.		
보존년한			
보조기관	담당관		협조
기안책임자	김형국	북미담당관실	
경유 수신 참조	국방부장관	발신	통제
제목	수감자 관계문의		

36704

1981. 9. 22

외무부

검열 1981. . 통제관

미하원 Edward J. Markey 의원은 8.27자 서신을 통해 전고려대학교 법대교수 이문영에 대한 인적사항, 죄명, 형기 및 면회등을 주미 한국대사관에 문의해 왔는 바, 동의원의 문의에 적절히 회신할 수 있도록 필요한 자료를 당부로 송부하여 주시기 바랍니다.

첨부 : 관계공문 및 동서신 사본 각 1부. 끝.

정서

관인

발송

0019

0201-1-8A (갑)
1969.11.10 승인

190mm×268mm (인쇄용지(2급)60g/m²)
조 달 청 (1,500,000매 인 쇄)

법 무 부

검삼 820- 23087 (720-3139) 1981. 9. 15.

수신 외무부장관

참조 미주국장

제목 수감자 관계문의

1. 미북 700-34574 (81. 9. 9) 관련

2. 김대중사건 관련자 이문영은 군법회의에서 형을 선고 받았으므로 동인에 대한 형내용등은 국방부에 문의하시기 바랍니다. 끝.

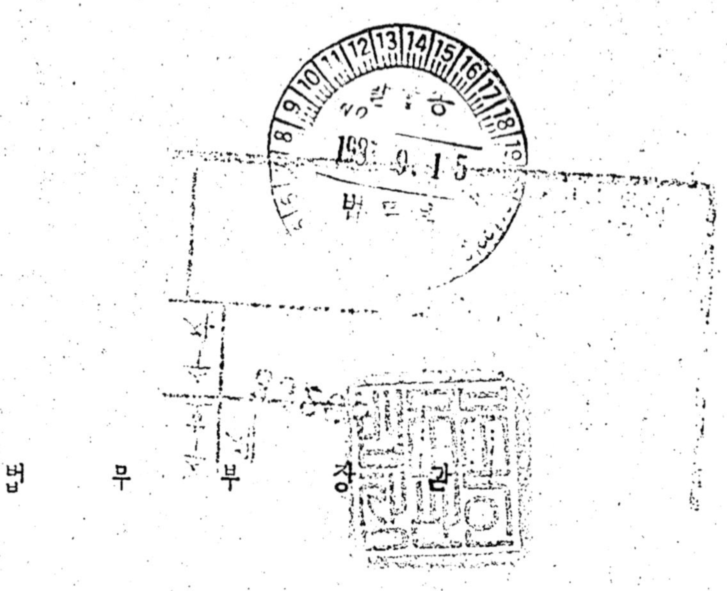

법 무 부 장 관

0020

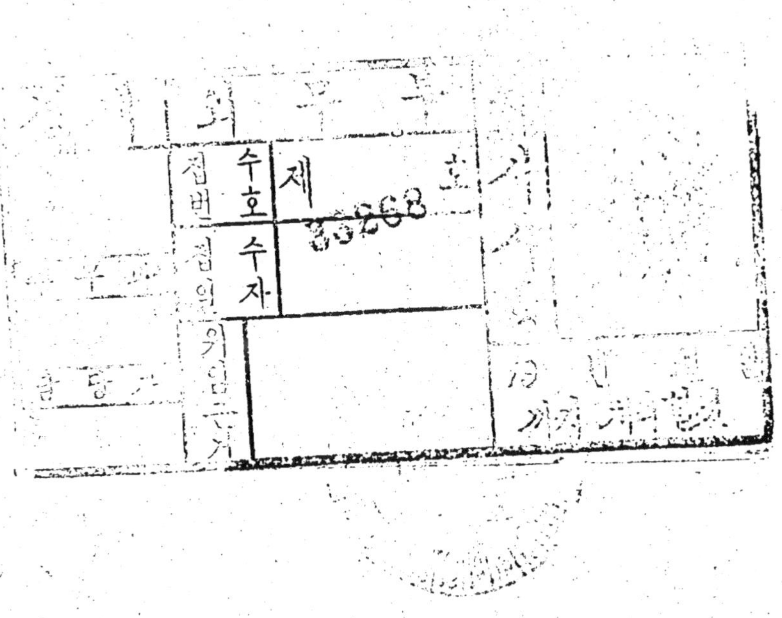

외 무 부

접수번호	제 33268 호
접수일자	
처리담당자	

0021

기안용지

분류기호 문서번호	미북 700-	(전화번호)	전결규정 조 항 전결사항
처리기간		국 장	
시행일자	1981.10.15.		
보존년한			

보조기관	담당관		협조	
기 안 책 임 자	김형국	북미담당관실		

경 유 수 신 참 조	주미 대사	발신 1981 10 16 27210	통제	검열 1981 10 16 통제관
제 목	수감자 문의 회보			

대 : 미국(정) 700-2650

대호, 전고려대학교 법대교수 이문영에 대한 문의사항을 아래와 같이 회보하니, 동 내용을 참작, 적당한 방법으로 Edward J. Markey 의원에게 회신하여 주기 바랍니다.

- 아 래 -

1. 본 적 : ■■■■■■■■
2. 죄 명 : 내란음모 계엄법 위반
3. 형 기 : 징역 15년
4. 복역장소 : 김해교도소
5. 면 회 : 교도소 규칙에 의함. 끝.

정서 / 관인 / 발송

0022

0201-1-8A (갑)
1969. 11. 10승 인

190mm×268mm (2급인쇄용지60g/m²)
조 달 청 1,000,000만매 인쇄

" 정직 질서 창조 "

육 군 본 부

문서번호 : 법고검 제3364호 1981. 10. 12.

수 신 : 외무부장관

주 무 : 미주국장

제 목 : 수감자 관계 문의회신

1. 외무 미북 700-36704 (81.9.29(수감자 관계문의에 대하여 아래와 같이 회신합니다.

가. 아 래

본 적	성 명	죄 명	형명형기	복형장소	비 고
[redacted]	이문영	내란음모 계엄법 위반	징역 15년	김해 교도소	면회관계는 교도소 규칙에 의함

끝.

0023

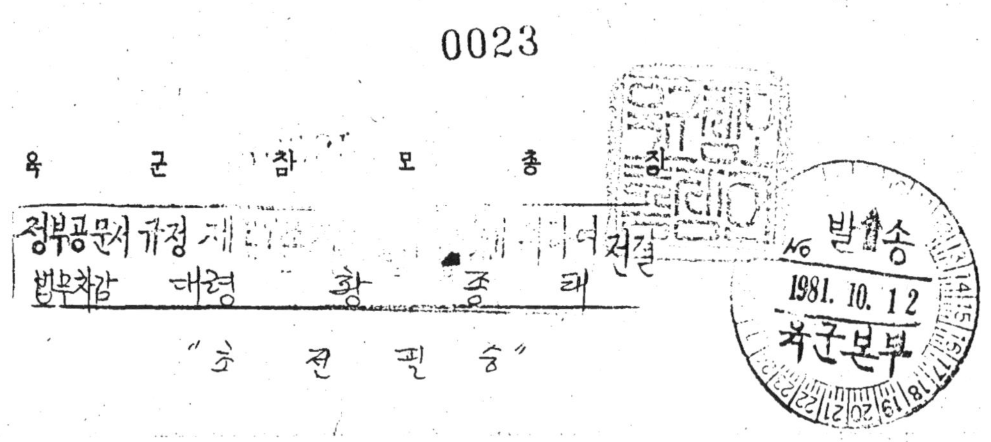

육 군 참 모 총 장

정부공문서규정 제 … 에 의하여 전결

법무차감 대령 황 종 태

"초 전 필 승"

No 발송

1981. 10. 12

육군본부

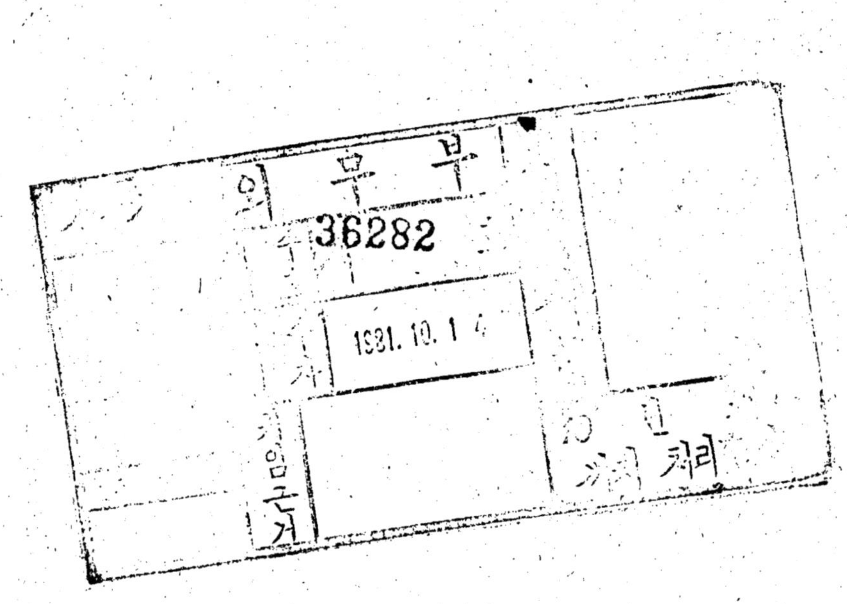

0024

2. 국가보안법 위반 등 구속자, 1982-83

0025

기안용지

분류기호 문서번호	미북 700-	(전화번호)	전결규정 조 항 전결사항
처리기간		국 장	
시행일자	1982.1.22.		
보존년한			

보조기관			협조
과 장			
기안책임자	김형국	북 미 과	

경 유 수 신 참 조	법무부장관	발신	02308	통제	검열 1982.1.25 통제관
제 목	진정서 이첩				

82.1.21. 당부가 접수한 연대생 김상규등에 대한 석방진정서를 귀부에 이첩합니다.

첨부 : 동 진정서 22부. 끝.

정서 · 관인 · 발송

0026

0201 - 1 - 8 A(갑)
1969. 11. 10. 승인

190mm×268mm (2급인쇄용지 60g/m²)
조 달 청(3,000,000매 인 쇄)

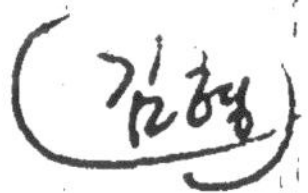

President Chun Doo-hwan
The Blue House
Chongno-gu
Seoul
Republic of Korea

The Foreign Minister
Ministry of Foreign Affairs
1 Sejong-no
Chongno-gu
Seoul
Republic of Korea

We, the undersigned students, faculty and staff of Bryn Mawr and Haverford Colleges, are deeply concerned about violations of human rights in the Republic of Korea, including the detention of prisoners of conscience for months without formal charges, torture and the death penalty. Although we live in another country, we are concerned when the rights of people anywhere in the world are violated. We consider freedom of expression to be a fundamental human right, and condemn any government which seeks to limit this freedom.

As members of a university, we are particularly disturbed by the arrest in May of over forty students charged under the Law on Assemblies and Demonstrations for their participation in demonstrations or for distributing "anti-government" leaflets. Among the arrested are two students of Sungsim Women's College, Chunchon, Yim Eun-im and Choi Sung-hee and three students of Yonsei University, Seoul, Kim Sang-Kyu, Oo Won-shik and Bae Jung-chan. We appeal to you to release these prisoners and to reevaluate the Korean judicial system which allows blatant violations of human rights.

NAME	CITY, STATE
Sangeetha Naidu	W. Chester, PA
Roxanne Beeler	Bryn Mawr, Pa.
Karen Reagan	Chappaqua NY
Jacqueline S. [illegible]	New York, N.Y.
Mark [illegible]	[illegible]
Linda [illegible]	[illegible], PA
Sarah Brinkley	Bryn Mawr, PA
[illegible] Rhode	Merion, Pa.
[illegible]	Bryn Mawr, PA.
Anil Singh	Bryn Mawr Pa.
[illegible] Rojas	HAVERFORD, PA.
Sherrill [illegible]	Bryn Mawr Pa.

0027

(기안)

주 미 대 사 관

미국(정) 700- 1136 1982. 4. 14.

수 신 : 장 관

참 조 : 국제기구조약국장

제 목 : 구속학생 문의

충북대생 이승원의 구속여부에 관한 Amnesty International Southern New Jersey Group (AIUSA 41) 지부로 부터의 문의서한을 별첨 송부하오니 검토후 회시바랍니다.

첨부 : 동서한 1부. 끝.

주 미 대 사

0028

0023

AMNESTY INTERNATIONAL • USA • SOUTHERN NEW JERSEY GROUP (AIUSA 41)

His Excellency
Ambassador Yu Byong-hyon
2320 Massachusetts Ave. N.W.
Washington, D.C. 20008

Feb 22, 1982

Your Excellency,

Please allow us to address you on a case that is of great concern to us and about which we would like to ask for your assistance.

All of us undersigned are members of a New Jersey adoption group of Amnesty International USA. We presently work on a detainee in South Africa, a prisoner in Russia, and a prisoner in your home country, South Korea. Amnesty International works for the release of prisoners, which it believes are detained for their peaceful and non-violent exercise of their right to freedom of opinion and expression, and it does so irrespective of political color. (Please, see also the paragraph printed on the bottom of this page.)

From your country we have adopted Mr. Lee Seung-won, who is a business student at Chongbuk University in Chunju, North Chungchong Province. Mr. Lee Seung-won was arrested after a memorial service sponsored by the Presbyterian Youth Association on May 16, 1981. Mr. Lee apparently is detained at Chunju Prison, 148, Mipyong-dong, Chungju-shi, Choongpuk, 310, North Chungchong Province. To the best of our knowledge his sentence will be up in March of this year.

We have written more than 30 letters to Korean ministries and to parliamentary leaders asking for details and/or the release of Mr. Lee Seung-won without getting any reply though. However, we are interested in having correct information and do not want to unjustly accuse a government of violating the International Declaration of Human Rights. May we therefore ask for your help, your Excellency, by informing us whether Mr. Lee Seung-won in fact has been freed, or else, what the reasons for his continued detention are?

0030

(continued)

Amnesty International is a worldwide human rights movement which works impartially for the release of prisoners of conscience: men and women detained anywhere for their beliefs, color, ethnic origin, sex, religion or language, provided they have neither used nor advocated violence. Amnesty International opposes torture and the death penalty in all cases without reservation and advocates fair and prompt trials for all political prisoners. Amnesty International is independent of all governments, political factions, ideologies, economic interests and religious creeds. It has consultative status with the United Nations (ECOSOC), UNESCO and the Council of Europe, has cooperative relations with the Inter-American Commission on Human Rights of the Organization of American States, and has observer status with the Organization of African Unity (Bureau for the Placement and Education of African Refugees). Amnesty International was the recipient of the 1977 Nobel Prize for Peace.

AMNESTY INTERNATIONAL • USA • SOUTHERN NEW JERSEY GROUP (AIUSA 41)

In the belief that a solution to this problem will be beneficial for everybody involved we are looking forward to your reply.

Yours sincerely and respectfully,

Please address correspondance to:

Dr. Peter Ronner
501-B Richards Bldg.
School of Medicine
University of Pennsylvania
36th and Hamilton Walk
Philadelphia, PA 19104

0031

Amnesty International is a worldwide human rights movement which works impartially for the release of prisoners of conscience: men and women detained anywhere for their beliefs, color, ethnic origin, sex, religion or language, provided they have neither used nor advocated violence. Amnesty International opposes torture and the death penalty in all cases without reservation and advocates fair and prompt trials for all political prisoners. Amnesty International is independent of all governments, political factions, ideologies, economic interests and religious creeds. It has consultative status with the United Nations (ECOSOC), UNESCO and the Council of Europe, has cooperative relations with the Inter-American Commission on Human Rights of the Organization of American States, and has observer status with the Organization of African Unity (Bureau for the Placement and Education of African Refugees). Amnesty International was the recipient of the 1977 Nobel Prize for Peace.

외 무 부 착신전보

번 호 : USW-05053 일 시 : 051710 종 별 : 원 본

수 신 : 장 관

발 신 : 주 미 대사

제 목 : 정삼수 관계

하원 외무위 인권 소위 DON BONKER 위원장 (D-WA) 은 4.30. 자 본직앞 서한을 통하여 광주사태시 국가보안법 위반(불온 유인물 소지) 로서 81.7월초 체포 된바 있는 정삼수의 감금처,근황,사건심리및 언도 등 상황에 관하여 문의하여 왔는바 동위원장의 비중을 감안,조속 회신하여 주시기 바람

(미북)

미주국

0032

PAGE 1

82.05.06 10:37
외신 1과 통제관

82-680

기안용지

분류기호 문서번호	미북 700-	(전화번호)	전결규정 조 항 전결사항
처리기간		국 장	
시행일자	1982.5.6.		
보존년한			
보조기관	과 장		협조
기안책임자	김재범	북미과	
경유 수신 참조	법무부장관, 국가안전기획부장	발신	통제
제목	구속자 문의		

미하원 외무위원회 인권 및 국제기구소위원회 Don Bonker 위원장(민주당, 워싱턴주)은 82.4.30. 주미대사에게 서한을 발송, 광주 사태시 불온유인물 소지에 따른 국가보안법 위반혐의로 81.7월초 체포된 정삼수의 감금처, 근황, 사건심리 및 언도등에 관하여 문의하여 왔다하니 이에대한 답변자료를 지급 회보하여 주시기 바랍니다. 끝.

0033

5.7 法務部 保安課
5.11 〃 검찰3과
5.12 安企部 정사부관.
5.13 〃 최 제장

0201-1-8A(갑)
1969. 11. 10. 승인

정직 질서 창조

190㎜×268㎜(2급인쇄용지 60g/m²)
조 달 청(3,000,000매 인 쇄)

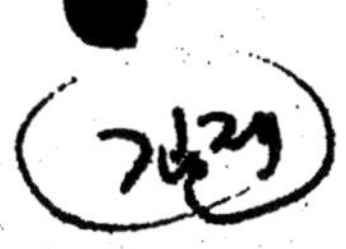

법 무 부

검삼 700- 10294 (720-3139) 1982. 5. 13.

수신 외무부장관

참조 미주국장

제목 구속자 문의에 대한 회신

귀부 미북700-780 (82. 5. 7.) 로 요청한 광주사태 관련자 정삼수에 대한 처리상황등에 관하여 별첨과 같이 회보합니다.

첨부: 자료 1부. 끝.

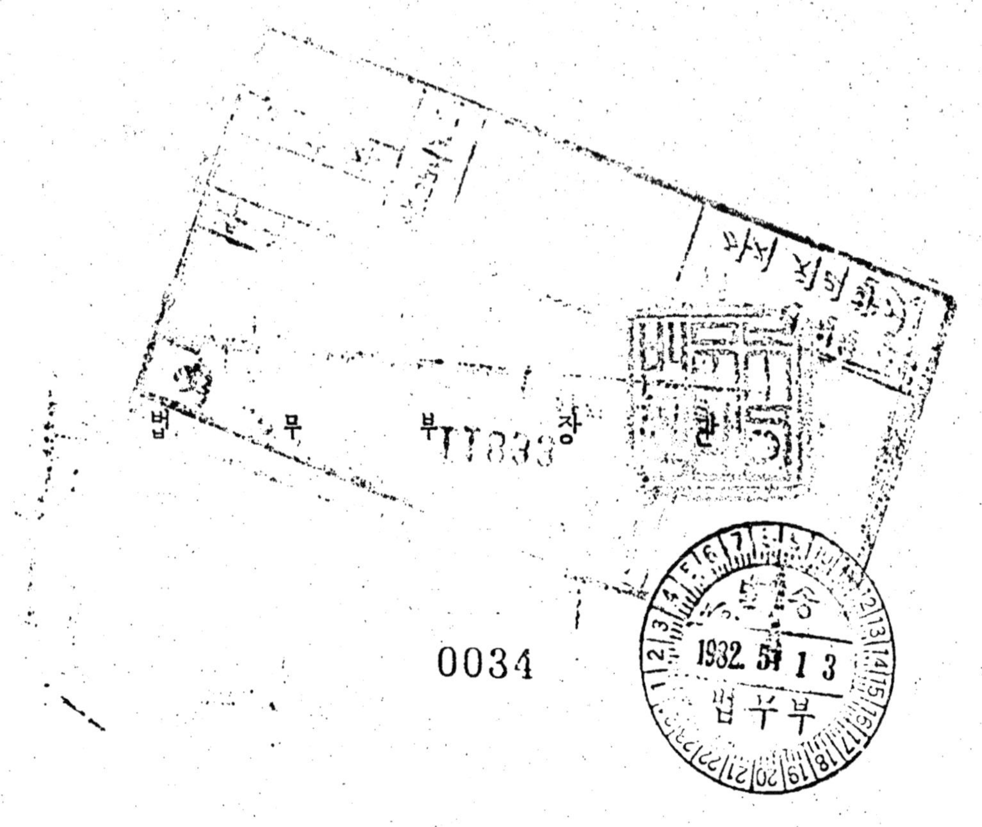

0034

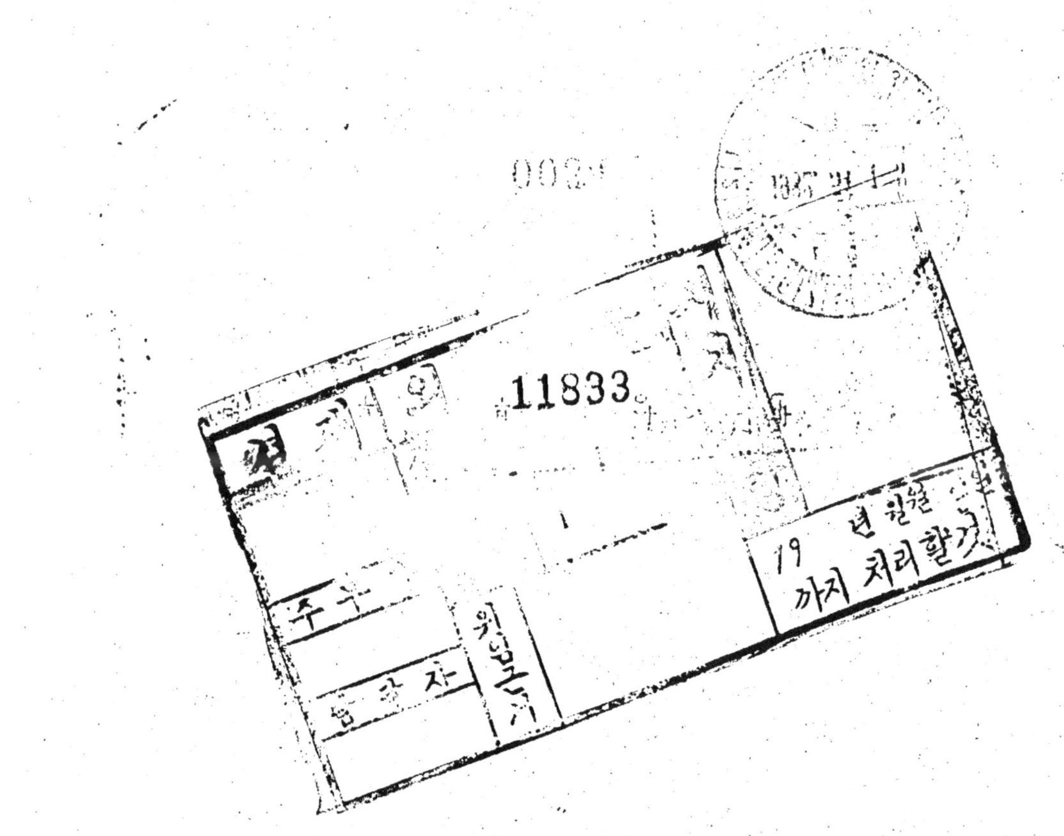

0035

정삼수에 대한 광주사태 관련자료

===================

1. 인적사항

정 삼 수 (丁 三 秀) 23세, 전남대4년

2. 죄 명

° 집회 및 시위에 관한 법률위반

3. 범죄사실요지

° 81. 5. 22. 15:00경 광주시 서구에서 불온유인물 700매를 작성, 익일 12:40경 전남대학교내에 살포하여, 사회적 불안을 야기시킬 우려가 있는 시위를 선동한 것임.

4. 처리상황

° 81. 7. 28. 광주지방검찰청에서 구속기소

° 81. 11. 9. 광주지방법원에서 징역1년, 2년간 집행유예의 판결선고 (동일자석방)

° 81. 11. 11. 검사 항소

° 82. 2. 19. 광주지방법원 항소부에서 항소기각 판결

° 82. 2. 27. 상고기간경과로 판결확정

0036

전 언 통 신 문

대오 834-393

발신 국가안전기획부장

수신 외무부장관

참조 미주국장

제목 구속자 근황등 문의에 대한 회신

1. 미북 700-780 (82.5.7) 관련 사항임.

2. 귀부에서 당부에 자료협조 의뢰한 정삼수에 대한 감금처, 근황, 사건 심리 및 언도등에 관한 사항을 다음과 같이 회보하오니 업무에 참고하여 주시기 바랍니다.

3. 내 용

가. 인적사항

본적 : [blacked out]

주소 : 전남 광주시 동구 계림 1동 505-485

전 전남대 4년 정삼수 23세

* 81.11.9. 광주교도소에 복역중 집행유예로 석방

나. 죄명

집회 및 시위에 관한 법률위반

다. 범죄요지

81.5.22. 수십종의 불순유인물을 작성하여 주택가등에 살포하는등 불법시위를 선동한 자임.

0037

라. 처리상황

81.7.28. 구속기소 (광주지검)

81.11.9. 1심선고 징역 1년, 2년간 집행유예 (광주지법)

82.2.19. (광주지법 항소부)

82.2.27. 항소기각 형확정

통화일시 : 82.5.14.09:00

수 화 자 : 이연수

공람	미주국	82년 5월 14일	담당	과장	국장	차관	장관

0038

기안용지

분류기호 문서번호	미북 700-	(전화번호)	전결규정 조 항 전결사항
처리기간		국 장	
시행일자	1982.5.14.		
보존년한			
보조기관	과 장		협조
기안책임자	김재범	북미과	
경유 수신 참조	주미 대사		통제
제목	구속자 현황 회보		

대 : USW-05053 (82.5.5)

관계부처로부터 회보된 정삼수의 현황자료를 별첨 송부하니, Don Bonker 하원 외무위원회 인권.국제기구소위원장에게 적절히 설명하시기 바랍니다.

첨부 : 법무부 및 국가안전기획부 회보서 각 1부. 끝.

정서 관인 발송

0039

0201-1-8A(갑)
1969. 11. 10. 승인

정직 질서 창조

190㎜×268㎜ (2급인쇄용지 60g/m²)
조 달 청(3,000,000매 인 쇄)

Copy : 外務部

丁三洙

集会 및 示威에 関한 法律 違反으로

1981.7.6 拘束되어 1981.11.9

光州地法에서 징역 1年, 집행유예 2年으로

釋放되었음

0040

(기소)

丁三洙 事件 概要

1. 被告人 人的事項

本籍 : [redacted]

住居 : 光州市 東区 계림1동 505의 485

全南大国文科 4年 丁三洙

[redacted]

2. 罪名

集会및 示威에 関한 法律 違反

3. 犯罪 概要

相被告人 鄭澈, 趙俸勲, 趙現鍾과 共謀하여 1981. 5. 22. 15:00 頃 光州市 신안동 679의3 所在 趙俸勲 집에서 "光州事態 時 할아버지가 개머리판에 두개골이 깨어져 殺害되고, 買辦財閥과 軍部에 基盤을 둔 000 独裁徒党이 이땅에서 永遠히 追放되지 않는 限, 決코 闘争은 끝날수 없다"는 内容의 不穩油印物을 作成, 同月 27. 12:40 頃 全南大内에 撒布하여 示威를 煽動.

4. 処理 状況

0041

○ 81.7.6 拘束(光州西部警察署)

○ 81.7.15. 受理(光州地檢)

○ 81.7.28. 拘束起訴

○ 81.11.9. 宣告(光州地法)

懲役 1年에 執猶 2年

(檢事抗訴)

○ 82.2.19. 抗訴棄却(光州地法)

○ 82.2.27. 確定

0042

외 무 부 착신전보

번 호 : USW-05053 일 시 : 051710 종 별 :
수 신 : 장 관
발 신 : 주 미 대사
제 목 : 정삼수 관계

사본! 淸剿

하원 외무위 인권 소위 DON BONKER 위원장 (D-WA) 은 4.30. 자 본직앞 서한을 통하여 광주사태시 국가보안법 위반(불온 유인물 소지) 로서 81.7월초 체포 된바 있는 정삼수의 감금처, 근황, 사건심리및 언도 등 상황에 관하여 문의하여 왔는바 동위원장의 비중을 감안, 조속 회신하여 주시기 바람

(미북)

미주국

0043

PAGE 1

82.05.06 10:37
외신 1과 통제관

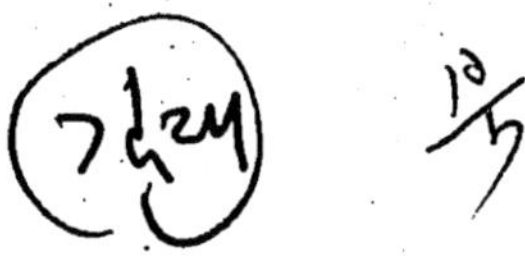

외 무 부 착신전보

번 호 : USW-05365 일 시 : 281150 종 별 : 원 본

수 신 : 장 관

발 신 : 주미 대사

제 목 :

금 5.28.(금) 하원 외무위 BENJAMIN A . GILMAN 의원 (R-NY) 은 반정부 학생 데모로 구속된 민병두 (성균관 대학 퇴교 PRISON 10: 137) 의 근황 및 석방 가능등을 문의하는 서한을 보내왔는바, 이에 대한 회신바람.

(미북)

구속일자
구치소
재판일자

미주국 차관실 정차브 정문국 청와대 안 기

PAGE 1

0044

82.05.29 10:13
외신 1과 통제관

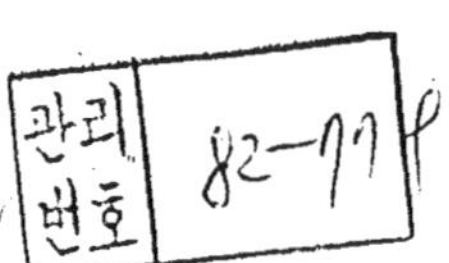

기안용지

분류기호 문서번호	미북 700-p45	(전화번호)	전결규정 조 항 전결사항
처리기간		국 장	
시행일자	82.5.29.		
보존년한			
보조기관 과 장			협 조
기 안 책 임 자	김재범	북 미 과	
경 유 / 수 신 / 참 조	법무부장관, 국가안전기획부장	발신	통제 검열 1982.5.31
제 목	구속자 문의		

미하원 외무위원회 Benjamin A. Gilman 의원 (공화당, 뉴욕주)은 반정부 데모로 성균관대학교에서 퇴교, 구속된 민병두의 근황 및 석방 가능성등을 문의하는 서한을 82.5.28. 주미대사에게 보내왔다 하니 이에대한 답변자료를 송부해 주시기 바랍니다. 끝.

정서

1982. . 31. 에 예고문에 의거 일반문서로 재분류 됨

관인

발송

0045

0201-1-8A(갑) 1969. 11. 10. 승인

정직 질서 창조

190mm×268mm (2급인쇄용지 60g/m²) 조달청(3,000,000매 인쇄)

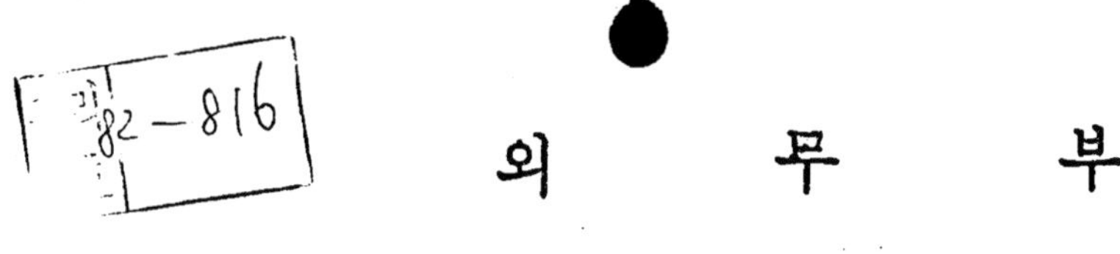

외 무 부

종 별

발신전보

번 호 : WUS-06117 일 시 : 111950

수 신 : 주미 대사

발 신 : 장 관

제 목 : 구속자 문의 회보

대 : USW-05365

민병두에 관한 관계부처 회보사항을 타전하니 답변바람.

1. 근황 : 82.5.22. 2심에서 징역 2년 선고, 검사 상고로 현재 대법원에 계류, 서울구치소에서 복역중

2. 석방가능 여부 : 공판계류중인 현재로서는 석방불가 (미 북)

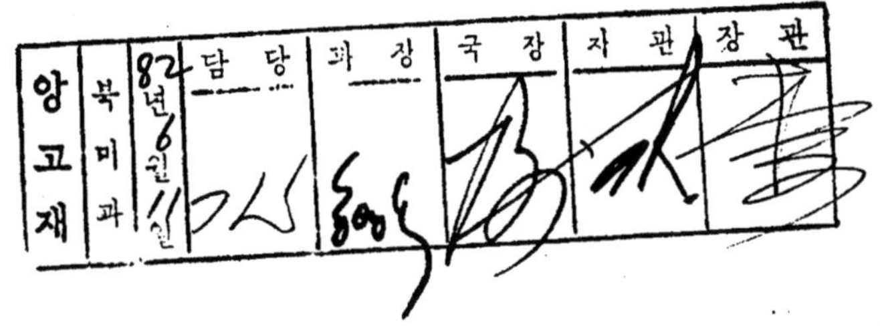

앙고재	북미과	82년 6월 11일	담 당	과 장	국 장	차 관	장 관

0046

발신시간 :

최종결재	
기 안 자	김재범

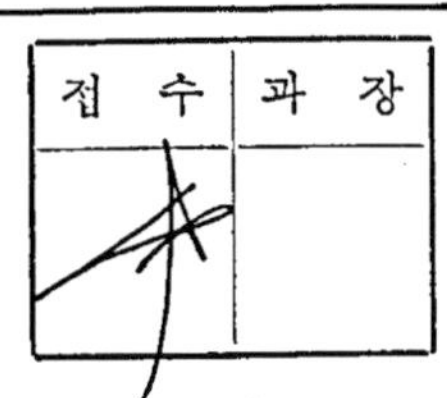

접 수	과 장

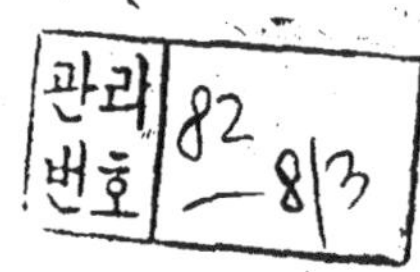

법 무 부

검삼 700-384 (720-3139) 1982. 6. 11.

수신 외무부장관

참조 미주국장

제목 자료송부

1. 귀부 700-945(82.5.31.)와 관련임

2. 학림사건 관련자 민병두에 관한 자료를 별첨과 같이 송부합니다.

첨부: 자료 1부. 끝.

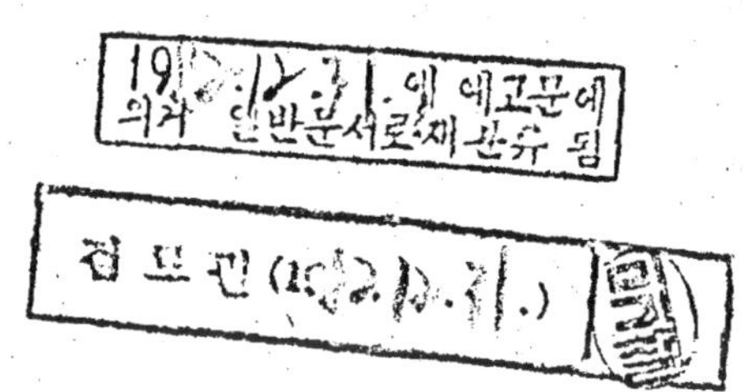

법 무 부 장 관

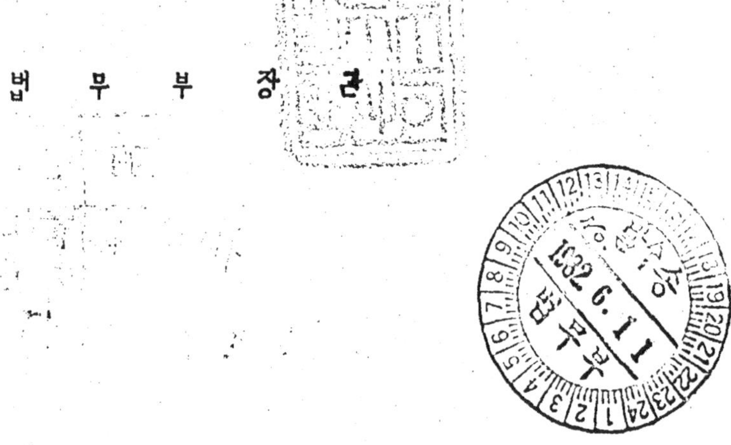

0047

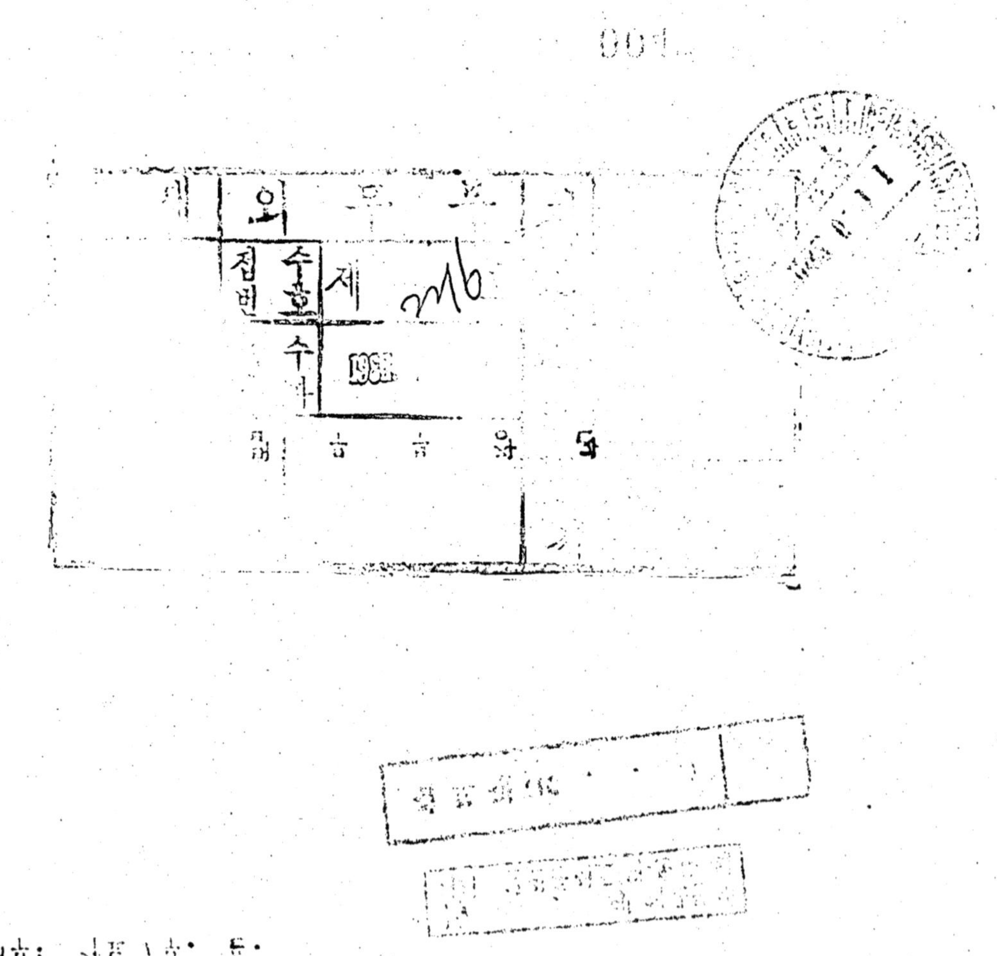

외 무 부	
접수번호	제 2116
접수일시	1992
처 리 과	

번호 700-[illegible] (720-2139) 1992. 6. 11.

수신 외무부장관

참조 미주국장

제목 자료송부

1. 대: 700-945(92.5.31.)의 관련임.

2. 한국인권 관련한 미국무부 관련 자료를 별첨과 같이 송부합니다.

첨부: 자료 1부. 끝.

0048

주 미 대 사

구속자 민병두 관련자료

===================

1. 피고인 인적사항

본 적 : ██████

주 거 : "

성균관대 경상대학 무역과 4년 민 병 두(閔丙枓)

██████

2. 죄 명

가. 계엄법위반

나. 집회및 시위에 관한 법률위반

3. 범죄요지

- 79. 11. - 81. 1. 간 11회에 걸쳐 서울 종로구 명륜동 소재 중국음식점등지에서 당시는 계엄기간중으로서 당국의 허가 또는 신고없이 집회를 할 수 없음에도 불구하고 최경환등 10여명에게 "현정부 타도를 위한 지속적이고, 광범위한 전개" 등의 내용으로 좌경의식화 교양을 실시하는등 불법집회
- 81. 3. 31. 성균관대에서 정부타도를 내용으로 하는 불온유인물 1,000매 살포, 동교학생 500여명의 불법시위 주관
- 81. 5. 12. 성균관대에서 위 내용과 같은 구호를 외치면서 동교학생 4,000여명의 불법시위 주관.

0049

4. 재판, 수형상황

- 81. 8. 3. 구 속
- 81. 8. 31. 구속기소
- 82. 1. 22. 1심 선고 징역 3년
- 82. 5. 22. 2심 선고 징역 2년
  검사 상고

* 현재 대법원에 공판계류중이며, 서울구치소에서 복역중임.

5. 석방 가능성

민병두는 대법원에 공판계류중이므로, 현재로서는 석방 불가.

0050

국 가 안 전 기 획 부

(965-6814)

(카2781)

대오834- 1653 　　　　　　1982. 6. 17.

수 신: 외무부장관

참 조: 미주국장

제 목: 구속자 근황등 의견문의에 대한 회신

1. 미북700-945(82.5.31)관련 사항임.

2. 귀부에서 자료협조 의뢰한 전성대생 민병두에 대한 근황등 답변 자료를 첨부와 같이 통보하오니 활용하시기 바랍니다.

첨부 : 자료 1부. 끝.

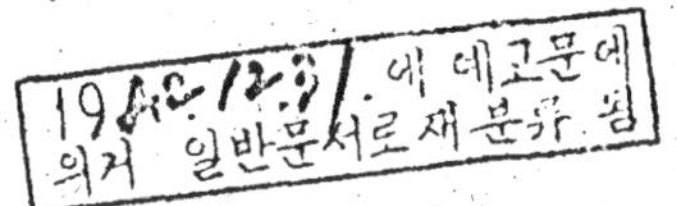

0051

국 가 안 전 기 획 부 장

행-22 81. 1. 1

0052

민 병 두 관 련 자 료

1. 인적사항

본적 : ▇▇▇▇▇▇▇

주소 : 상 동

직업 : 전성대 무역학과 4년

민 병 두 . ▇▇▇▇

2. 내 용

가. 구속경위

o. 민병두는 81.3.15경 성대생 윤성구등과 반팟쇼를 위한 소위 "민주학생연맹"을 조직, 동집행위원으로 있으면서 동년 3.31, 5.27 2차에 걸쳐 성대 교내 불순 유인물살포및 시위를 배후 조종, 81.8.27 집회및 시위에 관한 법률 위반으로 구속 기소되어 82.1.22 서울형사지법에서 징역 3년(구형:징역 5년)을 선고 받고 항소하여 82.5.22 서울고법에서 징역2년 선고를 받고 이에 불복, 상고하여 대법원에 공판 계속중인자로, 현재 원주교도소에 복역중임.

나. 건강상태및 수형 태도

본명 건강상태 양호하며 소칙준수하는등 수형 태도 양호함

다. 석방가능성 여부

본명은 현재 공판계속중에 있으므로 형이 확정되어 복역기간이 종료되어야 석방되나 조기 석방은 고려한바 없음.

0053

82-856

기안용지

분류기호 문서번호	~~주미 대사~~ 미북 720-1128	(전화번호)	전결규정 조 항 전결사항
처리기간		국 장	
시행일자	1982.6.19.		
보존년한			
보조기관	과 장		협조
기안책임자	김재범	북미과	
경유 수신 참조	주미 대사		통제 검열 1982.6.21
제목	자료 송부		

연 : WUS-06117 (82.6.11)

관계부처로부터 회보된 민병두 관계 자료를 별첨 추가 송부하니 참고하시기 바랍니다.

첨부 : 상기자료 2건 각 1부. 끝.

[1992.12.31.에 예고문에 의거 일반문서로 재분류 됨]

[검토필 (1992.12.31.)]

정서 관인 발송

0054

0201-1-8A(갑) 1969. 11. 10.승인 정직 질서 창조 190mm×268mm (2급인쇄용지 60g/m²) 조달청(3,000,000매 인쇄)

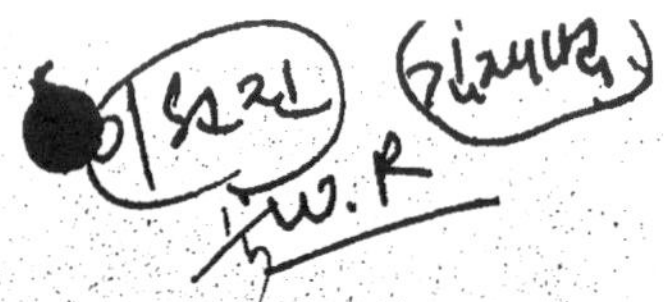

외 무 부 착신전보

번 호 : USW-10223 일 시 : 201550 종 별 : 원 본

수 신 : 장 관

발 신 : 주 미 대사

제 목 : 아국관계 기사보고

금 10.20.(수)자 당지 CSM 지는 23 면 OPINION AND COMMENTARY 란에서 ''HUMAN RIGHTS-CONGRESS CARRIES THE BALL'' 제하 하원 외무위 인권 소위소속 BURKHALTER 전문위원의 기고문을 게재 하였는바, 아국관련 부분 별첨과 같음.

(미북, 정문, 해신)

THE HOUSE FOREIGN AFFAIRS COMMITTEE REPEATEDLY TOOK THE ADMINISTRATION TO TASK ON THE ISSUE OF CRIME CONTROL SALES TO HUMAN RIGHTS VIOLATORS. WHEN THE COMMERCE DEPARTMENT RECENTLY APPROVED A LICENSE FOR THE SALE OF 500 SHOCK BATONS TO THE GOVERNMENT OF SOUTH KOREA, ANGRY HUMAN RIGHTS SUPPORTER, LED BY REPRESENTATIVES BINGHAM, BONKER, AND LEACH DEMANDED A CHANGE OF POLICY. THE FUROR OVER THE LICENSES WAS SO INTENSE THAT THE GOVERNMENT OF SOUTH KOREA ITSELF QUIETLY RENEGED ON THE SALE, AND A CHASTENED COMMERCE DEPARTMENT PROMISED TO REVISE ITS POLICY.

---- ----

ANOTHER WELCOME CHANGE HAS BEEN AN INCREASING WILLINGNESS BY SOME STATE DEPARTMENT AND US EMBASSY OFFICIALS TO MEET WITH HUMAN RIGHTS ADVOCATES, DISSIDENTS, AND OPPOSITION POLITICAL FIGURES AROUND THE WORLD. ON AN AUGUST 1981 TRIP TO LATIN AMERICA, JEANE KIRKPATRICK EMBRACED SOUTHERN CONE DICTATORS BUT REFUSED TO MEET WITH HUMAN RIGHTS LEADERS. AFTER A DRUBBING IN THE PRESS AND CONGRESS, THE ADMINISTRATION QUIETLY ADOPTED A DIFFERENT APPROACH. IN SOUTH KOREA, FOR EXAMPLE, VICE-PRESIDENT BUSH MET WITH KOREAN CHURCH AND HUMAN RIGHTS LEADERS TO HEAR THEIR CONCERNS ABOUT RISING TORTURE AND POLITICAL REPRESSION.

미주국 정차보 정문국 청와대 안 기 문공부

PAGE 1 0055 82.10.21 10:26 외신 1과 통제관

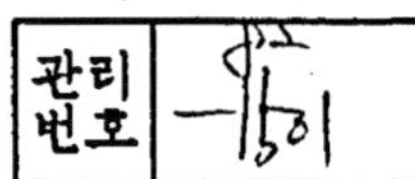

외 무 부 착 신 전 보

번 호 : USW-11193 일 시 : 161820 종 별 :

수 신 : 장 관 (미북)

발 신 : 주 미 대사

제 목 : 인권기관의 문의사항

1. 당지 소재 INTERNATIONAL HUMAN RIGHTS LAW GROUP 의 EXECUTIVE DIRECTOR 인 AMY YOUNG-ANAWATY 로 부터 다음과 같은 사실 확인 요청이 있아오니 관련항을 당관에 알려 주시기 바람.

가. 재일교포 SHIN,HYANG-SIK
KIM,TAE-YUL
KIM,SANG-HAE

검토필(1982.12.31.)

등이 1982.10.8 사형집행 되었는지 여부

나. 재일교포 CHOE,CHUL-KYO 및 KANG,U-GYU 양인은 사형선고를 받았다가 82.8. 감형되어 현재 서울고도소에 수감중인바, 양인 공히 중환자 임에도 입원가료 받지 못하였다는바, 사실여부

다. 서울고도소 수감중인 LEE CHUL, SONG YU-HYEON, KIM CHUL-U, YU YONG-SU 등이 위독하다는바, 사실여부

라. 광주고도소 수감중인 SOH,JOON-SHIK 은 78.5.7. 형기를 마치고 출옥 하였으나 그후 계속 2년씩 3차례에 걸쳐 재수감 되었다는 바, 사실여부

2. 상기 YOUNG-ANAWATY 는 아국의 전반적인 인권상황에 대하여는 중도적 입장을 취하면서도 유엔 인권위 및 AMNESTY INTERNATIONAL 등과 연계를 가지고서 개별적인 인권문제에 대하여는 계속 추적 하고 있으므로 가급적 분명한 회답을 해주는것이 좋을것으로 사료 됨. 끝.

예고 : 83. 6. 30 일반

1983.6.30.에 예고문에 의거 일반문서로 재분류 됨

미주국 정차보 정문국 청와대 안 기

0056

PAGE 1

82.11.17 11:22
외신 2과 통제관

Int'l Human Rights Law Group

1. 설립목적 : 인권관계 국제조약 및 제법령의 준수 확보를 통하여 각국의 인권 위반사례를 시정토록 함.

2. 설립일자 : 1978. 9.

3. 구성인원 : 약 100여명의 변호사 (주로 워싱톤 근교거주) 들의 자발적 참여

4. 조 직 :

가. 회 장 (Chairman) : David Carlines

나. 자문위 (Advisory Group) : 14명으로 구성

다. 간 사 (Executive Director) 및

총 무 (Adm. Assistant) : Amy Young

- Anawaty, Amy R. Novick

5. 성 향 :

가. Liberal한 성향의 단체

나. 인권문제의 법적 접근을 모색한다는 점에서 여타 인권관계 단체보다 객관적 입장 견지

0057

6. 재　원 : 일반 기여금으로 유지되며, 주로 Ford 재단의 재정적 지원을 받고있음.

7. 활동사항

- 하이티 난민문제, 루마니아내 항가리 소수 민족 문제등에 관하여 각종 정부간 국제기구를 통한 활동 전개
- 유고, 일본등에 대한 인권 및 사법독립 문제 조사단 파견
- 볼리비아 및 루마니아에 대한 인권문제 조사단 파견
- 유고 반체제 인사 Milovan Djilas 에 대한 옹호 활동을 UNESCO 를 통하여 전개

0058

7720.4.31 9.1L
임명6

기 안 용 지

분류기호 문서번호	미북 700-	(전화번호 .)	전결규정 조 항 전결사항
처리기간		장 관	
시행일자	1982.11.17.	73	
보존년한			
보조기관 국 장	전결		협
과 장	송		
기안책임자	이수택	북미과	40582
경유 수신 참조	법무부장관	발송 1982.11.18 외무부	통제 1982.11.18 통제관
제 목	구속자 관계 문의		

1. 주미대사는 미국소재 International Human Rights Law Group 의 Executive Director, Amy Young-Anawaty 로부터 아래사항의 사실 확인 요청을 받았다 하는 바, ~~아래사항을~~ 이를 확인, 회보하여 주시기 바랍니다.

가. 재일교포 신향식 (Shin Hyang Sik), 김태열 (Kim Tae Yul), 김상해 (Kim Sang Hae) 등의 1982.10.8. 사형 집행여부

나. 재일교포 최철교 (Choe Chul Kyo), 강우규 (Kang U Gyu) 양인은 사형선고를 받았다가 82.8. 감형되어 서울교도소에 수감중인 ~~바,~~ 자로 양인 공히 중환자임에도 불구, 입원 가료를 받지 못하였다는 바, 사실여부

정서

관인

발송

0059

1205-25(2-1)A(갑)
1981. 12. 18 승인

정직 질서 창조

190mm×268mm(인쇄용지 2급 60g/m²)
조 달 청(.000,000매 인 쇄)

4214 Swire Ave..Apt. 8
Baton Rouge, LA.
Nov. 15, 1982

American Affairs Bureau
Ministry of Foreign Affairs
1 Sejong-ro
Chongno-gu
Seoul,
Republic of Korea

Dear Sir,

I am writing to seek your assistance in establishing information about AHN Joong Min, a prisoner. He was detained under the Law on Assemblies and Demonstrations in September of 1981. I would like to know if he has been released or if his release is forthcoming? Please inform me of the current situation regarding this prisoner.

Sincerely,

Ruth Helwege

0060

관리번호 82-1322

기 안 용 지

분류기호 문서번호	미북 700-1884	(전화번호)	전결규정 조 항 전결사항
처리기간		장 관	
시행일자	1982.11.18.		
보존년한			

보조기관			협조
국 장	전결		
과 장			
기 안 책 임 자	조성환	북미과	

경 유 수 신 참 조	법무부장관
제 목	구속인사 석방여부 문의

반송 1982.11.20 외무부

결재 1982.11.20 외무부 북미담당관실

당부는 별첨과 같이 1981.9.17. 구속되어 1년 6개월의 형을 언도받고 의정부 교도소에 복역중인 안중민의 석방여부를 문의하는 서한을 접수하였는 바, 회신에 필요하니 동인의 근황에 대하여 알려 주시기 바랍니다.

첨부 : 관련서한 사본 4부. 끝.

검토필

19 . . . 에 예고문에 의거 일반문서로 재분류 됨

정서

관인

발송

0061

1205-25(2-1)A(갑)
1981. 12. 18 승인

정직 질서 창조

190mm×268mm(인쇄용지 2급 60g/m²)
조 달 청(.000,000매 인 쇄)

다. 서울교도소에 수감중인 이철 (Lee Chul),

송유현 (Song Yu Hyeon), 김철우 (Kim Chul-U),

유용수 (Yu Yong Su) 등이 위독하다 하는 바,

사실여부

라. 광주교도소 수감중인 서준식 (Soh, Joon Shik)

은 78.5.7. 형기를 마치고 출옥하였으나, 그후

계속 2년씩 3차례에 걸쳐 재수감 되었다는 바,

사실여부

2. 상기 Young-Anawaty 는 아국의 전반적인 인권 상황에 대하여는 중도적 입장을 취하면서 개별적인 인권문제에 대하여는 유엔 인권위 및 Amnesty International 등과 연계를 갖고 추적하고 있으므로 가급적 분명한 회답을 해주는 것이 좋을 것이라는 주미대사의 건의가 있었음을 참고 바랍니다. 끝.

0062

1205-25(2-2)(을)
1981. 12. 18 승인

190mm×268mm (인쇄용지 2급 60g/m²)
조 달 청(.,000,000매 인 쇄)

Mr S. Lowy
FOREIGN LANGUAGES
SOUTHERN UNIVERSITY
SOUTHERN BRANCH POST OFFICE
BATON ROUGE, LOUISIANA 70813

American Affairs Bureau
Ministry of Foreign Affairs,
1 Sejong-ro
Chongno-gu
Seoul,
Republic of Korea
South

Air Mail

Air Mail

0063

SOUTHERN UNIVERSITY
SOUTHERN BRANCH POST OFFICE
BATON ROUGE, LOUISIANA

MODERN FOREIGN LANGUAGES

November 2nd.

American Affairs Bureau,
Ministry of Foreign Affairs,
1 Sejong-ro
Chongno-gu
Seoul,
Republic of Korea

Dear Sir:

Here, in the United States, we are very concerned about the status of Mr. Ahn Joong Min who has been held in Uijongboo Prison since ~~September 1981~~.

Since we don't have any recent information about him, we would like to Know whether or not he has been released and, if he is still in Uijongboo Prison, when he will be allowed to leave it.

I thank you for the attention you will give to this matter.

Yours truly,

Sara J. Lowy

Sara J. Lowy
Professor of Spanish

0064

Dr. Yousef Danesh
Department of Political Science
Southern University
Baton Rouge, LA 70813

INTERNATIONAL MAIL

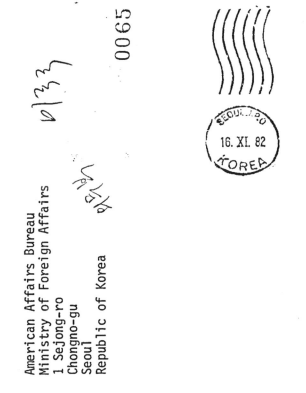

American Affairs Bureau
Ministry of Foreign Affairs
1 Sejong-ro
Chongno-gu
Seoul
Republic of Korea

0065

SEOUL I.P.O
16. XI. 82
KOREA

Department of Political Science
Southern University
Baton Rouge, LA 70813
October 15, 1982

American Affairs Bureau
Ministry of Foreign Affairs
1 Sejong-ro
Chongno-gu
Seoul
Republic of Korea

Dear Sirs:

I would like to know whether Mr. AHN Joong Min has been released from prison or not and if not what is his status. As you probably are aware Mr. AHN had been arrested on September 17, 1981 and sentenced to 1½ years imprisonment. I would appreciate it very much if you would let me know about his present and future status.

Looking forward to hearing from you soon and thank you very much.

Sincerely yours,

Y. Danesh

Yousef Danesh, Ph.D.
Professor of Political Science

0066

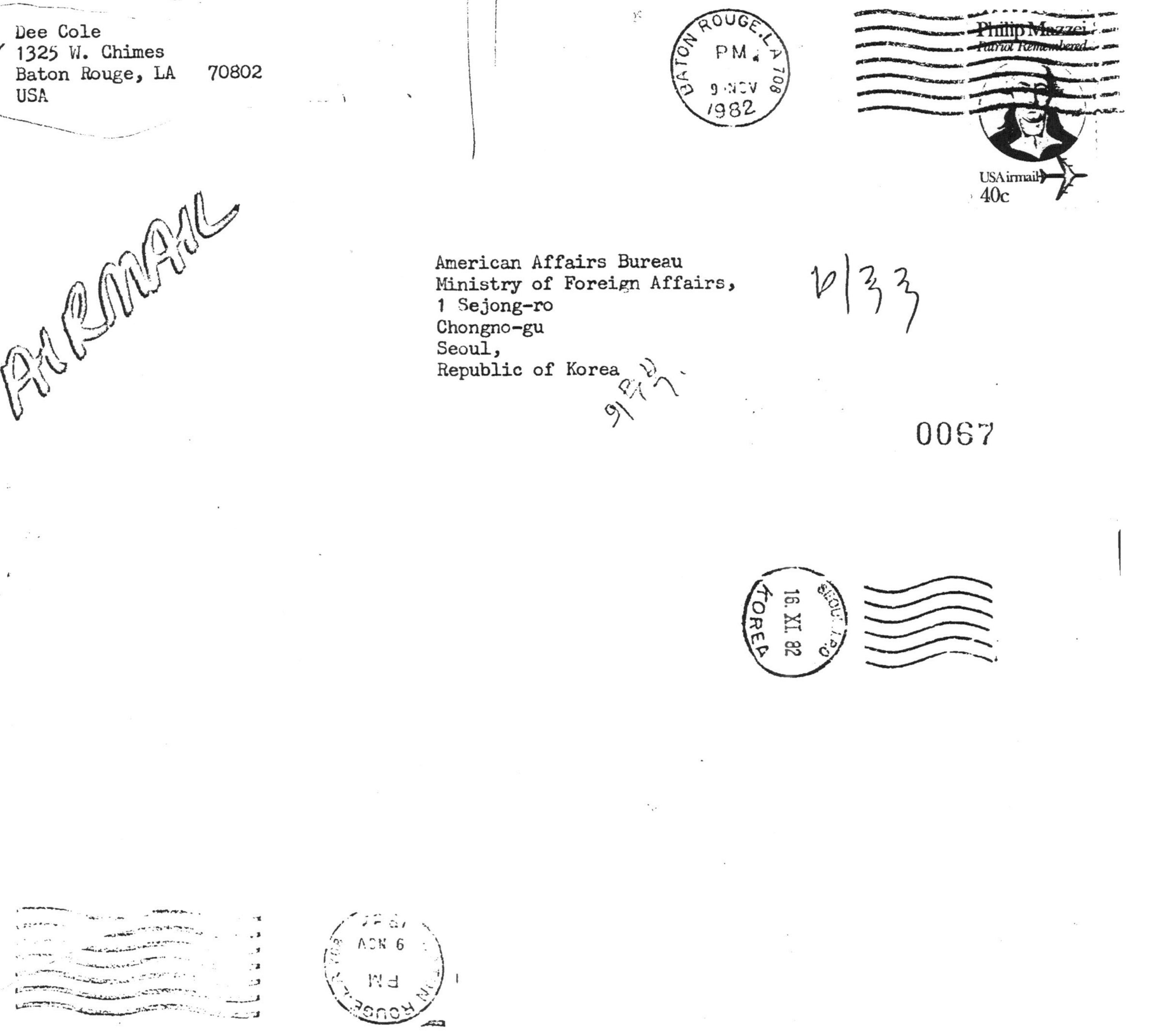
Dee Cole
1325 W. Chimes
Baton Rouge, LA 70802
USA

American Affairs Bureau
Ministry of Foreign Affairs,
1 Sejong-ro
Chongno-gu
Seoul,
Republic of Korea

American Affairs Bureau
Ministry of Foreign Affairs,
1 sejong-ro
Chongno-gu
Seoul,
Republic of Korea

November 8, 1982

Dear Sir:

I am writing to inquire about a prisoner who has been held in the Uijongboo Prison. His name is AHN Joong Min. I understand that AHN was due for release soon, and I wonder if he has already been released? If not, do you know when he will be released?

I would appreciate any information you could send me about AHN Joong Min's situation. Thank you for your attention to this matter.

Sincerely,

Dee Cole

Mr. Dee Cole
1325 W. Chimes
Baton Rouge, Louisiana 70802
USA

0068

Rev. Charles A. Wood
Saint Alban's Chapel • Episcopal University Center
P.O. Box E C • Baton Rouge, Louisiana • 70893

American Affairs Bureau,
Ministry of Foreign Affairs,
1 Sejong-ro
Chongno-gu
Seoul,
Republic of Korea

북미과

0069

Saint Alban's Chapel • Episcopal University Center

October 14, 1982

American Affairs Bureau,
Ministry of Foreign Affairs,
1 Sejong-ro
Chongno-gu
Seoul,
Republic of Korea

Dear Sirs:

I am concerned about the situation of AHN Joong Min. It is my understanding that he was to be released from Uijongboo Prison and I am writing to inquire whether he has indeed been released.

I would greatly appreciate any information that you might be able to give me about his release or current location.

Thank you very much.

Yours in peace,

Charles A. Wood
Chaplain

0070

Telephone 343-2070 • Post Office Box E C • Baton Rouge, Louisiana 70893
Louisiana State University

BATON ROUGE, LA 708
P.M
6 OCT
Philip Mazzei
Patriot Remembered
USAirmail
40c
0071
American Affairs Bureau
Ministry of Foreign Affairs
1 Sejong-ro
Chongno-gu, SEOUL
Republic of Korea
BY AIR MAIL
PAR AVION

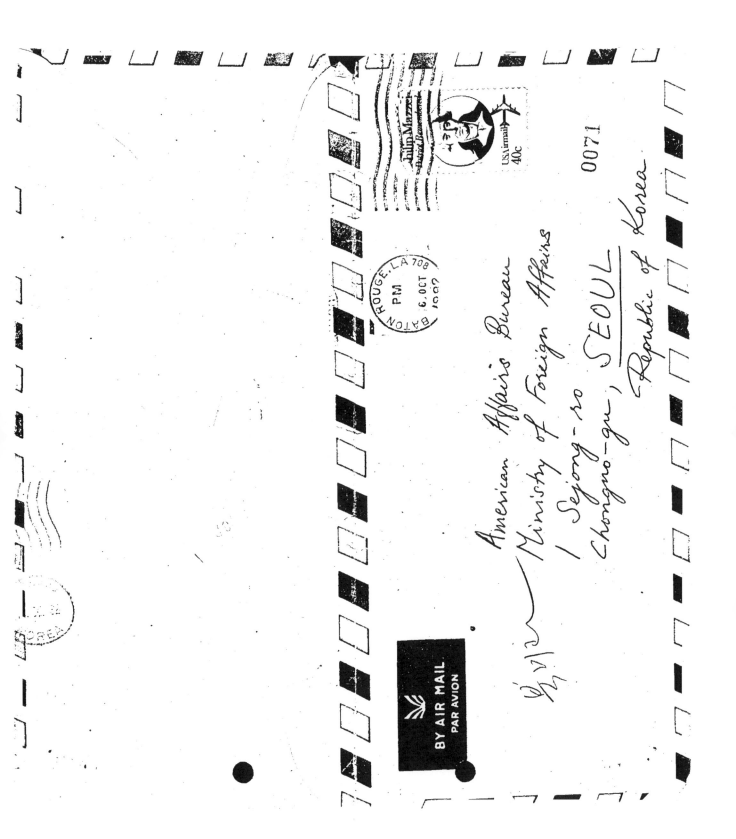

October 5, 1982

A.R.P.Rau

730 Carriage Way

Baton Rouge, LA 70808, U.S.A

American Affairs Bureau
Ministry of Foreign Affairs
1 Sejong-ro
Chongno-gu, SEOUL

Your Excellency:

I am writing to you regarding Mr. Ahn Joong-Min, a citizen of South Korea, who was arrested about a year ago and imprisoned under the Law on Assemblies and Demonstrations. Mr. Ahn Joong-Min seems to have done no more than exercise the right granted by article 20(1) of the Republic of Korea that " all citizens shall enjoy freedom of speech and the press, and freedom of assembly and association ". I request, therefore, information regarding his release and, if he is still imprisoned, urge his immediate release.

Yours sincerely and respectfully,

A.R.P.Rau

0072

(관심) — Short reply

법 무 부

보안 700 26071 720-4917 0051 82. 11. 27.

수신 외무부장관

참조 미주국장

제목 수감자 문의에 대한 회신

1. 미북 700-1984(82.11.20)과 관련임.

2. 귀부에서 문의한 안중민의 만기일자는 83. 3.27. 임을 회보합니다. 끝.

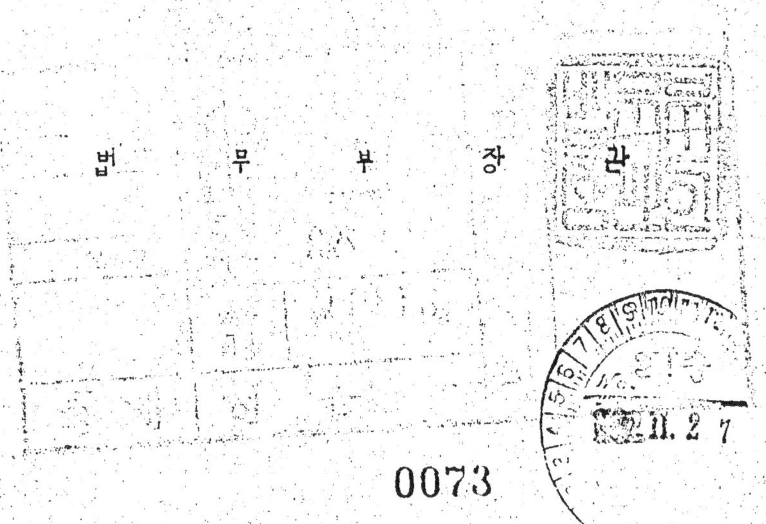

법 무 부 장 관

82.11.27

0073

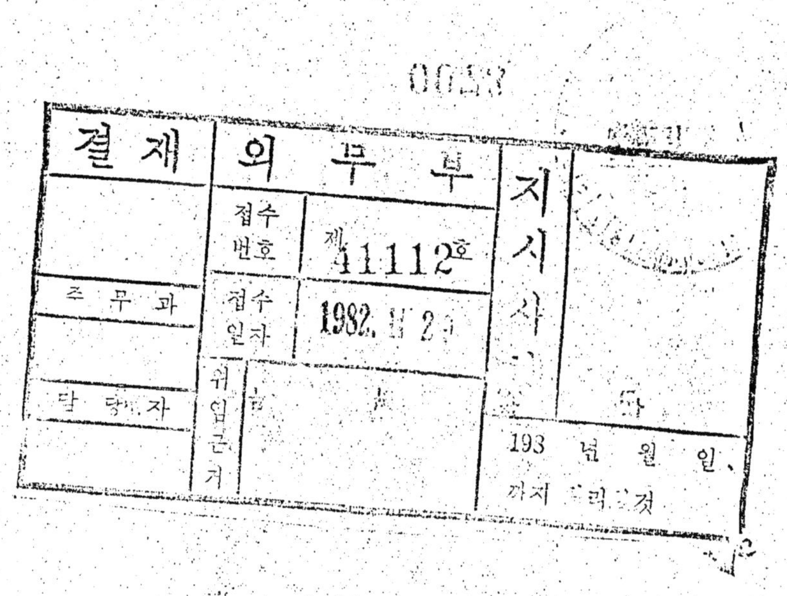
0023

결재	외무부		지시사항
	접수번호	제 41112 호	
주무과	접수일자	1982. 11 2	
담당자	처리근거		193 년 월 일, 까지 처리할것

0074

관리번호 82-1482

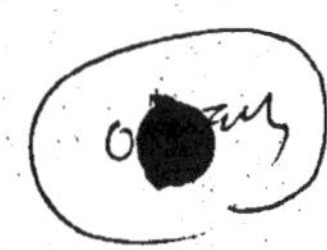

법 무 부

보안 130-272 720-4917 82. 12. 21.

수신 외무부장관

참조 미주국장

제목 구속자 관계 문의에 대한 회신

1. 미북 700-40588(82.11.18)과 관련입니다.

2. 귀부에서 구속자 관계에 대하여 문의한 사항을 별첨과 같이 회신합니다.

검토필(1983. 6. 30.)

첨부 : 구속자 관계 문의에 대한 회신 1부. 끝.

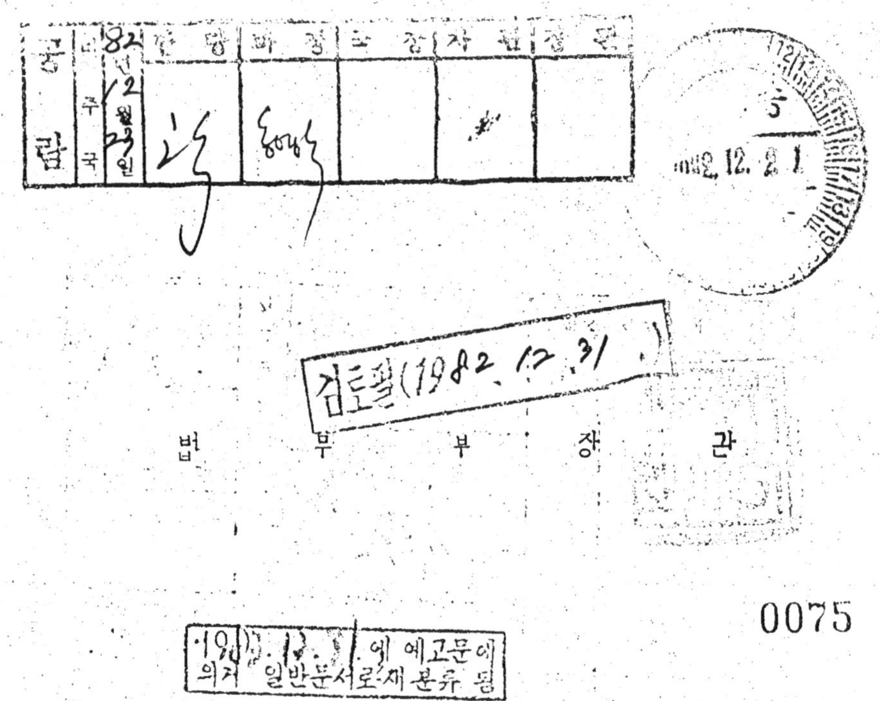

공람	82년 12월 21일 주국	담당	과장	국장	차관	장관

검토필(1982. 12. 31.)

법 무 부 장 관

0075

19 . 12. 31.에 예고문에 의거 일반문서로 재분류 됨

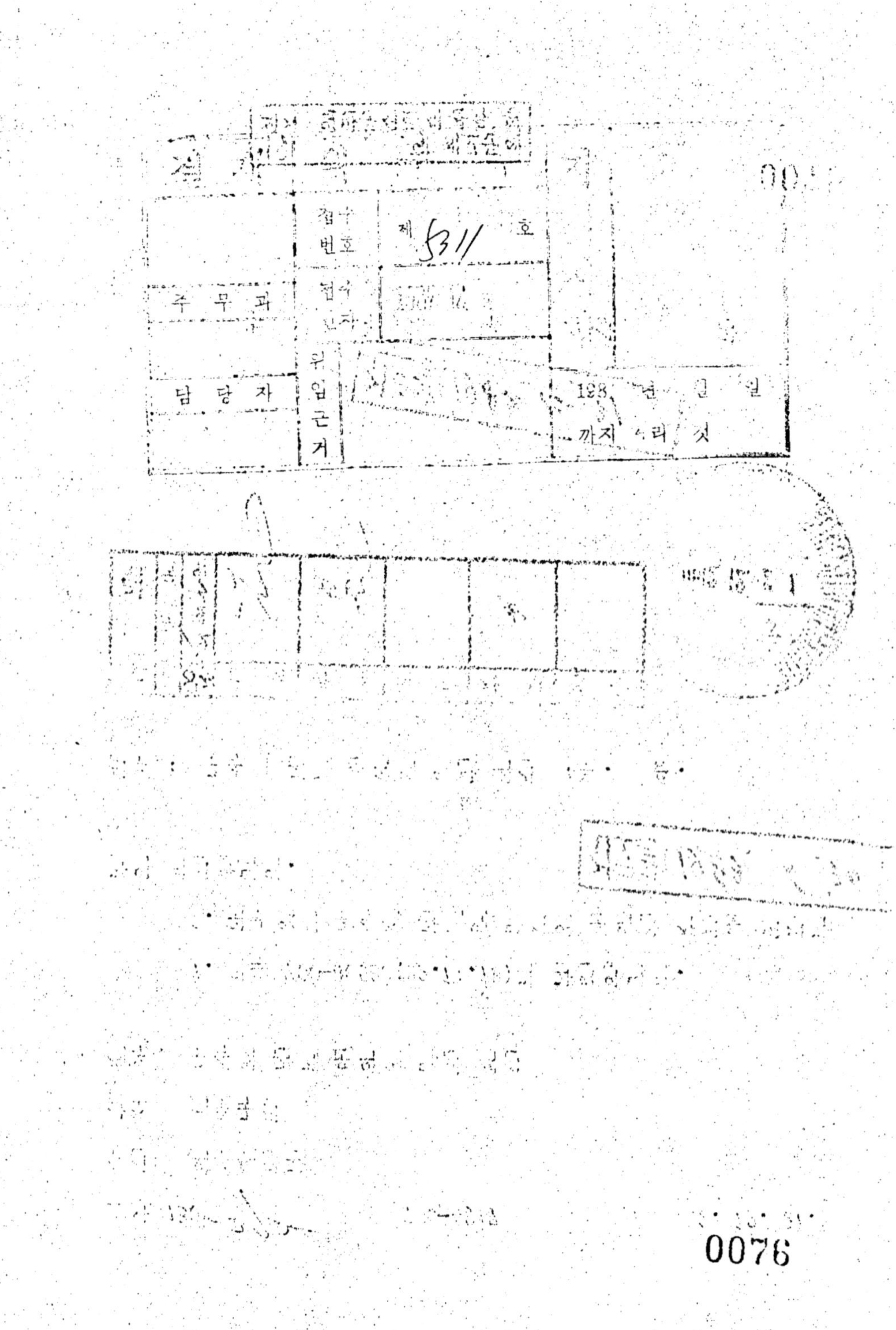

	접수번호	제 5311 호
주 무 과	접수일자	
담 당 자	위임근거	198 년 월 일 까지 처리할 것

0076

구속자관계 문의에 대한 회신

가. 재일교포 신향식, 김태열, 김상해 등의 82.10. 8. 사형집행 여부

- 신향식, 김태열, 김상희(김상해는 김상희의 잘못임)는 전부 재일교포가 아님

- 신향식은 대한민국의 합헌적 정부를 폭력혁명으로 타도하고 공산국가를 건설할 목적으로 남조선 민족해방전선이란 명칭의 반국가 단체를 구성하여 간부로서 지도적 임무에 종사하면서 북괴와의 연계를 기도하고, 조직원에 대한 사상교양을 담당하였을 뿐 아니라, 조직의 자금을 염출할 목적으로 수회에 걸쳐 강도행위를 자행하고 예비군 무기를 절취하여 조직의 무장을 기도하는 등 반국가적, 반민족적 범행을 하다가 검거되었음

  검거된 후 합법적 절차에 따라 수사를 받고 구속, 기소되어 82. 5. 2. 서울형사지방법원에서 사형선고를 받고, 항소하였다가 항소심인 서울고등법원에서도 80. 9. 5. 사형선고를 받았으며, 80.12.23. 최종심인 대법원에서 상고기각되어 82.10. 8. 사형 집행된 것임

  대한민국은 세계에서 가장 호전적이고 독재정권인 북괴와 남북으로 대치되어 있고 북괴에서는 대한민국을 무력으로 적화통일하기 위하여 간첩을 남파하거나 중상모략으로 대한민국의 안전을 교란해 오고 있으므로 대한민국의 안전과 국민의 생존권을 보호

0077

하기 위하여는 신향식과 같은 반국가적 범법자에 대하여는, 대한민국의 합법적 재판절차에 따라 사형판결이 확정된 이상, 그 집행이 불가피한 것이 현실임.

• 김태열은 재일교포 간첩에게 포섭되어 북괴의 이익을 위하여 대한민국을 공산화할 목적으로 간첩활동을 해 오다가 검거되어 75. 4. 1. 서울형사지방법원에서 사형선고를 받고, 항소 하였으나, 항소심인 서울고등법원에서도 75. 9.18. 사형선고를 받았으며, 76. 2.10. 대법원에서 상고기각 되고 재심청구 하였다가 기각판결이 확정되어 82.10. 8. 사형집행 하였음

사형집행의 불가피성은 신향식과 동일함.

• 김상회는 재일교포 간첩에게 포섭되어 대한민국을 공산화 하려는 북괴의 지령에 따라 국내에서 간첩활동을 해오다가 검거되어, 79.12.20. 춘천지방법원에서 사형선고를 받고, 80. 5. 1. 항소심인 서울고등법원에서 항소기각 되었으며, 80. 9. 9. 대법원에서 상고기각 판결을 선고받아 사형이 확정되었음

그러나 김상회는 재심청구를 하여 법원에서 재심 재판중에 있으므로 82.10. 8. 에는 사형집행을 하지않고, 재심청구에 대한 법원의 최종판결을 기다려 오고 있는 중에 있으며, 82.10. 8 사형집행되었다는 주장은 정확한 사실을 알지 못한 오해의 결과임

나. 최철교, 강우규 양인이 중환자임에도 입원가료를 받지 못하였다는 바, 사실여부

- 최철교, 강우규 양인은 중환자가 아니며, 입원가료를 받지 못하였다는 것은 사실과 다름

- 최철교는 75. 5.27. 국가보안법위반으로 사형이 확정되어 82. 3. 3. 무기형으로 감형, 복역중 81. 7.16. 이래 외부의 종합병원에서5회에 걸친 진찰결과, 간염으로 진단되어 의사의 처방에 따라 투약, 치료중이며 현재 건강이 호전되고 있음

- 강우규는 78. 2.28. 국가보안법위반으로 사형이 확정되어 82. 3. 3. 무기형으로 감형되어 복역중 81.10.22.이래 외부의 종합병원에서 4회에 걸친 진찰결과, 고혈압으로 판명되어 의사의 처방에 따라 투약, 치료중이며 현재 건강이 호전되고 있음

다. 서울구치소에 수감중인 이철, 손유현, 김철우, 유용수 등이 위독하다는 바, 사실여부

- 이철, 손유형(손유현은 손유형의 잘못임), 김철우, 유영수(유용수는 유영수의 잘못임) 등이 위독하다는 것은 사실과 다르며, 모두 건강상태는 양호함
- 이철은 77. 3. 8. 국가보안법등 위반죄로 사형이 확정되어 79. 8.15. 무기형으로 감형, 81. 8.15. 징역20년으로 감형된 자로서 소화성궤양 증세가 약간 있었으나, 위독한 사실로 진찰한 사실이 없으며, 신체 건강함.

0079

3

· 손유형은 82. 3.30. 국가보안법 등으로 사형을 선고받고 현재 상고심 재판계류중인 자로서 입소전 지병인 위궤양 등으로 계속 투약, 치료중에 있으나 위독한 사실로 진찰한 사실은 없음

· 김철우는 75. 4. 8. 국가보안법위반 죄로 징역 7년을 복역중 개전의 정이 현저하고, 행형성적이 우수하여 재범의 우려가 없어 가석방으로 출소한 자로 재소중 질병에 이환된 사실이 없음

· 유영수는 78. 6.13. 국가보안법 위반 등으로 무기형을 선고받고, 81. 8.15. 징역20년으로 감형되어 80. 9. 6. 결핵성 늑막염으로 입원 치료, 81. 6. 3. 완치되어 건강하게 복역하고 있음

교도소에 수용된 자는 입소와 동시에 지체없이 의사의 정기 또는 수시로 건강진단 등을 실시하며, 입소전에 지병이 있는 자 또는 이환자로 진단되면 신속한 치료조치를 하고 있으며, 특히 위독한 환자가 발생하여 치료, 진찰이 필요한 때는 소내병원 혹은 사회병원에 입원시켜 지체없이 가료하는 등 제반조치를 취하고 있으며, 결핵.정신질환자는 전문적인 치료교도소에서 가료를 하는 등 재소자 보건위생 관리에 만전을 기하고 있으며, 형의 집행중 행형성적이 우수하고, 개전의 정이 현저하여 재범의 우려가 없다고 인정되는 자에 대하여는 귀휴 및 가석방을 실시하는 등 우리나라의 현행 행형제도는 미국 및 유럽선진제국

4

0080

의 행형제도에 비추어 조금도 손색이 없는 제도하에 운영되고 있음

타. 광주교도소 수감중인 서준식은 78. 5. 7. 형기를 마치고 출옥하였으나, 그후 계속 2년씩 3차례에 걸쳐 재수감되었다는 바, 사실여부

- 서준식은 72. 5.23. 최상급 법원인 대법원에서 형법상의 간첩죄와 국가보안법 및 반공법위반으로 징역 7년의 형이 확정되어 전주교도소에 복역타가 78. 5.27. (5. 7 은 잘못 알고 있는 듯함) 그 형을 마치고 출소한 바 있고, 헌법 제11조 1항 및 사회안전법에 의해 설치된 준사법 심사기관인 보안처분 심의위원회(법무부산하 심사의결 기구로서 변호사, 대학교수 등 7명으로 구성됨)는 위 서준식이가 교도소에 복역당시 공산주의 사상을 포기치 않고, 앞으로도 한국의 국가존립과 안전에 해를 끼칠 범죄를 다시 범할 현저한 위험성이 있다는 판정아래 보안처분중 보안감호에 처할것을 의결하였고, 그후 2차에 걸쳐 감호기간을 갱신하여 현재까지 계속 감호중에 있음
- 한국은 남북으로 분단되어 북의 공산주의자들로 부터 끊임없는 무력도발을 받고 있는 극도의 긴장상태에 놓여 있을 뿐만 아니라 그들은 한국의 평화적 통일을 위한 일체의 노력을 계속 외면해 오면서, 다른 한편으로는 무장간첩을 직접 남파하거나 또는 재일동포 모국 유학 및 방문기회를

5

0081

틈타 그들의 첩자를 투입시켜 한국의 정치, 사회, 경제, 학원 등 모든 분야에서 간첩행위를 하도록 지령해 온 것임
한국은 그와같이 남파 투입된 간첩들이 검거되어 소정의 형을 복역하면서 공산주의 사상을 포기하고 사상전향을 하는 경우에는 생활터전을 마련하여 그들의 장래를 보장해 주나 계속 한국의 국가존립과 안전에 해를 끼칠 행위를 할 우려가 있을 경우에는 이를 사전에 방지하기 위해 특별한 조치가 불가피하여 75. 7.16. 사회안전법을 제정, 시행하게 되었음.

- 위 서준식은 둘째형인 서승과 함께 조총련계 산하 단체인 한국유학생 동맹에 가입해 있다가 북괴의 재일 대남공작 지도원인 만경 서선음에 포섭되어 입북, 노동당에 가입한 후 재일동포 모국유학생으로 가장, 국내에 잠입하여 지령받은 학생 지하조직의 구축, 학생동향 탐지, 학생데모 선동 등을 수행하고 이를 보고하는 등 간첩행위를 하다가 검거된 자 임

- 위 서준식에 대한 보안감호 결정 및 2차에 걸친 기간갱신 결정은 위와 같은 한국의 불가피한 현실을 바탕으로 이해되어야 할 것이고, 뿐만 아니라 위와 같은 결정은 법관으로 구성된 법원의 판결에 의해 당, 부당의 최종확인을 받을 수 있는 길이 열려있어 서준식은 그와 같은 절차에 따라 82. 6.11. 변호사를 통해 위 기간갱신 결정 무효확인 청구를 서울고등법원에 제기하여 현재 소송 계속중에 있으며, 앞으로 그 판결 결과에 따라 처리될 것이 예상 됨.

6

0082

관리번호 82-1496

기 안 용 지

분류기호 문서번호	미북 700-2104	(전화번호)	전결규정 조 항 전결사항
처리기간		장 관	
시행일자	1982.12.27.		
보존년한			
보조기관 국장	전결		협조
과장			
기안책임자	이수택	북미과	
경유 수신 참조	주미 대사	발송 1982.12.28 외무부	통제 검열 1982.12.28 외무부
제목	구속자 관계 문의 회신		

대 : USW-11193 (82.11.16)

~~1.~~ 대호 자료 별첨 송부하니 ~~업무에 참고하시기~~ 적절히 설명하시기 바랍니다.

~~2. 동건과 관련, 법무부에서는 동 내용의 대외발표에 신중을 기하여 줄것을 요청하여 왔음을 참고로 알려드립니다. 끝.~~

첨부 : 동 관계자료 1부. 끝

검토필(1982.12.31.)

1982.12.31에 예고문에 의거 일반문서로 재분류 됨

검토필(1983.6.30.)

0083

정서
관인
발송

0201-1-8A (갑)
1969.11.10 승인

190mm×268mm (인쇄용지 (2급) 60g/m2)
조달청 (1,500,000매 인쇄)

0084

The Dong-A Ilbo 【1920年 4月 1日創刊】 1982年12月24日 金曜日 ①

光州事態관련등 47명석방

李文永·文益煥·李信範씨등 金大中사건관련 7명 포함

人革黨7·全民聯6·戒嚴法15명 모범수 1千百58명도

刑執行정지

정부는 연말과 새해를 앞두고 光州사태및 金大中내란음모사건등 제5공화국 출범이전에 발생한 일련의 사건관련자 47명(金大中씨제외)을 24일자 기해 형집행정지로 석방했다고 발표했다. 이날 형집행정지로 석방된 47명가운데는 金大中사건관련자 7명, 光州사태관련자 12명, 人革黨사건관련자 7명, 全民聯사건관련자 8명, 계엄법위반자 15명등이 포함돼있다.

〈2면에 관련기사〉

"5共和國출범전 일련事件 모두매듭 舊時代잔재청산·正義社會의지 반영" 李文公

[illegible] 형자 1천1백58명에 대해서도 특별가석방및 가퇴원의 조치를 취했다. 특별가석방자중에는 무기수형자 1명, 10년이상 장기수형자 25명이 포함돼있다.

李振羲공부장관은 이날 취해진 형집행정지 조치와 관련, 「이번 조치는 구시대잔재를 일소하고 민족적 단합을 이룩하려는 [illegible] 인도주의에 입각 [illegible]

석방자 명단

◇金大中 内亂陰謀사건관련자(7명) ▲李文永(55·전高大교수·징역 8년) ▲文 [illegible]

[illegible]

金大中씨 出國 부인·두아들도

刑執行정지 석방…向美

어제 저녁

서울대학병원에서 치료를 받고있던 金大中씨가 23일 오후 형집행정지로 석방돼 가족과 함께 신병치료차 미국으로 떠났다.

金씨는 부인 李姬鎬여사 차남 弘業씨 3남 弘傑군등 가족3명과 함께 이날저녁 7시반 「노드웨스트」020편으로 출국했다.

국가보안법및 계엄법등 위반죄로 淸州교도소에서 복역중이던 金씨는 정부의 조치로 지난16일 서울대학병원으로 이송돼 1주일간의 지병치료를 받던중 이날 형집행정지로 석방됐다.

金씨는 지병에도 불구하고 건강에는 별다른 이상이 없으며 보행에도 큰 불편은 없다고 한 병원당국자는 밝혔다.

金씨가족의 도미후 체류할 곳과 金씨가 치료를 받게될 미국내의 병원등에 대해서는 아직 알려지지 않고있다.

金씨는 미국에 머물면서 치료에 전념하겠다는 의사를 밝힌 것으로 알려졌다.

和合과 밝은 내일의 발걸음

聖誕출감

聖誕을 하루앞둔 24일 오전10시 전국교도소에 수감돼있던 일반수형자 1천1백58명이 특별가석방등의 조치로 교도소문을 나섰다. 특히 이날에는 金大中내란음모사건과 光州사태관련자등 47명에대한 형집행정지조치가 취해졌는데 이에 대해 李振羲공부장관은 『구시대의 잔재를 일소하고 민족적단합을 이룩하려는 의지』라고 배경을 설명했다.

중앙일보 82.12.24

光州事態·人革黨·金大中사건 관련자등

48명 刑執行정지로 석방

모범수 千百58명도 假釋放

李文公 "5共和國출범이전 사건관

李文永·文益煥·趙誠宇·李信範·薛 勳씨 鄭東年·李海讚·宋基元·全昌一·全泰三씨

석방자

정부는 연말과 새해를 앞두고 光州사태·金大中내란음모사건등 제5공화국 출범이전에 발생한 일련의 사건관련자 48명을 24일 刑집행정지로 석방하고 行刑성적이 우수한 일반 受刑者 1천1백58명도 특별가석방및 假退院조치를 취하기로 했다。<해설 2面>

刑집행정지로 석방된 48명은▲金大中내란음모사건관련 金大中·李文永(55·前高大교수)씨등 8명▲光州사태관련 鄭東年씨(39·前全南大4년)등 12명▲人革黨사건관련 全昌一씨(61·전極東건설사원)등 7명▲全民聯사건관련 尹聖九씨(21·전서울大수학과3년)등 6명▲계엄법위반 全泰三씨(32·전淸溪피복노조지부장)등 15명 등이다。

특히 이들중 金大中씨는 23일 석방되어 美國으로 떠났다。

이번 조치로 제5공화국 출범이전에 발생한 일련의 사건관련자들은 한사람도 남김없이 모두 풀려났다고 정부는 밝혔다。

일반 受刑者에 대한 특별가석방에는 일반無期수형자 1명, 10년이상 장기수형자 25명이 포함돼 있다。

李문공장관은 『이번조치는 구시대잔재를 일소하고 민족단합을 이룩하려는 全斗煥대통령의 인도주의에 입각한 정치적 결단이며 민주 지가 반영된 것』이라고 밝혔다。

李장관은 『이번 刑집행정지등 석방은전을 받은 수형자들은 민주복지국가 건설및 민족화합의 전국민적 대열에 앞장서 주기를 기대한다』고 말했다。

석방자48명 명단

다음은 刑집행정지 석방자 명단. (괄호안은 선고형량)

▲金大中사건관련자＝金大中(57·징역20년)李文永(55·前高大교수·징역8년)文益煥(64·목사·징역 5 년)趙誠宇(33·前高大 4 년·징역 9 년)李信範(32·前서울大 4 년·징역 8 년)李海瓚(30·전서울大 3 년·징역 6 년)宋基元(35·전中央大 4 년·징역 6 년)薛勳(29·전高大 4 년·징역 6 년)

▲光州사태관련자＝鄭東年(39·전全南大 4 년·징역20년)裵龍柱(36·운전사·징역20년)朴銓汀(30·인쇄공·징역20년)朴南宣(28·운전사·징역10년)金宗培(28·전朝鮮大 3 년·징역10년)尹錫樓(21·가구공·징역10년)鄭祥容(32·회사원·징역10년)河永烈(32·공원·징역10년)尹再根(30·공원·징역10년)徐萬錫(38·무직·징역10년)許圭晶(25·전朝鮮大 2 년·징역 6 년)韓尙錫(27·전全南大 3 년·징역 4 년)

▲人革黨사건＝全昌一(61·전極東건설사원·징역18년) 柳漢坤(45·전대성목재 사장·징역20년) 金漢德(50·볼록제조업·징역20년) 姜昌德(54·무직·징역20년) 李台煥(56·측량설계사·징역20년) 羅慶一(52·노동·징역20년) 李星載 (53·지압사·징역20년)

▲全民聯사건관련자＝尹聖九(21·전서울大수학과 3 년·징역 2 년) 金鎭哲(24·전서울大문리대4년·징역1년 6 월) 閔丙桓(24·전成大 4 년·징역 2 년)崔敬煥(23·전成大 3 년·징역 1 년 6 월) 孫炯敏 (23·전延大 3 년·징역 1 년 6 월) 金昌益(25·전外大 3 년·징역 1 년 6 월)

▲계엄법위반자＝黃仁五 (26·무직·징역20년) 權雲相(27·무직·징역10년) 鄭敎元(23·무직·징역10년) 權五昌(46·고물상·징역 5 년)李淳鎭(31·공원·징역 5 년)卞相度(31·공원·징역 5 년)全泰三(32·전淸溪피복노조지부장·징역 3 년) 黃晩鎬(25·전淸溪피복노조경리감사·징역 3 년) 趙泰原(27·전釜山大·징역 3 년) 崔潤(25·전江原大·징역 3 년) 李鎬烈(26·전서울大대학원2년·징역 3 년) 朴一男(23·전高大·징역 3 년) 申鉉二(51·광부·징역 3 년) 方應天(24·무직·징역 3 년) 金顯起(24·무직·징역 5 년)

民正·국민당서 환영

"國民和合의 계기삼아야"

각정당은 24일 金大中사건·光州사태관련자들에대한 刑집행정지조치에 대해 각기 다음과같이 성명을 발표했다。

▲李鍾律民正黨부대변인＝제5공화국 출범이전의 불행한 遺産을 정리하고 새로운 국민화합의 轉機를 마련하려는 全斗煥대통령의 英斷을 환영한다。

이제 우리는 국민각계이

특된 안정과 화합의 분위기를 바탕으로 각계각층의 뜻과 슬기를 모아 선진국

0085

Christmas pardon

It was most fitting and timely that the government yesterday granted special pardon to 48 prisoners serving terms in connection with a few cases involving the former opposition leader Kim Dae-jung, the Kwangju riot and seditious student activism. Moreover, over 1,000 model prison inmates convicted of ordinary criminal charges were also released. Such a show of clemency and humanitarian concern by the government was welcomed by those unfortunate lawbreakers who can now be with their family and return to normal life during this holiday season.

Punitive justice and social rules of the game demand that a breach of the law or a criminal should be given their just deserts for whatever wrongs and irregularities they have committed. However, it also is a dictate of humane compassion and social integrity that a violator of the law and perpetrator of crime ought not to be rejected and hated solely for his or her mistaken action.

The yuletide is a time of year when all men on earth are expected to show good will toward their fellow men. The Fifth Republic under the leadersdhip of President Chun Doo Hwan is entering its third year with a good record of social justice and national rapport steadily fulfilled during the past two years. In keeping with the spirit of the season as well as the aims of the present administration the latest special pardon has certainly been a heartening gift package to the nation.

Earlier last week clemency was decided for Kim Dae-jung to let him receive full medical treatment for his ailments. He was put under the care of a local hospital and then he was allowed to leave the country for the United States for further medical attention under freer conditions. The release of the controversial figure who was convicted of a serious internal disturbance attempt was a bold and magnanimous move of the powers who were inspired by humanitarianism and a genuine desire to promote national harmony by permitting some once aberrant citizens a second chance to restore their good health and rehabilitate as a decent member of the community.

The unhappy insurrection at Kwangju, the subversive machination by Kim and his subordinates and two other cases involving espionage and revolutionary rings took place during the troubled transition period leading to the inauguration of the Fifth Republic. The government had already taken a series of measures to clean the slate and start afresh toward a more stable and cohesive nation by closing its ranks. The latest pardon was a definite step toward reinforcing the constructive endeavor.

A solid foundation has been laid for sustained growth of a just welfare society as a result of mutilateral reforms and dynamic policy initiatives taken by the government. The momentous task of nation building calls for the combined resources, energies and devotion of the whole people who should rise above minor and egocentric greed, attachment and bias to forge a broad and forward-looking consensus and strong unity.

The turn of the year preceded by Christmas is a time for sharing and caring. Caring and sharing are largely for the less fortunate. At the same time, caring for and having concern about the total safety and integrity of the nation based on the awareness of shared destiny and the strength of cooperation are also appropriate for ringing out 1982.

K.H
82/12/25

0086

「聖誕釋放」환영 美國務省 논평

【워싱턴聯合】美국무성은 24일 光州사태관련자 47명을 포함, 수형자 1천2백여명에 대한 韓國정부의 사면결정을 환영하고 이 조치가 韓國의 정치적화합에 더욱 기여할 것이라고 논평했다.

美국무성은 성명을 통해 『美國은 韓國정부의 사면결정을 환영한다』고 말하고 『美國은 이같은 사면조치가 화해의 정신을 구체화하고 있으며 韓國의 정치적화합에 더욱 기여할것으로 본다』고 밝혔다.

82.12.25. 東亞

훈훈한 人道的 決斷

―舊時代청산하는 特別恩典을 보고

82.12.25 한국

지난날의 불행했던 사태에 종지부를 찍고 보다 밝은 내일을 바라보게 한 슬기로운 政治的 寬容이 거듭 증명되고 있다.

金大中씨가 23일 형집행정지로 석방되어 가족 3명과 함께 신병치료차 美國으로 떠났다. 이어 24일에는 진일보 增幅된 恩典이 발표되었다. 제5공화국 출범 이전에 발생한 일련의 政治的事件 즉 金大中내란음모事件, 光州事態, 人革黨事件, 全民聯事件, 戒嚴法위반事件등 관련자 48명이 형집행정지로 전국 교도소에서 석방됐다는 보도이다.

전통적으로 人情과 義理의 계절이라고 일컫는 年末과 新年을앞두고 크리스머스명절을 장식하는 훈훈한 소식이다. 政府는 이 政治的決斷과 함께 그동안 行刑成績이 우수하고 개전의 정이 뚜렷하며 社會適應능력이 충분하다고 판단된 일반受刑者 1천1백58명에 대해서도 특별 가석방및 가퇴원의 관대한 조치를 취했다고한다. 앞으로 나머지 受刑者들에 대해서도 과거를 뉘우치고 再犯의 우려가 없을 때는 조속히 가정과 사회에 복귀시킬 방침이라는 것이다.

우선 구시대의 무거운 짐을 홀가분하게 내려 놓으면서 前向的으로 大和合政治를 다짐하는 全斗煥대통령行政府의 인도주의적 배려의 구체적 표현이라고 평가할수 있겠다. 일찌기 光州事態에 관하여 全대통령은 작년 2월 현지에들러 「구속자는 大法院의 확정판결이 나는대로 최대한의 寬容조치를 베풀겠다」고 말했거니와 이번에 그약속이 명백하게 실천된느낌이다. 行政府首長의 憲法上 權限인 증폭된 사면의실시는 高度의政治的決斷을 반영하는 것이다.

물론 그같은 관용의 기반으로 되는 것은 政治·社會的 安定이다. 安定은和合의 요건인 동시에 그 결과라는 相互依存性을 지니고 있다. 이와 아울러 우리는 작금의 政治作風이 완연하게 부드러운 접근방식을 헤아리게 된데 대하여 安心의 이유를 발견한다. 和合을 향한 心理的 解氷을 가능케하는 것은 모진 北風이 아니라 따사로운 햇볕이기 때문이다.

安定과 관용은 平和와 신뢰의 으뜸가는 보장이다. 그리고 일시적 疎外의 극소화와 參與의 점차적 극대화는 時代의 進運에 보는 不退轉의 方向設定이다. 이러한 관점에서 政府의 관용조치는 「세계속의 韓國」의 改善과 일부誤解불식에 크게 이바지하리라고 내다보인다.

나아가서 새시대의 和合이념은 단순한 「政治的 效用」의 착상에 머무는것이 아니라는데 유의할수 있겠다. 본디 우리 겨레의 民性은 딱딱한 「合理的計算」을 맴도는것이 아니라 훈훈한 人情味를 숭상해 왔던 것이다. 가끔 「情緖的」이라고 불리는 우리 겨레의 環境反應양식은 制度본위의 行態보다도 人間관계의 安心에 커다란 비중을 설정해 왔다.

말하자면 터놓고 서로 믿으며 긴장을 풀고 어울려 살려는 본바탕이 중요하다는것이다. 이러한 和合의 얼은 民族본연의 뿌리깊은 지향이다. 다른한편 漢陽王朝의 朱子學官人國家體制라든지 日帝時代의 植民地生活속에 조성되었던 「恨」의 응어리란 어딘가 막히고 풀리지 않은채 마음 깊이 울적되었던 어두운 비애를 지칭하는 말이다. 그같은 「恨」의 연장선에 자칫하면 「不信」풍조가 만연되기 쉬웠던 것이다.

그리하여 새시대의 和合政治를 구상하고 실천하는데 있어서는 불행했던 역사적 과거의 心理的 重荷를 벗어버리게하는 高次元의政治哲學을 필요로 한다. 국민和合의 구현은 관용조치만에 그치는 것이 아니라 서로믿으며 터놓고 어울려 사는 각계각층 모든 겨레의 求心作用을 통해서만 이루어질수 있다는 것이다.

우리는 政府의 잇단 政治的 寬容조치를 적극 환영하면서 그것이 국민和合및 同參건설에 힘과 슬기를 모은는 새作用의 뜻 깊은 계기로 될것을 염원해 마지않는다. 이 한해를 마무리하면서 보다 밝은 새해의 문턱에 접근했음을 느낀다.

0087

외 무 부 착신전보

번 호 : CNW-1269 일 시 : 281130 종 별 :

수 신 : 장 관 (해기, 정문, 국방부, 기정)

발 신 : 주 카나다 대사

제 목 : 연말 특별 은전조치

대: AM-1226

연: CNW-1267

1. THE CITIZEN 12.27. 자는 ' GOVT. FREES 1,200 PRISONERS' 제하 로이터 서울발 기사를 58 면 2 단 보도 하였음.

2. 기사 전문 정파편 송부 예정임. 끝

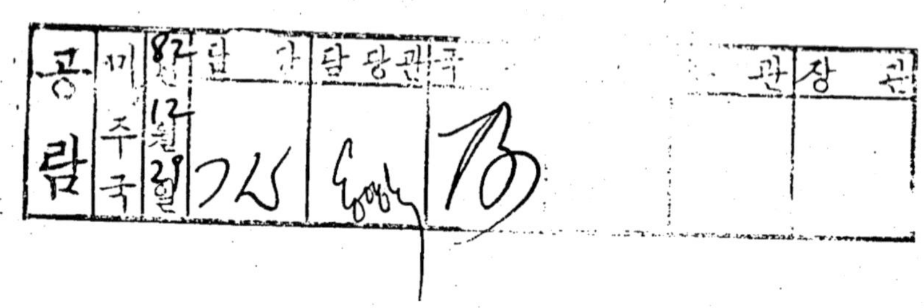

문공부 정차보 미주국 정문국 청와대 안 기 국방부

PAGE 1 0088 82.12.29 09:32
외신 1과 통제관

외 무 부 착신전보

번 호 : USW-12360 일 시 : 281700 종 별 :

수 신 : 장 관 (송영식 북미과장)

발 신 : 주 미 대사 (변종규)

제 목 :

연 : USW-12344

국무성 문의가 있으니 성탄특사 48명 명단 참고로 알려주시기 바람.

끝

미주국

PAGE 1

0089

82.12.29 09:36

외신 1과 통제관

발 신 전 보

번 호: WUS(F)-1201 일 시: 291630 전보종별:

수 신: 주 미국 대사. 총영사 (변종규 과장)

발 신: 장 관 (미북-과장)

제 목: 석방자 명단

대 : USW-12306

刑執行停止석방 48명名單

◇金大中사건관련자(8명)=▲金大中(57·징역20년)▲李文永(55·前高大교수·징역8년)▲文益煥(64·목사·징역5년)▲趙誠宇(33·전高大4년·징역9년)▲李信範(32·전서울大4년·징역8년)▲李海瓚(30·전서울大3년·징역6년)▲宋基元(35·전中央大4년·〃)▲薛勳(29·전高大4년·〃)

◇光州사태관련자(12명)=▲鄭東年(39·전全南大4년·징역20년)▲裵龍柱(36·운전수·〃)▲朴魯汀(30·인쇄공·〃)▲朴南宣(28·운전수·징역10년)▲金宗培(28·전朝鮮大3년·〃)▲尹錫樓(21·가구공·〃)▲鄭祥容(32·회사원·〃)▲河永烈(32·공원·〃)▲尹再根(30·공원·〃)▲徐萬錫(38·무직·〃)▲許圭昌(29·전朝鮮大2년·징역6년)▲韓尙錫(27·전全南大3년·징역4년)

◇人革黨사건관련자(7명)=▲全昌一(61·전極東건설사원·징역20년)▲柳麟坤(45·전大成목재사장·〃)▲金漢德(50·불목제조업·〃)▲姜昌德(54·무직·〃)▲李台煥(56·측량설계사·〃)▲羅慶一(52·노동·〃)▲李星熙(53·指壓師·〃)

◇戒嚴法위반자(15명)=▲黃仁五(26·무직·징역20년)▲權雲相(27·무직·징역10년)▲鄭救元(23·무직·〃)▲權五昌(46·고물상·징역5년)▲李淳鎬(31·공원·〃)▲卞相度(31·공원·〃)▲全泰三(32·전淸溪피복노조지부장·징역3년)▲黃晩鎬(25·전청계피복노조경리감사·〃)▲趙燦原(27·전釜山大生·〃)▲崔潤(25·전江原大生·〃)▲李鎬烈(26·전서울대학원2년·〃)▲朴一男(23·전高大生·〃)▲申鉉二(51·광부·〃)▲方應天(24·무직·〃)▲金顯基(24·무직·징역5년)

◇全民聯사건관련자(6명)=▲尹聖九(21·전서울大수학과3년·징역2년)▲閔丙梧(24·전成大4년·〃)▲金鎭哲(23·전서울大4년·징역1년6월)▲崔敬煥(23·전成大사학과3년·〃)▲孫炯敏(23·전延大수학과3년·〃)▲金昌基(25·전外大영어과3년·〃)

0090

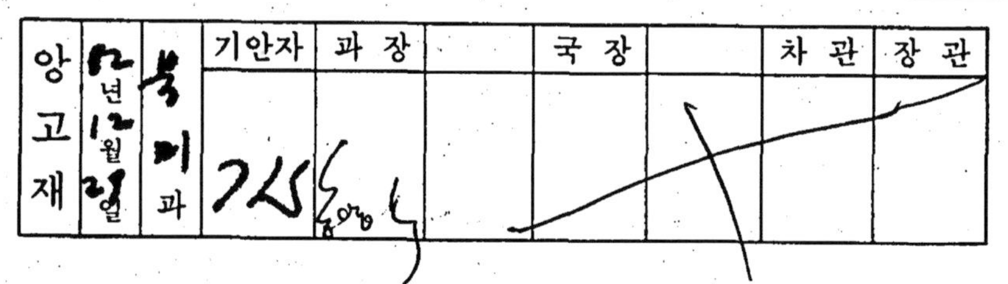

앙고재	82년 12월 29일	북미과	기안자	과 장		국 장		차 관	장 관

발신시간 :

외신과	접수자	과 장

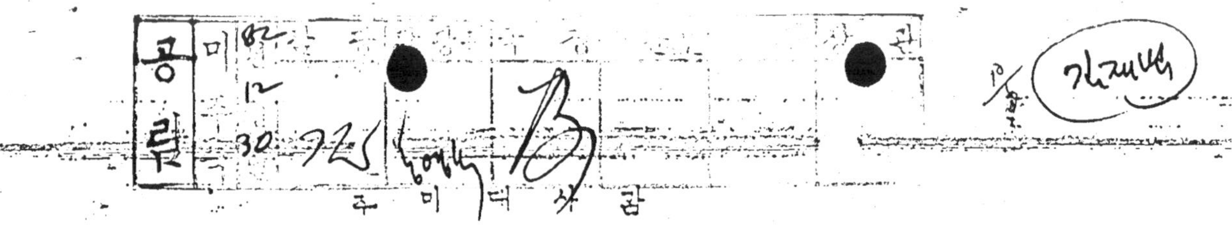

번호: USW(F)- 12364
일시: 291100
수신: 장관 (미북, 정문, 해신)
발신: 주 미 대 사
제목: 아국 관계기사보고 (NYT 12/29, A 2)

Seoul Opposition Leader Asks End of Ban on 580 Politicians

By HENRY SCOTT STOKES
Special to The New York Times

TOKYO, Dec. 28 — A prominent opposition leader has urged that the South Korean Government lift a ban on some 580 politicians at once to restore "elementary freedoms and democracy to the people of South Korea."

The head of the banned New Democratic Party, Kim Young Sam, who was reached by telephone at his home where he has been under house arrest for the last seven months, also urged that President Chun Doo Hwan restore freedom of the press.

"That is fundamental," he said. "We have to have a free press in my country. That is where everything begins. It is an essential of any democracy."

Mr. Kim's comments came a day after the release from prison of Kim Dae Jung, his sometime ally and sometime rival in politics.

No Election Held

After the murder of President Park Chung Hee in October 1979 the two Kims were seen as possible successors. Kim Young Sam was widely viewed as being in the strongest position to gain the presidency, with Kim Dae Jung as his closest rival.

No election was held. When Mr. Chun, then an army general, seized power in May 1980, he had Kim Dae Jung arrested and prosecuted on sedition charges and had Kim Young Sam confined to his home. President Chun later banned the existing political parties and disqualified some 580 politicians and National Assembly members from public life until 1988, when his seven-year term is to end.

Kim Young Sam was released from house arrest after a year and then confined to his home again seven months ago.

South Korean officials said recently that they might allow the 580 banned politicians to return to public life but. President Chun is believed to have ruled out concessions to the two Kims.

"It's now more than a decade since we had free elections under a passable charter," an aide to Mr. Kim said. "We should not let year-end euphoria over Kim Dae Jung's welcome release obscure elementary difficulties here."

Mr. Kim said that without democracy South Korea would not be able to compete with and prevail over the Communist regime in North Korea in the long run. He asserted that without free elections and a press free from Government control there could be "no democracy nor a resemblance of a free society."

House Arrest Never Reported

"Take the fact that it has never been reported in the Korean press that I am under house arrest," he said. "What kind of liberty do the media actually enjoy?"

"The newspapers in Seoul are packed with distortions day by day," he said, "and the trouble is that when rumors take hold, no one knows what to believe."

The banned politician lives in a two-story home on a hill in Seoul. The modern house is on a narrow road that has been sealed off by the Agency for National Security Planning and by the police. No one is allowed to enter or leave Mr. Kim's home apart from his wife and one or two members of the domestic staff.

Camera Press
Kim Young Sam

"Looking out of my window now there are 40 men out there," Mr. Kim said. "Forty men or more, sometimes with their big buses, blocking the road."

Wife Permitted to Shop

Mr. Kim said in an earlier phone call to Tokyo this month that his wife was allowed to shop but was constantly watched and made to feel uncomfortable. None of his party members is allowed to visit, he said.

"No one has ever explained to me what this house arrest is about, what its aim is nor the reason for it," he said.

In the telephone interview, Mr. Kim also said Kim Dae Jung should be allowed to return to South Korea after receiving medical treatment in the United States and to recommence political activities along with other banned politicians.

미주국, 장관, 차관, 정책실, 기획, 1: P. A. 외연원, 문공부

0091

인권관계 청원서 처리 전첩

1982년

월일	성명	주소	소속	수신	내용	비고
1. 1.	Donna S. Rose	2938 Ewing Ave. So. Minneapolis Mn. 55414	A.I.	국무총리	이 학영 석방요구	
1. 4.	John V. Nelson	510-B Calm Lake Circle Rochester NY. 14612 USA	"	외무장관	방 인혁	
1. 8.	Sally Parker 씨	P.O. Box 161473 Sacramento, CA. 95818	"	"	김 상현 등	
1. 8.	Jed Fetter	152 Main St. Brockport N.Y 14420		"	Kim Soung Yong	
1. 11.	Marion Steininger	1126-5 Bibbs Road Woorhees N.J. 08043	A.I.	"	Lee Seung Won	
1. 11.	David and Ceceile Strand	RD 1, Greek Road Boiling Springs, PA 17007 USA	"	"	우 원석	

0092

인권관계 청원서 처리 전첩

월 일	성 명	주 소	소 속	수 신	내 용	비 고
1. 15.	Bruce M. Tindall	5850 Parkfront Houston TX 77036 USA	A. I.	외무장관	Lee Sok Pyo	
1. 17.	Paul S. Riede	236 S. Hanover St, #301 Carlisle, PA 17013 USA	〃	〃	우 원식 (연대생)	
1. 18	Flora Macdonald	19 Lascelles Boulevard, Apt 601, Toronto, Ontario, M4V 2B7, Canada	〃	대통령각하 외무장관	정 영철	
1. 18	Rosemary H. Hayes	633 old La Honda Road Woodside, Calif. 94062		대통령각하 국무총리 문교장관 법무장관	Hwang Hyong-Sung	
1. 19.	Evelyne Aubry	6831 SE 76th Ave Portland OR 97206 USA		외무장관	Kang SUK-ryung (서울대생) 외 3명	
1. 21.	Joseph McShettery	862 Brunswick St. Tredericton, New Brunswick Canada E3B 1T1			Lee Sung-jae	

0093

인권관계 청원서 처리 전첩

월 일	성 명	주 소	소 속	수 신	내 용	비 고
1. 22	Ceceile and David Strand	RDI, Greek Road Boiling Springs, PA 17007	A.I	외무장관	Woo Won-shik	
2. 1.	Philip Ebersole	147 Mulberry St. Rochester, N.Y 14620	A.I.	외무장관	방 인혁 (서강대생)	
2. 9.	L.A. Goldstein	P.O. BOX 1892, Houston, Texas 77001		〃	Lee Sok-pyo	
2. 12.	Robert C. Carter	5520 Clayton Court Baton Rouge, Louisiana 70805	A.I.	〃	Ahn Joong-min (서울대생)	

0094

인권관계 청원서 처리 전첩

월 일	성 명	주 소	소 속	수 신	내 용	비 고
2. 15.	Marilyn Primeaux	1522 W. Main Houston Texas 77006	A. I.	외무장관	Lee Sok-pyo	
2. 17.	Dave Haley	707 11 Street South Moorhead, Minnesota 56560	〃	〃	Lee Hae-kyong	
2. 17.	Marjorie Forshtay	4 W ST Albans Road Hopkins, Minn. 55343		〃	이 학영	
2. 18	Domini Stewart	225 West Paul St. Kamloops B.C. V2C Canada		〃	Chon Chae-gwon	
2. 25.	Nancy J. Bernecking	188 So Circle A Drive Wayzata, MN USA 55391		〃	이 학영	

0095

인권관계 청원서 처리 건철

월 일	성 명	주 소	소 속	수 신	내 용	비 고
2. 25	Bobby T. Cowart	2250 - 21st Street Beaumont, TX 77706	A.I	외무장관	Lee Choon-sop	
2. 28	Eleanor Dansky	825 Conventry Rd. Calif USA 94707		〃	이 신범 1	
2. 16.	Milda Markauskas	32, Leeds Drive Fredericton Canada	A.I.	〃	이 석재 석방요구	
3. 2	Bill Armstrong	North End United Methodist Church 3395 Cleveland Beaumont, Texas 77703	〃	〃	이 춘섭	
3. 2.	Roger S. Trietley	4985 Paradise Road East Bethany, New York 14054		〃	이 신범 2	

0096

인권관계 청원서 처리 전첩

월 일	성 명	주 소	소 속	수 신	내 용	비 고
3. 2.	Ms. Lenore Chinn	130A 19th Avenue San Francisco, CA	A.I.	외무장관	이 신 범 3	
3. 2.	Hilary Peattie	P.O. Box 2017 Santa Bartura, CA 93102		〃	〃 4	
3. 2.	Rebekor Ray	23 N. Nalnut Lane Philadelphia, PA 19144		〃	〃 5	
3. 3.	Elizabeth V. de Schwe-initz	Group 221 Post Office Box 7933 Beaumont, Texas 77706	A.I	〃	이 춘 섭	
3. 3.	Helen Wright	6364 Sheridan Road Chicago, IL 60660		〃	이 신 범 6	

0097

인권관계 청원서 처리 전첩

월일	성 명	주 소	소 속	수 신	내 용	비 고
3. 3	Halima Jones	2733 Alamosa Drive Santa Fe, New Mexico 87501		외무장관	이 신 엽 7	
2. 26.	Patricia Lee Chang	332 S. Virgil Ave. Los Angeles, CA 90020	Agape Fellowship	각하	이 신 엽 8	
3. 8.	Marry L. Mitchell	2156 Rae Street Regina Canada		국무총리	〃 9	
3. 10.	Mrs. James S. Blain 외 1	P.O. Box 7933 Beaumont, Texas 77706	A.I.	외무장관	이 춘 섭	
3. 10.	Howard W. Lull	Route 10, Box 322 Franklin, NC 28734		〃	이 신 엽 10	

0098

인권관계 청원서 처리 전첩

월 일	성 명	주 소	소 속	수 신	내 용	비 고
2. 25	Mary Harrington	31 Cliff Street Saint John, N.B., Canada	A. I	외무장관	이 문영	
3. 3.	T. Randall Smith	4265 East Lucas Drive Beaumont Texas 77708	St. Luke's	〃	이 춘섭	
3. 4.	Bruce M. Tindall	5850 Parkfront Drive Houston, Texas 77036	A. I	〃	이 석표	
3. 4.	Mamie S. Seal	3914 Blackwood Street Newbury Park, CA. 91320		〃	이 신범 〃	
3. 7.	Peter Blankenheim	149 Dewey St. Sun Prairie, WI. 53590		〃	〃 12	

0099

인권관계 청원서 처리 전첩

월 일	성 명	주 소	소 속	수 신	내 용	비 고
3. 8.	K. Verrall	27 Eeverley St. Tronto Ont. Canada		외무장관	이 신 범 13	
3. 1.	SoAnna Fournier	200 NW 110th St. Seattle, WA 98177		〃	〃 14	
3. 5	Janet Von Reyn	A.I.U.S.A. Adoption Group 194 230 Hopkins Road Concord, New Hampshire	A.I	〃	정 동 연	
3. 9.	Ms. Heather Crosbie	5223 Kent St., Halifax, N.S. Canada	〃	법무장관	이 신 범 15	
3. 9.	Sharad Bhargava	18 Bellerose, Dollard Des Ormeaux, Quebec H9G 2A6 Canada		외무장관	〃 16	

0100

인권관계 청원서 처리 전첩

월일	성명	주소	소속	수신	내용	비고
3. 11.	Charles Polk	21 Spring Hill Road Kingston, Rhode Island		외무장관	이 신범 12	
3. 11.	Margaret St. Jacques	Geneseo Hts 9-4 Geneseo N.Y. 14454		〃	〃 18	
3. 11.	David Barbrow	24 Bostonia Ave. Brighton, Mass. 02135. U.S.A		〃	〃 11	
3. 8	Jean Garibay	Apartado Postal 5-61 Guadalajara, Jalisco C.P. 45040 Mexico.	A.I.	〃	이 신 범 20	
3. 10	R. Coiter Echals			〃	〃 21	

0101

인권관계 청원서 처리 건철

월 일	성 명	주 소	소 속	수 신	내 용	비 고
3. 11	Claude Leblanc	329 Gordon St., Guelph, Ontario, Canada	A.I	외무장관	이 창 복.	
3. 11.	Donald F. Morgenson (Professor)	Wilfrid Laurier Univ. Waterloo, Ontario, Canada	〃	〃	이 신 범 22	
3. 12.	Marie Stephen	1241 West 59 Ave. Vancouver B.C. Canada		〃	〃 23	
3. 13.	Katherine Moffitt	153 W. Penn St. Phila. Pa. 19144. U.S.A		〃	〃 24	
3. 15.	Georgia Peters	281 West Harvey Street Philadelphia, PA 19144		〃	〃 25	

0102.

인권관계 청원서 처리 전첩

월 일	성 명	주 소	소 속	수 신	내 용	비 고
2. 15	A.R.P. Ray (Professor)	730 Carriage Way Baton Rouge La 70808	A. I	외무장관	안 궁 민	
3. 15	Lloyd Dennis			〃	이 신 범 26	
3. 17	Sally Parker 외7인	P.O.Box 161473 Sacramento, CA 95816 USA	〃	〃	김 상 현	
3. 25	Sally Margolit	6 Laredo Street Rohnert Park CA 94928		〃	조 성 우 (2대생)	
3. 25	Victoria Clucas	1450½ Hawthorne Terrace Berkeley, CA 94708		법무장관	이 신 범 27	

0103

인권관계 청원서 처리 전철

월 일	성 명	주 소	소 속	수 신	내 용	비 고
3. 22	Julia H. Strothman	1510 Duzzly Peak Buld. Berkeley, Ca. 94708		외무장관	이신범. 김대중 등 관련자들 30	
3. 18	Elizabeth A. Swigertyl	2538 Durant Avenue, #4 Berkeley, California 94704		〃	이 신 범 27	
3. 16	J. Dyble	845 Maitland Street, London, Ontario, Canada. N5Y 2W7	A.I	〃	〃 25	
3. 21	Stanley H. Boghosian	1901 Manhattan Ave. #3 E. Palo Alto, Ca.		〃	조 성 우	
3. 19	Lia Ridley	1921 Jasmine Denver Colo. 80220		〃	〃	

0104

인권관계 청원서 처리 전첩

월 일	성 명	주 소	소 속	수 신	내 용	비 고
3. 22	Frank Pestana	Attorney at Law 7279 Mulholland Drive Los Angeles, CA. 90068		외무장관	진 성 오	
3. 19	Emanuel Emroch	P.O. Box 8692 Richmond, Virginia 23226		〃	〃	
3. 22	Rosemary H. Hayes	633 Old La Honda Road Woodside, CA.		각하 국무총리 법무장관 문교장관	탄 원 서	
3. 22	Theodore M. Lieverman	1425 Walnut Street Philadelphia, PA 19102		외무장관	진 성 오	

0105

1982년

인권관계 청원서 처리 전첩

월일	성명	주소	소속	수신	내용	비고
3. 24	Naomi Goldstein	144 Cypress Street Brookline, MA 02146	A.I	외무장관 주한미우대사	차성환	
3. 10	Malik Daniel Rose	83 Elm St. Jamaica Plain Ma. 02130 U.S.A		외무장관	이신범 32	
4. 2.	L. Wayne Ostlund 외1	520 East 4th Port Angeles, Wa. 98362	A.I	〃	정삼수	
3. 23.	Christina Ryan	9-A Newfield Rd. Scituate Ma. 02066	〃	〃	이신범 31	
3. 28	D. Marshall	427 Ricée St. Norwell Ma. U.S.A		〃	〃 34	

0106

인권관계 청원서 처리 전첩

월일	성명	주소	소속	수신	내용	비고
3. 29	John Baeder	1124 Roselawn Av. W. Roseville Minnesota 55113		외무장관	조 성 오	
3. 22	S. Scott	22 Hardscrabble Hill Chappaqua N.Y 10514		〃	이 신 범 73	
3. 28	A. A. Capan	104 Main St. Genses N.Y 19954		〃	〃 35	
3. 21	Mary S. Koss	Newman Oratury Brockport N.Y. 14420		〃	조 성 오	
3. 22	Meralyn Walsh			〃	〃	

0107

인권관계 청원서 처리 전첩

월일	성명	주소	소속	수신	내용	비고
3. 21.	S. M. Morrissey			외무장관	조 성 오	
3. 21.	Philip Ebersole	147 Mulberry St. Rochester N.Y. 14620	A.I	〃	방 인 혁	
3. 27	A.R. Hasnudeen	1703 Lincoln St. NE. Minneapolis 55413		〃	이 신 범 36	
3. 20	James E. Williamson	1686 Alpha Dubuque, IOWA 52001		〃	조 성 오	
3. 23	George C. Haight	175 Highland Trail Duxbury, MA 02332		〃	이 신 범 37	

0108

인권관계 청원서 처리 전첩

월 일	성 명	주 소	소 속	수 신	내 용	비 고
3. 11	Philip Mullins	Box 43, RT. #1 Burkeville, Texas 75932	A. I	외무장관	이 춘 섭	
3. 26	Diane Neff	Attorney at Law 300 Roanoke Bld. Minneapolis Minn. 55402		〃	조 성 오	
3. 22	Brent O'Dell			〃	〃	
3. 14	J. Shanks	513 Habitat 67 Cite du Havre, Montreal		〃	이 신 범 38	
3. 26	James D. Bell	9 Main St. Brockport New York 14420		〃	조 성 오	

0103

인권관계 청원서 처리 전첩

월 일	성 명	주 소	소 속	수 신	내 용	비 고
3. 20	L. J. Stuart 외 4명	2040 Washington Rd., Upper St. Clair, Pa. 15241	Westminster Presbyterian Church	외무장관 법무장관	이 신 범 39	
3. 27		P. O. Box 278 Peace Dale R.I. 02883		외무장관	〃 40	
3. 28	Christine Lajewski	45 Oval Rd., #2 Quincy, Ma. 02170	A. I.	〃	차 성 환	
3. 25	Kevin Timmons	10 Perkins Square Boston, MA 02130		〃	이 신 범 41	

0110

인권관계 청원서 처리 전첩

월 일	성 명	주 소	소 속	수 신	내 용	비 고
3. 19	C.I. Clark	314 Collingwood St., Kingston, Ontario		외무장관	이 신 범 42	
3. 17	H.K. Lax	7 Reverse St. Jamaica Plain MA. 02130		〃	〃 43	
3. 21	A. Kenrick	925 Waverly St. Palo Alto CA. 94301		〃	조 성 우	
3. 21	Kathleen Dugin	645 A Magbell Palo California 94306		〃	〃	
3. 21	P.G. Moge	203 Willow Rd. Menlo Parks CA 94025		〃	〃	

0111

인권관계 청원서 처리 전첩

월 일	성 명	주 소	소 속	수 신	내 용	비 고
3. 22	J. M. Hurley			외무장관	이 신 범 44	
3. 16	Reid Treelson	250 Watson St, Antigo Wisconsin, 54409		"	" 45	
3. 1	Anna Fournier	200 N.W 110th St, Seattle WA, 98177		"	" 46	
3. 21	F. Dauling	Feminist Studies Program Serra House Serra St. Stanford, Ca		"	조 성 우	
3. 18	D. Stewart	225 West St. Paul St. Kamloops. B.C Canada		"	전 재 천	

0112

인권관계 청원서 처리 접철

월일	성명	주소	소속	수신	내용	비고
3. 20	Lamira Rulofson	3268 Washington St. Alameda CA 94501		외무장관	이신범 47	
3. 11	S.J. Cafulley 2인	Zuency W. N.E Washington DC 20017		〃	〃 48	
3. 27	J. W. Boyle 대학교수	University of Guelph Guelph Ontario Canada	A.I	〃	이창복	
4. 4.	Fred D. Baldwin	236 S. Hanover St., #301 Carlisle, PA. USA.	〃	〃	유원식	
3. 30	Judith Sinclair	P.O.Box 653, Guelph, Ontario NIH 613, Canada	A.I	〃	이신범 49	

0113

인권관계 청원서 처리 전첩

월 일	성 명	주 소	소 속	수 신	내 용	비 고
3. 18	Steven Huff, Mary Huff	6885 Clinton St. Rd, Bergen, New York 14416	A.I	외무장관	이신범의 석방 및 치료 요구 11	
4. 14	David S. Marshall	27 St. Lukes Rd #9 Allston MA 02139		〃	이신범 10	
3. 31	Diane Mancer	7012 Ongus Vancouver B.C. Canada		〃	조성우	
4. 5.	Mrs. Ivice	8520 Osler Vancouver B.C. Canada		〃	〃	
4. 4.	Rosalie Daisley	902-7th Street East Prince Albert SK. Canada		〃	이신범 12	

0114

인권관계 청원서 처리 전첩

월 일	성 명	주 소	소 속	수 신	내 용	비 고
4. 14.	Patricia Taley	35 Gardinee PK #2 Rochester NY 14407		외무장관	이 신 범 57	
3. 9.	Hope Buechler	Box 1229, Duxbury, MA 02332 USA	A. I	〃	신 원 철	
4. 6.	S. Farrell	2281 Melrose Ave. N.D.G. Quebec Canada		〃	조 성 우	
5. 17	Jayne Lemon	104 Albany Toronto Canada M5R 3C4		〃	정 명 철	
4. 5.	Carolellen Norskey	28 Zina Street Orangeville, Ontario L9W 1E1 Canada	A. I	〃	조 성 우	

0115.

인권관계 청원서 처리 전철

월 일	성 명	주 소	소 속	수 신	내 용	비 고
3. 31	J. Sinclair	Guelph Group, Canada 6 P.O. Box 653	A.I	외무장관	이 창 복	
4. 14	Alice K. Helm	7.000 Millwood Road Bethesda, Maryland		법무장관	조 성 오	
4. 5	Julianne Hickey	21 Parkvale Avenue #II Allston Mass 02134		외무장관	차 성 환	
4. 18	Kirsbrer	114 Devoe Koeal Chappagrea New York		〃	이 신 범	
4. 14	Stephen M. Latimer	8 Bosko Drive East Brunswick New Jersey 08816		국무총리 외무장관 법무장관	조 성 오	

0116

인권관계 청원서 처리 전첩

월일	성명	주소	소속	수신	내용	비고
4. 30	Lopierre	70 ou tremblay Boucherville Québec		외무장관	조성오	
4. 24	Margaret Lesage	1319 Montpellier Ste-Foy, Québec	A. I	〃	이신범	
4. 19	Ward Jewell	11333 Clear point Drive Knoxville, Tennessee, U.S.A		〃	손형만	
4. 16	(Ms) Ivy R. Sheppard	26 Dublin Street S. Guelph, Ontario	A. I	〃	조성오	
4. 13	G. Simons	3 Aberdeer Rae Toronto Canada		〃	〃	

0117

인권관계 청원서 처리 전첩

월일	성명	주소	소속	수신	내용	비고
4. 28	Elsa Jewell	372 Oak St, Newmarket Ont Canada L3Y		외무장관	김 성 오	
4. 26	Laurence Huang	Box 16241 U.T. Center Knox. TN. U.S.A		"	"	
4. 4	Edward A Mc Given	5756 Angus Drive Vancouver Canada		"	이 신 일	
4. 27	Gene Caldwell	Box 16206 Knoxville TN 37996 USA		"	김 성 오	
4. 23	K. Laundy	182 Lisgar #7 Ottawa Canada	A. I	"	이 신 일	

0118

인권관계 청원서 처리 전첩

월일	성명	주소	소속	수신	내용	비고
4. 26	Joyce Nakada	549 Caroline St, Rochester, N.Y. 14620	A.I	외무장관	방인혁	
4. 7	Margaret Tanko	#405, 920 Royal Avenue S.W. Calgary Alberta Canada		〃	이신범	
5. 4	Diane Martin	5063, Rue Fabre Montréal Canada	A.I	〃	조성우	
4. 29	Lewis Wolfgang Brandt	1821 Grant Drive Regina, Canada	〃	〃	〃	

0119.

인권관계 청원서 처리 전첩

월 일	성 명	주 소	소 속	수 신	내 용	비 고
5. 11.	Jennifer J. Asmussen	122 Babcock St. #33 Brookline, Ma, 02146	A. I	외무장관	곤 성 오	
5. 10	B. Clerin	C.P. 6196, Succ. "A" Toronto, Canada	"	"	"	
4. 15	Patti Collins	Apt 4, 24 Abbott Ct. Fredericton, New Brunswick Canada		"	이 상 재	
5. 5	Philippe Markoy	11240-78 Ave, Edmonton, Alta, Canada	A. I	"	곤 성 오	

0120

인권관계 청원서 처리 건첩

월 일	성 명	주 소	소 속	수 신	내 용	비 고
5. 11	Vanz Hove외 5인	920, rue Richelieu Québec, Qc Canada		외무장관	조 성 오	
5. 22	Mrs. Marian S. Addis	A.I. U.S.A. Group No. 108, P.O. Box 161413 Sacramento, California	A.I	〃	김 상 현 석방요구	
5. 31.	Joyce Nakada	549 Caroline St. Rochester, N.Y. 14620	〃	〃	방 인혁	
6. 15	Sally Parker	2182 20th Ave. Sacramento, CA 95822 U.S.A	〃	〃	김 상현	

0121

인권관계 청원서 처리 전철

월 일	성 명	주 소	소 속	수 신	내 용	비 고
6. 19.	Milda Machauska	Computing Centre University of New Brunswick Box 4400 Fredericton, N.B. Canada E3B 5A3	A.I	외무장관	이 상 재	
7. 3	Michael and Janet Salick	4821 W. Washington Boulevard Milwaukee, Wisconsin 53208	〃	〃	이 신 범	
6. 11	Paul Jorjorian	P.O. Box 161473 Sacramento, California 95816	〃	〃	김 상 현	

0122

인권관계 청원서 처리 전철

월 일	성 명	주 소	소 속	수 신	내 용	비 고
7. 2	Brunette	4390 Locarno Ave. Vancouver B.C. Canada		외무장관	이 태 복	
6. 29	Ken Newman	103 - 1135 West 11th Vancouver B.C. Canada		〃	〃	
6. 16	René Mankiewicz	760, rue Antonie-Maillet Outremont Canada	A.I	〃	고 상 문	
7. 9	Sara Penny	8635 Greenridge Beaumont, TX 77707	〃	〃	이 춘 섭	

0123

인권관계 청원서 처리 전첩

월 일	성 명	주 소	소 속	수 신	내 용	비 고
8. 3.	Allison E. Kelsey	2035 N. Lake Dr. #3 Milwaukee, Wis. 53202	A I	외무장관	이 신 범	
7. 16.	Esther Gleason	Guadalajara Jalisco México		〃	이 태 복	
7. 27	Dave Haley	707 11 Street South Moorhead, Minnesota 56560	A I	〃	이 재 영	
7. 24	M.G. Hogarth	425 Maple Lane Ottawa, Ontario, Canada		〃	이 태 복	

0124

인권관계 청원서 처리 건철

월 일	성 명	주 소	소 속	수 신	내 용	비 고
7. 8	Karen Coffey Bash	204 Redbud Silsbee, Texas 77656	A I	외무장관	이 춘섭	
7. 12	Steve Schlather	8P3 Campus Apt. 202 Beaumont, Tx 77705 USA	〃	〃	〃	
	S. Gotheif -Bloom	Univ. of Maryland Apo New York 09102		〃	이 태복	
7. 9.	Roberta R. Blain	AIUSA Group 221 Post Office Box 7933 Beaumont,	A I	〃	이 춘섭	

0125

인권관계 청원서 처리 전첩

월 일	성 명	주 소	소 속	수 신	내 용	비 고
6. 29	Eileen Hatcher	4510 Cornish Houston, Texas 77007		외무장관	이 석 표	
7. 14	Philip M Mullins	A I Usa Group 221 Post Office Box 7933 Beaumont Texas	A I	〃	이 춘 섭	
7. 23	Bill Armstrong	Wesley United Methodist Church Beaumont, Texas	〃	〃	〃	
7. 6	Mrs. M. F. Barry	55 Hillcrest Avenue Deep River, Ontario		외무장관 법무 〃	이 태 복	

0126

인권관계 청원서 처리 전첩

월일	성명	주소	소속	수신	내용	비고
7. 9.	Miss Frances Walbridge	Rural Route 1 St. Ignace de Stanbridge Quebec		외무장관	이 태 복	
7. 14	Mrs. Marie Ottosen	Box 111 Bowden, Alberta Canada		외무장관 법무 "	"	
7. 14	Michel Rhéaume	2050 Rue Masson Montreal Quebec	A I	외무장관	"	
7. 15	Jean-Claude Jaubert	A I Groupe Canada 50 10 Trinity Square Toronto,	"	"	"	

0127

인권관계 청원서 처리 전첩

월 일	성 명	주 소	소 속	수 신	내 용	비 고
7. 18	Michele Rote	14 Lilac Drive Rochester, NY 14620	A I	외무장관	양 인 혁	
7. 22	Sally Parker 외	2182 20th. Ave. Sacramento, CA	〃	〃	김 상 현	
7. 16	Stéphane Couture	2625 Louis-Paré app. 305 Lachine Quebec Canada	〃	〃	이 태 복	
8. 7	Margaret Butles	304 W. 58th Street New York 10018	〃	〃	이 신 범	

0128

인권관계 청원서 처리 전철

월 일	성 명	주 소	소 속	수 신	내 용	비 고
7. 10	Mrs. D. Ives	Bow 23P Alberta Beath Alta. T0E0A0	A I	대통령각하 외무장관	이 태 복	
7. 12	Nel Smith	Box 437 DUNDALK, Ont. NOC 1B0		대통령각하 외무장관	〃	
7. 17	N. Aufoss	101 church Street Bowmanville, Ontario		외무장관	〃	
7. 25		Applewood Group 151 2067 Stanfield Road Mississauga Ontario	A I	대통령각하 외무장관	〃	

0129

인권관계 청원서 처리 전첩

월 일	성 명	주 소	소 속	수 신	내 용	비 고
7. 18	Murray Werner	4528-20 Ave. N.W. Calgary, Alta.		외무장관	이 태복	
7. 18	L. Smith	31 Greenfield Islington Ontario		〃	〃	
7. 8	Jack Lawrence	5091 South Irving Apt. #1 Beaumont Texas 77705	AI	〃	이 춘섭	
8. 4	Sara E. Harrison	Apt. #6 Venus 8 486 Lisgar St. Fredericton		〃	이 성재	

0130.

인권관계 청원서 처리 전철

월일	성명	주소	소속	수신	내용	비고
8. 11	P. J. Collins	24 Abbott Ct. Apt. H Fredericton, New Brunswick Canada	A. I	외무장관	이 성재	
9. 8	M. Butlw	2922 W. Wells #202 Milwaukee Wisconsin USA 53208		〃	이 신범	
9. 19	Alain Gavignet	3018 Nottingham Houston, Texas 77005	A. I	〃	이 석표 석방에 대한 감사 서한	

0131

국 가 안 전 기 획 부

대오 870 - 107 　　　　83. 1. 17

수신 외무부 장관

제목 외국인 범법 행위자에 대한 조치 의뢰

1. 다음 외국인 등은 장기간 국내에 거주하면서 80.5.18 부터 수사 당국에서 전국에 공개 지명 수배한 김대중 등 내란음모사건 관련 도피자 심재권 (37 세, 전 서울상대 3년)을 도피 수배중이라는 점을 알면서 은익 또는 도피 방조하는 등 대한민국 국법 (형법 제 151조 : 범인은익)을 위반한 사실이 있어

2. 동 외국인들에 대한 범죄행위를 첨부와 같이 통보하오니 관계국, 주한 대사관에 공식항의 엄중 문제를 제기하고 본국에 보고 관련자 (기 귀국자)들에 대한 강력 조치토록 요구하여 주시고

3. 검찰 (서울지검)에서는 귀부에서의 위 조치와 동시에 국내에 거주하고 있는 외국인 2명 (미국인 랄프.J. 페랄타 및 존.N. 서머빌)에 대하여 입건 조사 계획임

가. 인적사항

o. 미국인

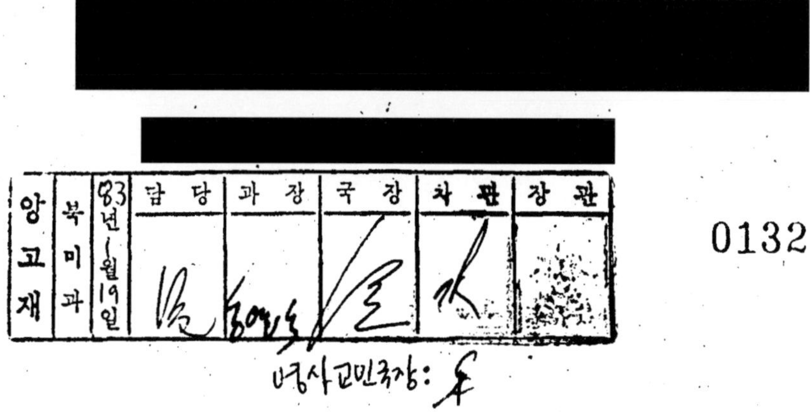

양고재	북미과	83년 1월 19일	담당	과장	국장	차관	장관

여사교민국장:

0132

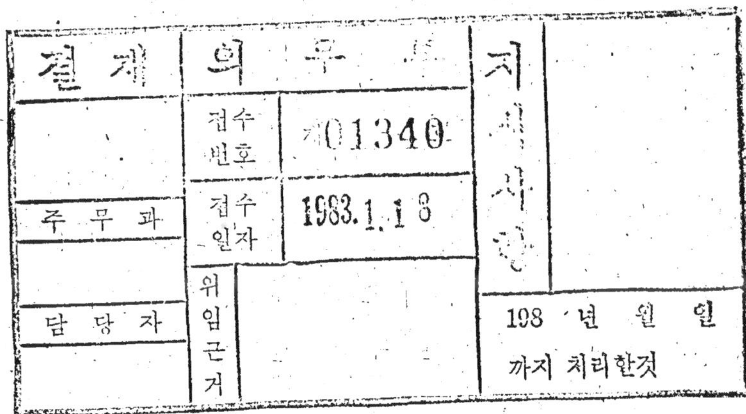

결재	의무부		지시사항	
	접수번호	제01340		
주무과	접수일자	1983.1.18		
담당자	위임근거		198 년 월 일 까지 처리한것	

0133

공 란

첨 부 : 1. 외국인 범죄사실 1부

2. 관계자료 (심재권 진술서) 1부. 끝.

국 가 안 전 기 획 부 장

0135

외국인 범죄 사실

1. 미 국 인

o. "랄프 J. 페랄타" 는

- 80. 5. 18 - 7. 10 (54일간) 김대중 등 내란음모사건 관련자로 도피 지명수배중인 범인 심재권을 그 정을 알면서 체포를 모면케할 목적으로 자신이 거주하는 방 (서울 은평구 신사동 10-4 장식영 가 2층)에 은익하였음

- 동 "랄프 페랄타" 는 78. 6. 3 입국하여 서울 중구 태평로 소재 언어교육원 (LTRC) 영어회화 강사로 근무후 현재 서울 중구 남대문로 칼빌딩 1203호실에 있는 호주항공선박 화물 운송 회사인 "씨클 에어 후라이트" (CIRCLE AIRFRIGHT)사 서울 출장소장으로 근무중(체류기간: 83.11.30까지)에 있고

- 심재권 과는 79. 4 경 위 언어교육원 강사로 근무시 수강생이던 심재권을 알게된후 친교하는 사이이며

- 심재권은 "랄프 J. 페랄타" 방에 은신시 숙박비 5만원을 제공한 바 있음

0136

2. 독일인 "알브레흐트.E.슈니터" 는

o. 80. 7. 10 - 80. 12 (약 5개월간) 당시 대한 선교회에서 활동중이던 미국인 선교사 "월터 라이스" 의 청탁으로 심재권을 내란음모사건 관련 도피 범인이라는 점을 알면서 체포를 면하게할 목적으로 서울 용산구 한남동 외인주택 단지내 소재 자기 거주 가옥에 은익 하였음

- 동 "알브레흐트.E.슈니터" 는 독일 노동 협력성 근무 직원으로 76.11 - 80.12.4 한국 노동청에서 초청한 독일기술훈련 자문단장겸 교관으로 근무후 귀국 하였으며

- 심재권에게 도피자금 10만원을 지원한 바 있음

3. 미국인 "월터.R.라이스" 는

o. 80. 12.초 - 82. 2. 2 (약 1년 2개월간) 위 심재권을 내란음모사건 관련 도피 지명수배중인 범인 이라는점을 알면서 체포를 면하게할목적으로, 서울 서대문구 연희동 344 소재 자기 숙소에 은신 하였음

- "월터.R.라이스" 는 미연합 장노교 소속 선교사로서

0137

75.8 입국, 대한선교회에서 활동중

82.2 중순경 미국으로 전근 하였으며

- 심재권과는 80.3 경 대한기독교 서회편집 고문 한완상의 소개로 알게된 사이임

4. 미국인 "존.N. 서머빌" 은

o. 82. 2. 20 - 82. 7. 5 (약 4개월 15일간) 위 미국인 선교사 "월터.R. 라이스" 의 청탁으로 심재권을 내란음모사건 관련 도피 범인이라는 점을 알면서 체포를 면하게 할 목적으로 대전시 오정동 133 숭전대학교 구내에 있는 자기 숙소에 은익 하였음

- 동 "존.N.서머빌" 은 59년 입국하여 서울 장노교 신학대학 강사를 거쳐 성균관 대학원 철학박사 과정을 수료후 68년부터 대전 숭전대학교 교수로 근무 중이며

- 82. 6. 28 미국 휴가차 출국하여 오는 83. 6. 30. 입국 예정 (체류허가기간 : 84. 6. 16 까지)으로 있음

0138

진술서 (제6회)

원적: [redacted]

본적: [redacted]

주소: 서울 구로구 개봉2동 248-3

직업: 무직 (전 서울대 3년 제적, 국민연합 홍보국장)

성명: 심 재 철

위 본인은 1980년 5월 17일 김대중등 내란음모사건 관련자라고 체포를 면하기 위하여 피신한 경위를 다음과 같이 임의 진술합니다

1 80년 5월 17일 오후 8시경 어머니와 함께 동대문구 이문동 소재 (외국어 대학 뒤) 외사촌 누이 (이 봉화)가 외삼촌 제사를 지내기 위하여 갔으며 그곳에서 그날밤 늦게 TV 뉴스를 통하여 동일 자정을 기하여 전국에

수-18 81. 1. 1

0139

계엄령이 확대 선포되니 김대중씨등 국민연합 관련자들에 대한 검거가 시작될 것 같다는 소식에 초조하게 하루 밤을 지냈읍니다.

1 80. 5. 18 아침 일찍 와시춘 누이 집을 나오면서 어머니에게 "당분간 피신하겠으니 신문이나 경찰에서 내가 잡혔다는 소식이 없으면 무사한 것으로 알라"고 한 후 돈을 빼스 편으로 시내로 나오면서 우선 화를 모면할 친척이나 친구들 집으로 피신할 경우 당국에서 쉽게 찾을 수 있을 것이며 선교사등 외국인 집으로 피신할 경우 수사망에서 벗어날 것으로 판단하여 동일 오후 2시경 광화문 소재 대성빌딩내에 있는 영어 회화 학원인 언어교육원 (L. T. R. C)으로 본인이 7년 전 동 학원에서 영어

0140

회화를 배울 당시 알게 되었고 그후 친하게 지낸 동 학원 강사 미국인 랄프 페라라 (RARPH J. FERRARA. 37세) 씨를 찾아가 그에게 "내가 크민연합에 가담, 활동하여 당국에서 나를 검거하려고 하기 때문에 당신 집이 안전할 것 같으니 있게 해 줄 것"을 요청한 바 "그렇게 하라"고 응낙하여 동일 저녁 7시경 그와 함께 그가 전세 얻어 살고 있는 서울 은평구 신사동 10-4 소재 장덕영씨 집 2층에 가서 동년 7월 10일경 까지 그와 함께 자취를 하면서 은신하였읍니다. 그곳에서 은신하고 있는 동안 페라라는 낮에 학원으로 출근하고 본인 혼자서 초조하고 답답한 마음으로 소일하였을 뿐 불안한 생각으로 책도 볼 수가 없었으며 가끔 음악을 듣는 등 TV, 라디오

수-18 81. 1. 1

0141

뉴스 듣는 것으로 시간을 보냈으며 저녁에
때로라가 귀가하면 그로부터 밖에서 일어
났던 이야기등을 듣고 가끔 그와 함께 서양
장기를 배우면서 시간을 보냈으며 옷은
그의 옷을 가끔 빌려 입기도 하고 런닝,
빤스등은 그에게 부탁하여 사입었으며, 빨
래는 집 주인 가정부가 일주일에 한두번씩
해 주었고 또한 때로라가 가정부에게
부탁하여 가끔 김치를 담아 먹고 생활하였
으나 그당시 방송 신문 등에서 고대총 사건
관련자들에 대한 수배령이 내려 각자 사진
까지 발표되어 와서 아래층 주인들로 부터
의심을 받게 되어 처음에는 그들에게 "미국
유학을 가기 위해 영어를 배우러 왔다."고
하였으나 오랜 시기일이 지날수록 그들이
이상한 눈으로 보는 것 하여 다른 곳으로 피신

거소를 옮기고 결정하였으며 본인이 페
랄라와 함께 있는 동안 그에게 생활비
조로 처음 들어갔을 때 5만원을 주었으며
그후에는 페랄라가 "당신 사정이 어려울테
니 돈은 받지 않겠다"고 하며 그냥 신세를
졌읍니다.

80년 7월 10일경 부터 80년 12월 초경까지
81년 3월경 국민연합 중앙위원인 한완상을
만나러 종로 2가 소재 대한 기독교 성서 공회
빌딩내에 있는 그의 사무실에 가서 한완상의
소개로 같은 빌딩내 사무실에서 성서 번역등을
하던 미국인 목사 라이스 (WALTER R. RICE,
4세)를 소개받아 알게 된 서울 서대문구
연희 3동 산 28-12 소재 선교사 사택에
살고 있는 라이스 목사 집으로 찾아가 그에게
"본인은 국민연합 관계로 당국으로 부터 수배

되어 피신하고 있으니 피신처를 알선해 줄것을 요청한바 그는 "요즘 한국 수사기관에서 외국인 선교사 집에 대한 감시가 심한 것 같아 우리집은 곤란하며 대신 그의 친구를 소개해 주겠다"고 하여 그와 함께 7월 10일 오후 5시경 라이스 목사와 함께 용산구 이태원 소재 하얏트 호텔 2층 주차장에서 라이스 목사 소개로 독일인 슈니터 (ALBRECHT. E. SCHNITTER 41세)를 소개 받아 라이스 목사가 슈니터에게 "5.17 사태로 한국 수사기관으로부터 수배를 받아 피신하는 처지이니 도와줄 것"을 요청하여 그의 승낙으로 슈니터와 함께 그의 승용차로 서울 용산구 한남동 소재 외인주택 단지내 그의 집으로 가서 함께 생활하였읍니다.

그의 집은 두 부부만이 생활하며 슈니터는

수-18 .81. 1. 1

0144

그당시 독일 정부에서 파견되어 한국 노동청 산하 직업교육 훈련 단장의 신분이었으며 낮에는 슈나이더가 출근하고 나면 그의 부인과는 거의 대화가 없으며 본인 혼자서 슈나이더가 소장하고 있는 영어책 (죄와벌, 도스토예프스키 등)과 그가 사다 준 타임지 등을 보면서 소일하고 슈나이더가 귀가하면 가끔씩 김대중등 피고인들의 재판과정에 대하여 서로 이야기를 하였으며 슈나이더는 가끔 김대중 사건 군법회의 재판에 대하여 "재판과정에서 피고인들이 모두 수사과정에서 고문으로 인하여 강제 자백 하였다고 주장하고 방청도 제한되는 문제가 많은 사건이며 재판과정도 의심스럽다는 식의 말을 하였읍니다. 그의 집에 있는 동안 모든 것을 무료로 제공 받았으며 슈나이더는 가끔 담배 등을 사다주었으며 바깥 출입은 일체

수-18 81. 1. 1

0145

하지 않았읍니다. 그러던중 슈나이더가 12월
말경 본국으로 귀국하게 되어 저는 다시 라이
스 목사에게 은신처를 물색하여 줄 것을 부탁
하였고 본인이 슈나이더 집을 떠나올 때 그는
본인에게 어려울 때 쓰라고 하면서 10만원을
주어 받은 사실이 있읍니다.
80년 12월 초부터 82년 2월 20일경 까지 약
1년 3개월 동안은 연희 3동 산 28-12 소재
선교사 사택인 라이스 목사 집에서 은신하였
으며 그의 집은 부부와 외국인 학교 중학과정
을 다니는 딸(명 미상)이 있었을 뿐 라이스
목사는 낮이면 출근하고 나면 본인 혼자서
그에게 부탁하여 그가 사다 준 바둑 장기,
신동아, 월간 조선 등 잡지를 보면서 소일하고
때때로 영어 성경, 워드 파워(Word Power)
라는 책들로 영어 공부를 하였으며

수-18 81. 1. 1

0146

라이스 목사가 귀가하면 가끔 그와 한국말이나

영어로 한국 정치 정세등에 대하여 이야기를

하기도 하였으며 그는 "한국의 정치가 많이

안정되어 가고 있으며 김대중는 석방될 가능

성이 거의 없으나 다른 [illegible]들은 석방될

가능성도 있다"는 등의 말을 한적이 있으며

제가 그곳에서 생활하는 동안은 라이스 목사

부인이 저에 대하여 특별히 관심을 갖고

저녁식사만은 가능하면 밥과 김치등과 한식으

로 해주고 빨래도 해주어 생활하기에는

불편한 점이 거의 없었고 가끔 라이스 목사

부인은 저의 내의류를 손수 구입해서 주었으며

라이스 목사는 가끔 제가 외출할 때에는

용돈으로 10여회에 걸쳐 5천원 내지 만원 등으로

도합 11만원 상당을 주어 받았으며 본인은

그 돈으로 가끔 시내를 드라이브하고 이발등을

수-18 81. 1. 1

0147

하였읍니다. 그러던 중 라이스 목사가 82년
3월경 귀국하게 됨에 따라 그는 저의 은신처를
물색하여 주어 옮기게 되었읍니다.

1. 82년 2월 20일경 부터 82년 7월 4일경 까지는
라이스 목사가 주선해 준 충남 대전시 오정동
133 소재 숭전대학교 구내 선교사 사택에 기거
하는 서의필 박사 (JOHN NOTTINGHAM SOMER
VILLE 55세) 집에서 은신하였는데 80년 2월
20일 12시경 라이스 목사와 함께 그의 승
용차로 대전으로 내려가 사전에 라이스 목
사가 연락한 선배로 저의 사정을 잘 알고 있는
서의필 박사를 만나 그의 집에서 생활하였
으며 그의 집은 부부만이 살았고 제가 처음
갔을 때에는 미국에서 잠시 다니러 온 서의필
박사의 아들(명 미상, 23세 가량)이 약 1개
월 가량 있다가 갔으며 서의필 박사는

수-18 81. 1. 1'

0148

동 숭전대학의 교수겸 목사로서 낮에는 학교에
출근하고 밤에 혼자서 바둑 강좌와 생활영어,
골프를 하면서 소일하고 가끔 저의 주위 야산등지를
산책하며 소일하였고, 특히 이전에서도 서의필
목사 부인이 저에 대해 특별히 관심을 갖고
가끔 한식등을 해주었으며 빨래도 해 주었읍
니다. 또한 서박사 부부는 가끔 담배와 내의
류등을 사다 주었읍니다. 그러던 중 81년 7월
경 서의필 목사가 한국으로 휴가를 떠나게 되어
저의 문신처 걱정을 하기에 본인은 박용길 장로
(문익환 처)에게 부탁해보라고 하였으며 며칠후
그가 서울에 갔다와서 "박용길 장로는 지금
시부모님이 병환으로 있어 정신이 없어 보이니
이해동 목사에게 부탁을 하면 어떻겠느냐"고
하기에 저는 국민연합 [illegible] 같이 있는
이해동 목사이기 때문에 이해동 목사에게

부탁하라고 하였읍니다. 며칠후 서의필 박사가 다시 서울에 내려와서 저에게 '이해동 목사에게 부탁한 바 마땅한 은신처가 없으니 우선 급한대로 자기 집에 와 있으라"고 하기에 82년 7월 5일 10시경 서의필 박사와 함께 그의 승용차 편으로 상경하여 본인은 미아삼거리 영돈시장 부근에서 내리고 서의필 목사는 대전으로 돌아갔읍니다.

1. 82년 7월 5일부터 12월 30일 아침까지는 서울 도봉구 미아4동 136-106 소재 이해동 목사 (48세, 한빛교회 목사) 집에서 은신하였으며 이곳에서의 생활은 식생활 및 등에는 아무런 불편이 없었으나 그의 집에는 가끔 교인들이 찾아 오기 때문에 저 혼자서 2층 방에서 남의 눈에 뜨이지 않게 숨어 있는 형편이었읍니다. 밤에는 저 혼자서 여러

수-18 81. 1. 1

0150

공부등으로 소일하고 있으며 이해동 목사
부부와 그 동안에 일어났던 김대중 사건에
관한 재판 이야기, 구속자 가족들의 기도회에
관한 이야기, 김대중 사건으로 구속되었다
석방된 예춘호, 고은씨 등에 관한 이야기를
하고 김대중을 제외한 문익환, 이문영등 몇
사람은 연말에 석방되리라 본다는 이야기
을 하였으며 저녁에 갈 때는 이해동 목사
는 아들인 연대 생물학과 1학년인 이윤주
와 함께 갔으나 그와는 특별한 대화를 나누
지 않고 생활하였읍니다. 이해동 목사
부인은 가끔 저에게 담배, 런닝, 빤쓰, 양말
등을 사다 주고 빨래도 해 주었으며 이해동
목사는 3, 4회에 걸쳐 저에게 반찬이나
쓰라고 오가면서 용돈으로 만원씩 도합 4만
여원을 받은 사실이 있읍니다.

수-18 81. 1. 1

0151

그러던 중 12월 16일 뉴스를 통하여 김대중
이 서울대학 병원으로 이송되고 신병치료차
곧 미국으로 갈 예정이며 김대중 사건 관련자
전원에 대해 석방 조치를 한다는 정부 발표
를 듣고 그날 밤 이해동 부부에게 자수
의사를 타진하니 이해동이 "정말로 김대중
사건 관련자들이 전원 석방 되는지를 확인한
후에 당국과 대화가 가능한 박형규 목사와
상의해서 결정하라"는 말을 듣고 기다리던 중
12월 24일 김대중이 미국으로 떠나고 김대중
사건 관련자들이 전원 석방되었다는 소식을
듣고 12월 29일 박형규 목사 측근인 사회
선교 협의회 직원인 천영초(여 28세)에게
연락하여 박형규 목사를 통하여 12월 30일
10시 30분경 자수하게 된 것입니다.
이상 진술한 것은 사실과 조금도 틀림이

수-18 81. 1. 1

0152

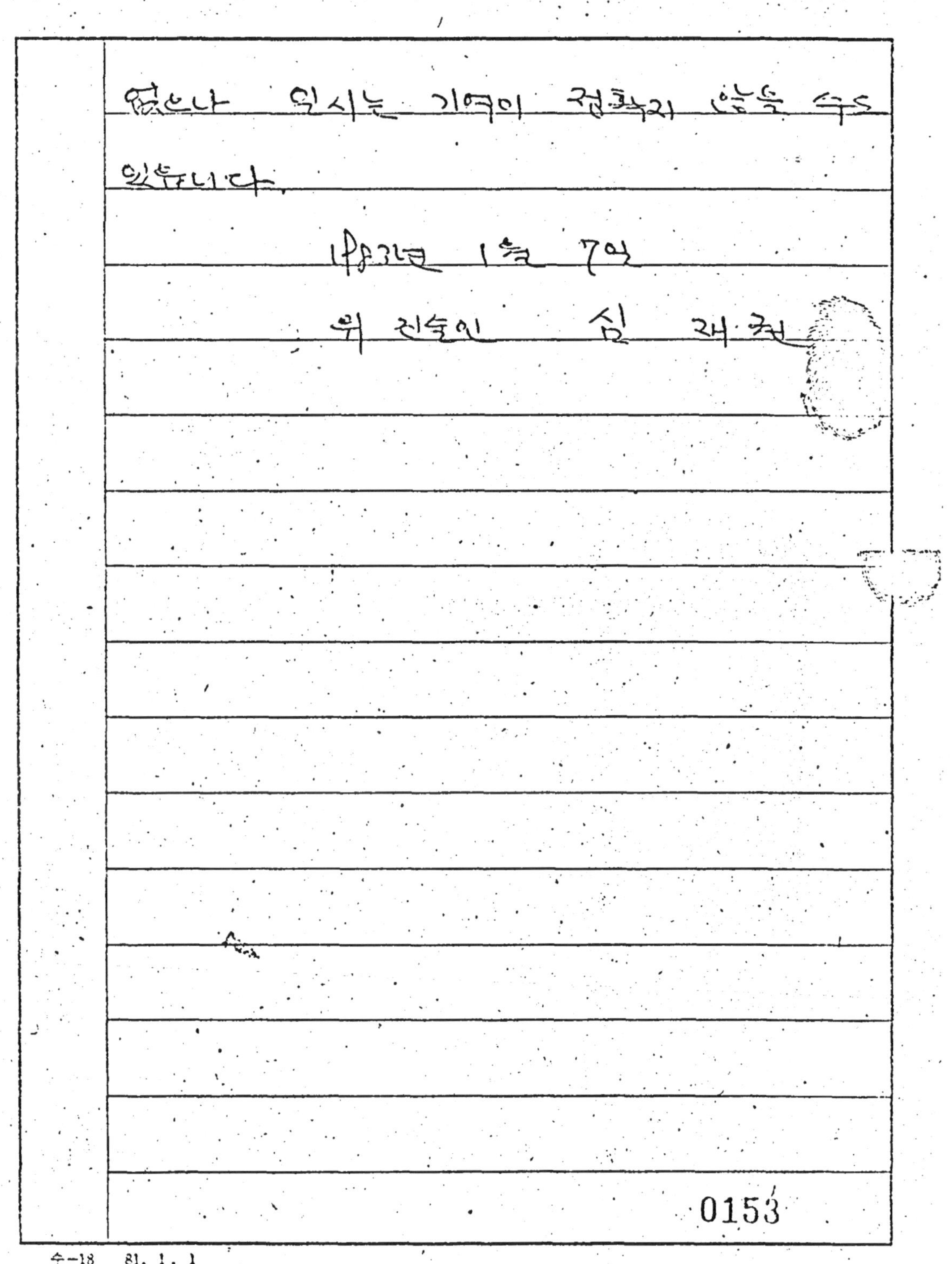

없으나 일시는 기억이 정확치 않을 수도 있습니다.

1983년 1월 7일

위 진술인 심 재 천

0153

수-18 81. 1. 1

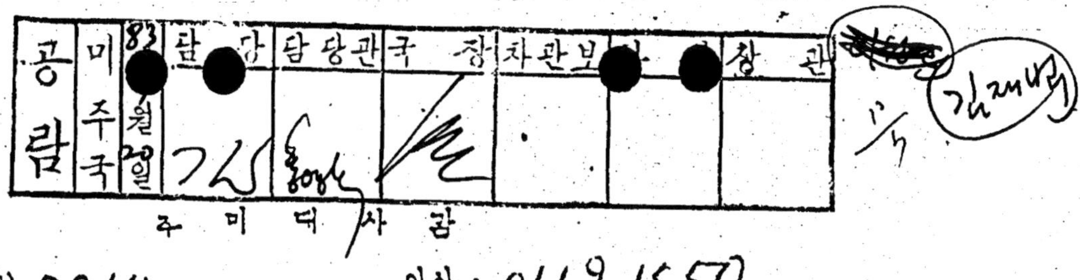
공람 | 미주국 | 83 1월 20일 | 담당 | 과장 | 국장 | 차관보 | 차관 | 장관
주 미 대 사 관

번호: USW(F)-0214
일시: 0119 1550
수신: 장관 (미북, 정문, 해신 .)
발신: 주미대사
제목: 아국 관계기사보고 (1/19)

South Korea to ease political blacklist

SEOUL, South Korea (AP) — President Chun Doo-hwan said yesterday that steps will be taken this year toward lifting a blacklist that bars more than 500 people from political activity in South Korea.

Chun also called again for summit talks between South and North Korea in a move aimed at eventual unification of the divided peninsula, and said he will intensify efforts to increase security ties with the United States.

Chun made his remarks in a State of the Nation address at a special session of the National Assembly.

There had been speculation that Chun might announce a partial lifting of the political blacklist following a December decision to free leading dissident Kim Dae-jung and 47 other dissidents in an amnesty covering 1,206 people.

While Chun did not go that far, he told the assembly "the time has come to consider the question of lifting the ban.

"I wish to make it clear that the initial step toward this end will be taken within this year and that further steps to lift the ban on the remaining persons will follow in due course," Chun said.

The political ban was imposed in November 1980, during the turmoil that followed the assassination of former President Park Chung-hee and the rise of Chun, a former career army officer, to the presidency.

The list originally numbered 835, but later was reduced to about 560. It includes many former politicians, among them Kim Young-sam, head of the now defunct opposition New Democratic Party, and Kim Jong-pil, ex-prime minister and leader of the onetime government Democratic-Republican Party.

Also banned from political activity through 1988 by the original edict were a number of former businessmen and some former military men.

Chun described his government's position on easing the political ban as intended to advance national cohesion and unity.

"In this spirit, I take note of the fact that the law that has banned political activities of certain categories of people does provide that if and when those affected exhibit a remarkable sense of repentance, the political ban on them may be lifted," he said.

He said objectives of the law are being attained, and "those restricted by it have begun to earnestly practice *self-restraint*."

Chun reiterated his call for a summit meeting with North Korea's Kim Il Sung after a review of the international scene, which he said is "marked by a steady increase in the number of countries that provoke conflicts with their neighbors on the slightest pretext."

He warned that if the trend is not reversed, the danger of global war will inevitably reach a flash-point.

"In particular," he said, "I want to urge North Korea to realize that their fantasy to communize us by force of arms, if persistently pursued, would provoke a war that would not only ravage the Korean peninsula but eventually the entire world."

Chun said a summit "must be held as quickly as possible; there must not and cannot be any precondition for a get-together of the two top leaders."

Chun originally called for summit talks with the North in January 1981, and repeated that call in June that year. Last year he followed up with a series of specific proposals for the talks.

Washington Times DA

South Korea to Let 557 Resume Political Life

SEOUL, South Korea—President Chun Doo Hwan said the government will lift the ban on political activity by 557 South Koreans.

The decision to allow the former politicians to gradually return to public life had been expected for more than a month. "I wish to make it clear that the initial step toward this end will be taken within this year and that further steps to lift the ban on the remaining persons will follow in due course," Mr. Chun said in a nationally televised address.

But it wasn't clear who will be allowed to resume political activity the earliest. Some of the politicians could present more opposition to Mr. Chun than others. Among the 557 are two people who were presidential candidates when Mr. Chun, then an army general, seized power in 1980.

Mr. Chun released 48 dissidents from prison last month. Among them was Kim Dae Jung, a former presidential candidate and a well-known oppositionist, who was allowed to go to the U.S.

WSJ 34면

미주, 정문, 문공, 정착, 경차, 외연, 장, 차, B, P, A 아주국 0154

Seoul Acting to End Political Ban

SEOUL, South Korea, Jan. 18 (UPI) — President Chun Doo Hwan said today that he would move to lift the ban on 567 politicians barred from politics two years ago.

In a nationally broadcast speech to the National Assembly, the former general said that some of the politicians he banned for seven years in 1980 had begun to practice self-restraint. "Accordingly, it has been determined that the time has come to consider the question of lifting the ban," he said.

"I wish to make it clear that the initial step toward this end will be taken within this year and that further steps to lift the ban on the remaining persons will follow in due course," he declared.

Move Aimed at Reconciliation

President Chun did not say which politicians would be affected by the plan in its initial phase, but Government sources indicated that about one-fourth of those barred from politics would have their rights restored this year. The ban affected most of the leading politicians of both the governing and opposition parties who were active during the rule of President Park Chung Hee.

The 52-year-old Mr. Chun warned that his move was meant only to promote national reconciliation rather than "tolerate a reversion to the old era." He was apparently referring to the unsavory political practices that prevailed under President Park's rule and the unrest in the period after Mr. Park's assassination, when South Korea was torn by student-led protests.

Mr. Chun, who seized control of the military in December 1980, was endorsed as chief of state by a hand-picked electoral college in August 1980. He blacklisted the 567 politicians during a "purification campaign" to clean up corruption and criminal elements that year.

The conciliatory gesture outlined today followed a Christmas amnesty for Kim Dae Jung, the leading opposition political figure, who is now in the United States for medical treatment, and other political prisoners.

The President also renewed his call for a meeting with the North Korean leader, Kim Il Sung, to talk about reuniting the two Koreas.

NYT
A3

Seoul to Ease Ban on Politicians

SEOUL—South Korean President Chun Doo Hwan said yesterday he would lift the ban on 567 politicians barred from politics two years ago.

In a speech to the National Assembly Chun said some of the politicians he banned for seven years in 1980 have begun to practice self-restraint.

"I wish to make it clear that the initial step toward this end will be taken within this year and that further steps to lift the ban on the remaining persons will follow in due course."

Government sources indicated about one-fourth of those barred from politics would have their rights restored this year.

efforts to negotiate an independence plan. Council chairman Dirk Mudge carried out his vow of last week to resign.

WP. A20

South Korea leader to reduce blacklist

SEOUL—President Chun Doo Hwan said Tuesday he would restore political rights to some of the 567 politicians he blacklisted two years ago. During a purification program in 1980, Chun stripped 567 of his countrymen—including his strongest opponents—from any role in South Korean politics. They were forbidden to engage in politics until 1987, unless legally reinstated. The president did not say which ex-politicians would be affected by his order, but government sources indicated about one-fourth of those blacklisted from political activity would be reinstated.

In a nationally televised speech to the National Assembly on his goals for 1983, Chun, 52, also renewed his call for a meeting with North Korean's Kim Il-sung to talk about reuniting the divided Korean peninsula.

Chicago Tribune
5면

0155

(별지 제2호서식)

협 조 문	응신기일 198 . . .
분류기호 및 문서번호 미북 700-44	제목 외국인 범법행위자에 대한 조치의뢰
수 신 구주국장	발신일자 : 1983 . 1 . 20 .

안전기획부는 별첨과 같이 76.11. 입국하여 82.12.24. 출국한 독일 노동협력성 직원 Albrcht Ernst Schnitter 가 80.5.18.부터 수사당국에서 전국에 공개 지명 수배한 김대중등 내란음모사건 관련 도피자 심재권을 은익하여 아국 형법을 위반한 사실을 적시하고 관계국, 주한대사관에 공식 항의 엄중 문제를 제기하고 본국에 보고 관련자에 대한 강력조치토록 요구할 것을 의뢰해 왔는바 적의 조치하시고 그 결과를 (당국) 당국에 통보해 주시기 바랍니다.

첨부 : 동공문 사본 1부. 끝.

미 주 국 장

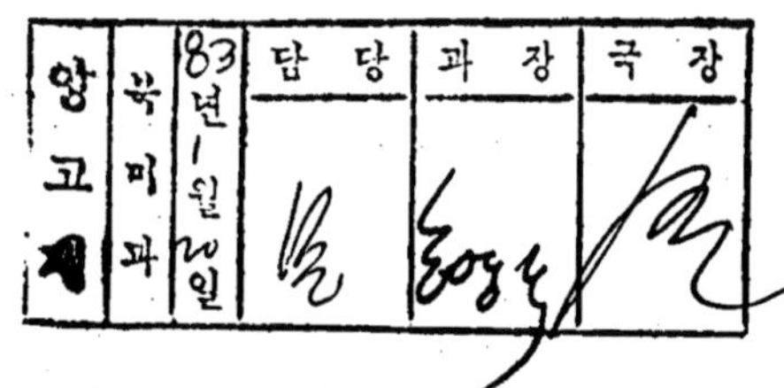

양 고 제	북미과	83년 1월 20일	담 당	과 장	국 장

0156

1205-8 A
1981. 12. 1승인

190mm×268mm (인쇄용지 (2급) 60g/m²)
조 달 청 (270,000매 인쇄)

(별지 제2호서식)

협 조 문	응신기일 198 . . .
분류기호 및 문서번호 구일720-25	제목 외국인 범법행위자에 대한 조치
수 신 미주국장	발신일자 : 1983 . 1 . 25 .

대 : 미북 700 - 44

대호, 독일인 Albrecht Ernst Schnitter 의 범법행위에 대한 당국 조치사항을 아래와같이 통보합니다.

= 아 래 =

"83.1.24 구주국장이 W.Eger 주한 독일대사를 면담, 동 독일인의 범죄사실을 통보하는 한편, 독일정부의 관용여권을 소지한 자가 김대중등 내란 음모사건과 관련하여 도피중이던 국사범을 은익, 방조한 사실에 대하여 엄중항의하고 본국에 귀국한 동인에 대하여 적절한 조치를 취해줄것을 요청하였음". 끝.

구 주 국 장 

0157

1205-8A
1981. 12. 1승인

190mm×268mm(인쇄용지(2급)60g/m²)
조 달 청 (270,000매 인쇄)

공 란

Albrecht Ernst Schnitter 범죄사항

1) 80.7.10 - 80.12.(약 5개월간) 당시 대한 선교회에서 활동중이던 미국인 선교사 "월터 라이스" 의 청탁으로 심재권이 내란음모사건 관련 도피범인 이라는 점을 알면서 체포를 면하게할 목적으로 서울 용산구 한남동 외인주택 단지내 소재 자기 거주 가옥에 은익하였음.

2) 심재권에게 도피자금 10만원을 지원한바 있음.

0159

면 담 요 록

1. 일 시 : 1983 년 1 월 25 일 (화요일) 14:00 시~ 14:15 시

2. 장 소 : 미주국장실

3. 면 담 자 :

박건우 미주국장

Blakemore 주한 미대사관 참사관

송영식 북미과장 (기록)

검토필(1983 . 6 . 30 .)

4. 내 용 :

미주국장 : 오늘 귀하를 이렇게 갑자기 초치하게 된것은 3명의 미국시민이 김대중등 내란음모사건관련 도피자 심재권을 동인이 80.5.18부터 수사당국에 의해 전국에 공개 지명 수배된 사실을 알면서 은익 또는 도피 방조하는등 대한민국 형법 제 151조를 위반한 사건을 통보하기 위한 것임.

대한민국 정부는 미국시민의 여사한 범법행위에 대해 엄중항의를 제기하는 바임. 관련자 3명중 국내 잔류자 1명에 대해서는 수사당국의 조사가 곧 시작될 것인바 수사결과는 추후 대사관에 통보될 것임. 한국 정부는 현재 미국에 체류중인 2명에 대해서도 미국 정부가 적절한 조치를 취할 것을 요청하는 바임.

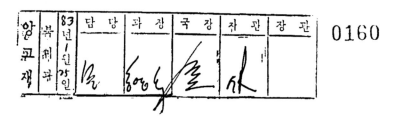

안보과재	북미과	83년 1월 25일	담 당	과 장	국 장	차 관	장 관
			(서명)	(서명)	(서명)	(서명)	

0160

여사한 사건에 미국인이 관련된 것을 본인도 매우 유감스럽게 생각하는 바, 동건은 상부에도 보고된 사항으로서 문제의 심각성을 감안 아측의 엄중항의를 지체없이 귀대사 및 본국정부에 보고해 주기 바람.

Blakemore: 미국인이 이러한 일에 개입되어서는 안된다는 귀견에 동의함. 매우 유감스러운 사건으로서 즉시 돌아가 동건에 관한 긴급회의를 개최하겠음. 대공사가 시간이 맞지않아 본인이 대리로 오게된 것을 양해해 주기 바람.

첨부 : 아측 수교자료 1부. 끝.

일반문서로 재분류 (1983.12.31.)

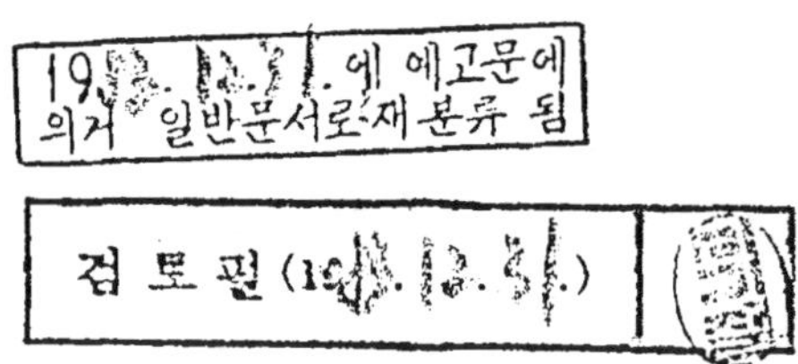

0161

1. The following three Americans have violated Article 151 of the Criminal Law of the Republic of Korea by hiding Mr. Shim Jae Kwon, a fugitive related to the Kim Dae Jung sedition plot case, and aiding him to escape even they have been aware that Mr. Shim had been wanted openly throughout the country by the Korean investigation authorities since May 18, 1980.

0162

2. In this regard, Government of the Republic of Korea lodges strong protest against such illegal activities committed by US citizens and informs the Government of USA that the Korean prosecution authorities will investigate Mr. Ferrara who now resides in Korea. Results of investigation will be transmitted to US Embassy upon its completion.

3. Also, the Government of the Republic of Korea request the Government of the United States of America to take appropriate actions on Mr. Rice and Mr. Sommerville who are now in the United States.

0163

Charged Offences

1. Mr. Ralph Jerry Ferrara has concealed the fugitive Shim at the former's residence from May 18 to July 10, 1980 (54 days) for the purpose of interfering the arrest of Mr. Shim.

2. Mr. Walter R. Rice has harbored Mr.Shim at the former's residence from early December, 1980 to Frbruary 2, 1982 (about 14 Months) for the purpose of interfering the arrest of Mr. Shim.

3. Mr. John Nottingham Somerville has concealed Mr. Shim at the former's residence from February 20, 1982 to July 5, 1982 (4 months and 15 days) for the purpose of interfering the arrest of Mr. Shim.

0164

중앙일보 83.2.2

金大中사건 관련

沈載權씨를 석방

서울지검공안부는 1일 金大中씨 사건과관련, 지난달 구속했던 전서울大생 沈載權씨(37·당시경제과4년)를 구속 28일만에 석방했다.

0165

외 무 부 착신전보

번 호 : USW-221 일 시 : 01191622 종 별 :

수 신 : 장 관 (미북)

발 신 : 주 미 대사

제 목 : 인권 기관 문의사항 설명

원 본

대 : 미북 700-2194 (82.12.28)

연 : USW-11193

노공사는 금 1.19.(수) 11:00-13:00 시 연호 YOUNG- ANAWATY 를 당관에서 면접, 대호 자료에 따라 동인의 문의 사항에 대해 설명, 올바른 인식을 가지도록 조치 하였음.

끝.

미주국 정차보 청와대 안 기

PAGE 1

0166 83.01.20 08:40 외신 1과 통제관

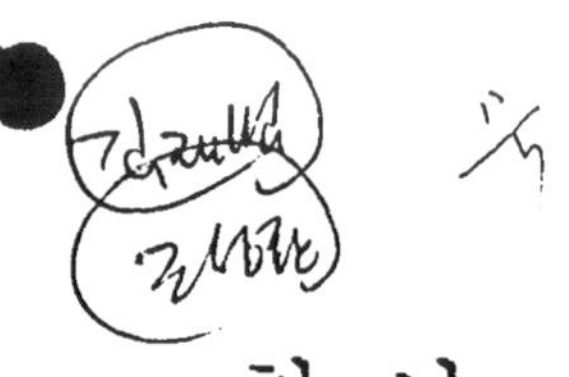

외 무 부 착신전보

번 호 : NYW-236 일 시 : 02261400 종 별 :

수 신 : 장 관(해신,해기,정문)

발 신 : 주 뉴욕 총영사(문)

제 목 : 해금 조치 기사 보고(1)

대: AO-11

1. 정치 규제자 해금 조치 관계 기사 다음과 같이 보고 함.

가. 외신

1) NEW YORK TIMES(2.26PE NRON4 COL X 3+ 크기)

제목: SOUTH KOREA LIFTS POLITICAL BAN ON 250

내용: 동경 2.25발 SPECIAL TO THE N.Y.T. 기사로 250 명 해금 내용과 김대중, 김영삼 등 305명 제외 관계 기사임.

또한 동 기사는 김대중과 김영삼의 현재 상황을 부연하고있음.

나. 교포 메디아

1) 한국일보(1.24자 1면톱)

제목: 일부 구정치인 해금 부제: 이효상, 윤제술씨등 250명, 전직 의원은 69명 김대중, 김영삼, 김종필씨등은 포함되지 않아

2) 매일신문(1.25자 1면톱)

제목: 정치 규제자중 4백 50명, 3.3일 기해 해금될듯

부제: 제5공화국 출범 2주 맞아, 정일권, 박종규씨 포함.

김종필씨는 제외

3) 대한 일보(1.25자 1면톱)

제목:활동규제 정치인 80 프로에 복권 조치

부제: 정부, 전대통령취임 2주년 기해 내주초 4백 50명 풀듯. 학원 데모로 구속중인 학생도 절반 석방예정 김종필씨는 제외될듯.

문공부 차관실 ~~국조실~~ 정문국 청와대 안 기

PAGE 1

공람	83. 2. 28	담 당	과 장	국 장	차 관	장 관

0167

83.02.27 10:32

외신 1과 통제관

주 미 대 사 관

번호: USW(F)- 697 일시: 02271046

수신: 장관 (미북, 해신) 발신: 주 미 대 사

제목: 야당정치 규제자 해금 관계 기사

W.P (2.26)

South Korea Lifts Ban Affecting 250 Politicians

By Young H. Lee
Special to The Washington Post

SEOUL, Feb. 25—The government of South Korean President Chun Doo Hwan, in an apparent bid to consolidate its power base at home and enhance its image internationally, today lifted restrictions on 250 politicians who were purged in a 1980 crackdown.

The government said Chun had decided to restore the political rights of the 250 because they had demonstrated repentance for past activities. In recent months, members of Chun's Democratic Justice Party and opposition politicians have called for relaxation of the political climate.

The presidential amnesty included no prominent political figures. Former premier Kim Chong Pil and Kim Young Sam, former leader of the opposition New Democratic Party, presumably will remain subject to the ban, along with Lee Hu Rak, ex-head of the Korean Central Intelligence Agency, and Chung Il Kwon, who previously served as chairman of the South Korean National Assembly.

The ban was imposed under a law enacted in 1980 that, in effect, barred 567 politicians from taking part in national political life until June 1988. It followed a military crackdown that brought Chun and his military colleagues to power three years ago in the wake of political turmoil triggered by the assassination of then-president Park Chung Hee in October 1979.

Observers here said today's action reflects the increasing confidence of Chun and his desire to help promote political stability by gradually easing iron-clad political controls. They suggested that the government also is hoping to enhance its image abroad in advance of the summit of nonaligned nations in New Delhi in March and a meeting of the Inter-Parliamentary Union scheduled to be held in Seoul later this year.

Among those freed from restrictions today were Shin Bum Shik, minister of culture and information under Park; Kim Kyong In, ex-member of the opposition Unification Party; and Yu Hyuk In, political secretary to Park.

Chun is believed to be considering restoration of political rights of remaining political figures affected by the ban, but there was no indication of when such action might take place, sources said.

An official of the opposition Democratic Korea Party, who did not want to be named, said today's move is "just a gesture by Chun to show off his 'attempts at restoring' political stability."

Washington Post correspondent Tracy Dahlby in Tokyo contributed to this article.

N.Y.T. (2.26)

South Korea Lifts Political Ban on 250

Special to The New York Times

TOKYO, Feb. 25 — President Chun Doo Hwan today lifted a ban on political activity by 250 prominent South Koreans, but he kept the eight-year-old ban in force for 305 others, including two opposition leaders, Kim Dae Jung and Kim Young Sam.

A Government spokesman in Seoul said the 250 people who may now participate in politics include sick or elderly people and others "with little responsibility for irregularities in the nation," apparently meaning a record of opposition to the army-backed Government of Mr. Chun.

But Mr. Chun showed no sign of allowing his chief former rivals in politics back into the arena. Kim Dae Jung was freed and went to the United States for medical treatment in December, and Kim Young Sam is under house arrest in Seoul and is permitted no visitors but members of his family.

0168

공람	미주국	83년 2월 28일	담 당	과 장	국 장	차 관	장 관

외 무 부 착신전보

번 호 : USW-695

종 별 : 원 본

수 신 : 장 관 (송영식 북미과장)

발 신 : 주 미 대사 (변종규)

제 목 :

금번 정치활동 금지해제될 인사 250 명 명단 타전 앙망함.

끝.

미주국

PAGE 1

0163 83.02.28 09:54
외신 1과 통제관

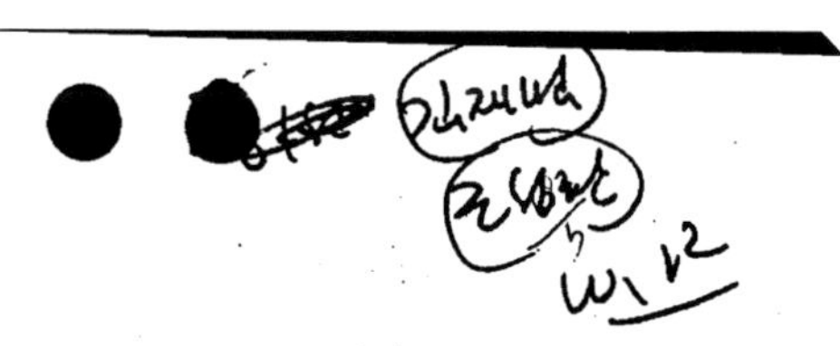

외 무 부 　　착신전보

번 호 : CGW-88　　　　일 시 : 02251615　　　　종 별 :

수 신 : 장 관

발 신 : 주 시카고 총영사

제 목 : 구정치인 복권

2.26. 자 시카고 선타임스지는 2.2.5 전두환 대통령 각하께서 1980년 이래 한국의 정치풍토를 쇄신시키기 위하여 정치활동이 금지된 약 600명을 구정치인들 중 250명을 동 금지명단에서 해제 시켰다고 보도함.

(정문, 미북, 해공)

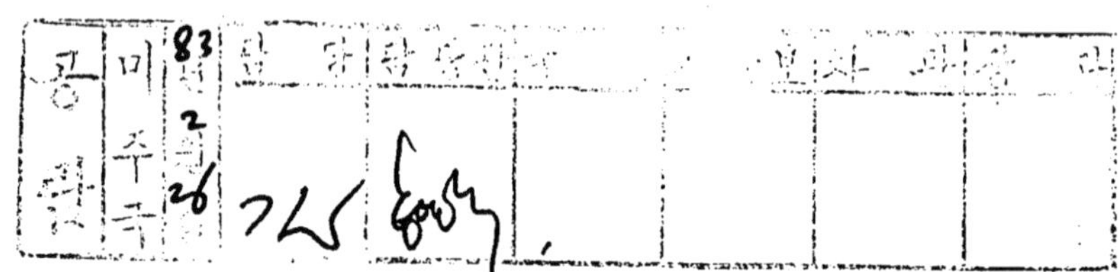

정문국　미주국　청와대　안 기　문공부

PAGE 1　　　0170　　83.02.29 10:32
외신 1과 통제관

외 무 부 착신전보

번 호 : CGW-92 일 시 : 02281630 종 별 :

수 신 : 장 관 (정문,정일,미북,해공) (사본:주미대사) - 직송필

발 신 : 주시카고 총영사

제 목 : 정치활동 금지면제 홍보

대: WCG-49

연: CGW-88

대호 구정치인 규제 해제와 관련 연호 시카고 선타임스지 보도에 이어 당지 교포신문 25 및 26 양일에 걸쳐 각기 아래 제목으로 1면에 크게 보도함.

1. 한국일보 시카고판 +구정치인 250명 해금+
 - 한국정부, 국내 긴장 완화돼 25일 정오 기해
 - 윤제술, 조시형씨등 전직 국회의원 69명 포함
 - 김영삼, 김대중, 김종필, 정일권씨등은 제외
 - 김영삼씨 정부조치에 무관심 표명
2. 중앙일보 시카고판
 - 정치규제자 3월초 풀어
 - 정치규제자 250명 풀어
 - 김영삼,김종필씨 제외, 2년만에 처음으로

끝.

83
3
1

정문국 미주국 청와대 안 기 문공부 보안사

PAGE 1

0171 83.03.01 15:23
외신 1과 통제관

038547 기 안 용 지

분류기호 문서번호	미북 700-	(전화번호)	전결규정 조 항 전결사항
처리기간		장 관	
시행일자	1983.10.19.		
보존년한			

보조기관			
국 장	전결	협	
과 장			
기 안 책 임 자	김재범	북 미 과	

발수송 1983.10.20 외무부

검열 1983.10.20 통제관

경 유	
수 신	법무부장관
참 조	검찰국장
제 목	진정서 이첩

미국 워싱턴시에 거주하는 Margaret O. Berthoff 씨는 집회 및 시위에 관한 법률위반 혐의로 성균관대학교 학생 9명과 함께 83.3.24. 서대문 구치소에 수감된 김태영 (수감자 번호 : 149) 이 체포후 고문을 받았다는 소식을 들었다면서 정당한 재판을 받도록 조치해 달라는 내용의 진정서한을 보내왔는 바, 동서한을 별첨 이첩하오니 적의 처리하여 주시기 바랍니다.

첨 부 : 상기 서한. 끝.

9.23 징역 2년6월

검찰 3과 이종호

정서 / 관인 / 발송

0172

0201-1-8A(갑) 1969. 11. 10. 승인 정직 질서 창조 190mm×268mm(2급인쇄용지 60g/m²) 조 달 청

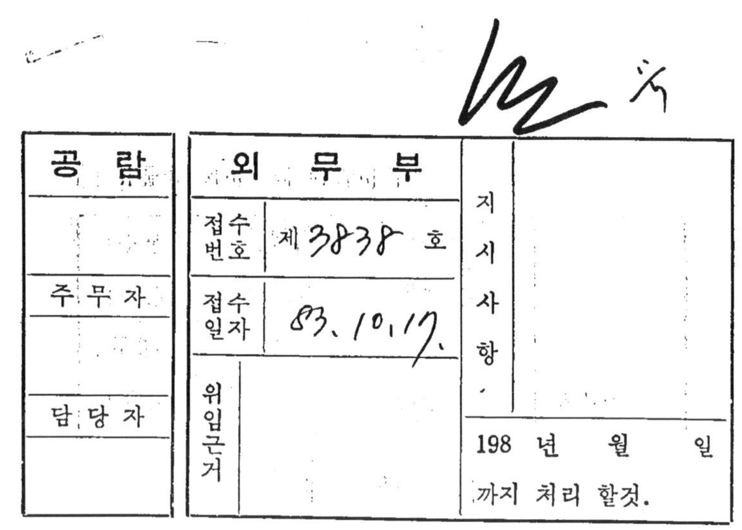

공람	외 무 부		지시사항
	접수번호	제 3838 호	
주무자	접수일자	83. 10. 17.	
	위임근거		198 년 월 일
담당자			까지 처리 할것.

0173

배 부 처

기획실		구주국		경제국		총무과	
의전장실		중동국		정문국			
아주국		아프리카 국		영교국			
미주국	O	국제기구 조약국		외연원			

□ 사본은 지역국에 배부바람.

173-1

0173

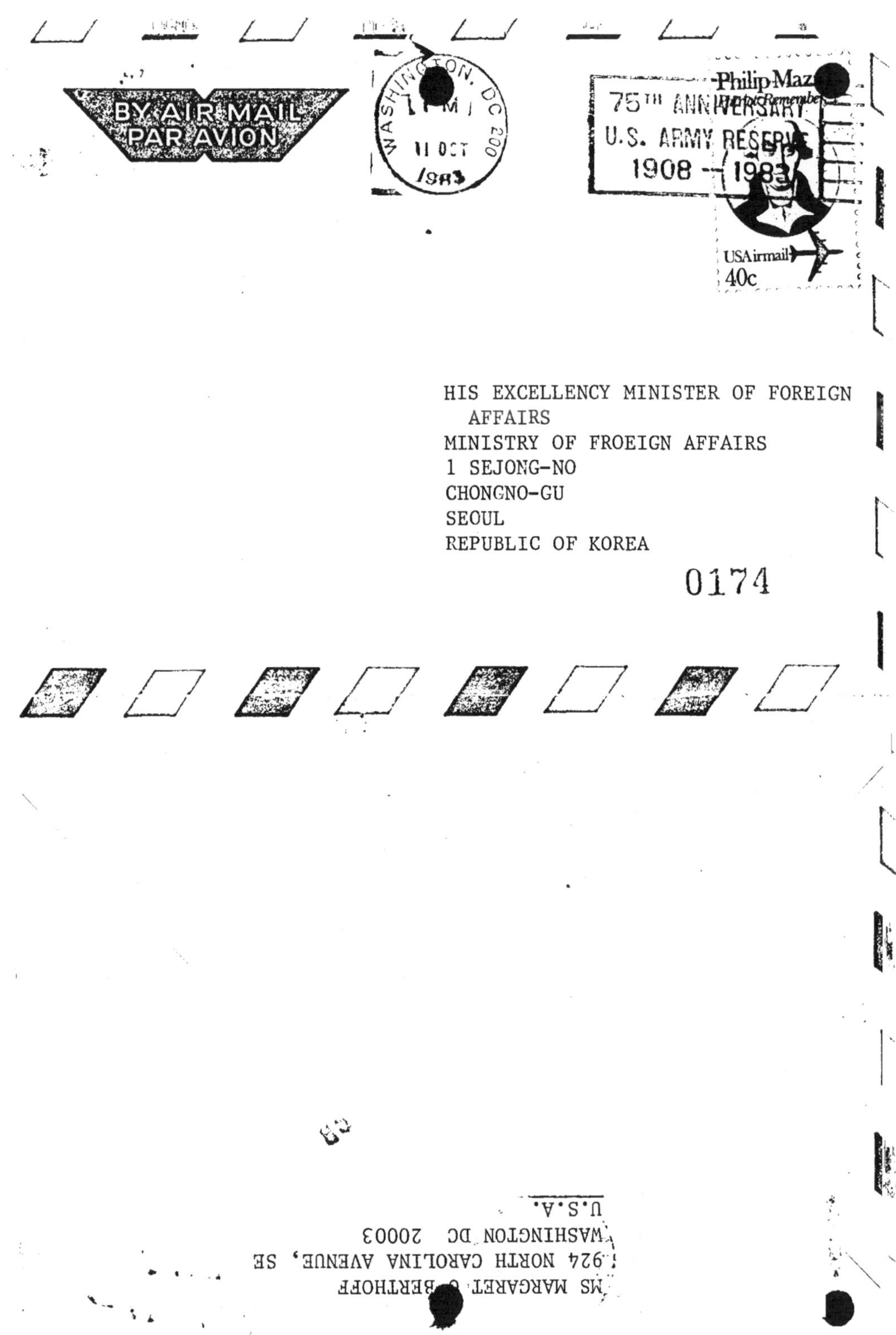

BY AIR MAIL
PAR AVION

WASHINGTON, DC 200
PM
11 OCT
1983

75TH ANNIVERSARY
U.S. ARMY RESERVE
1908 - 1983

Philip Mazzei
Patriot Remembered
USAirmail
40c

HIS EXCELLENCY MINISTER OF FOREIGN
AFFAIRS
MINISTRY OF FROEIGN AFFAIRS
1 SEJONG-NO
CHONGNO-GU
SEOUL
REPUBLIC OF KOREA

0174

MS MARGARET O BERTHOFF
924 NORTH CAROLINA AVENUE, SE
WASHINGTON DC 20003
U.S.A.

7½

Ms. Margaret Olivia Berthoff
924 North Carolina Avenue, S.E.
Washington, DC 20003

October 3, 1983

His Excellency Foreign Minister
Ministry of Foreign Affairs
1 Sejong-no
Chongno-gu
SEOUL
Republic of Korea

Your Excellency,

I am writing to you with great concern regarding the prisoner KIM TAE-YOUNG, who was arrested on March 24, 1983, at Sungkyungkwan University, along with nine other students. He was charged with violating the Law on Assemblies and Demonstrations. KIM TAE-YOUNG is presently imprisoned at the Sudaemoon Detention Centre, 101 Hyunjo-dong, Sudaemoongu, SEOUL, 120. His prisoner number is 149.

As a member of Amnesty International (an independent worldwide movement that works for the release of all prisoners of conscience, fair trials for political prisoners, and the abolition of torture and the death penalty) I am deeply distressed about the imprisonment of KIM TAE-YOUNG - prisoner 149 - because he has been arrested for exercising his right to freedom of expression in a non-violent manner. I am also concerned because of reports that KIM TAE-YOUNG along with other prisoners, may have suffered torture following their arrest. This comes as very saddening news.

As you know, your government has publicly stated that it seeks respect for universal human rights, and your country has had high judicial standards. Respectfully I would ask you to recall Article 20(1) of the Constitution of The Republic of Korea (1980):

> "All citizens shall enjoy freedom of speech and
> the press, and freedom of assembly and association"

Therefore, I urge you to do everything in your power to insure that KIM TAE-YOUNG, prisoner number 149 of Sudaemoon Detention Centre, be given a trial that conforms to international human rights standards, or be released without delay.

Yours Respectfully and Sincerely

Margaret O. Berthoff

Margaret O. Berthoff

P.S. A copy of this letter has been forwarded to the Ambassador to the United States, Mr. Duiong Hion-lew.

0175

3. 광주사건 관련자 이신범, 1982-84

0176

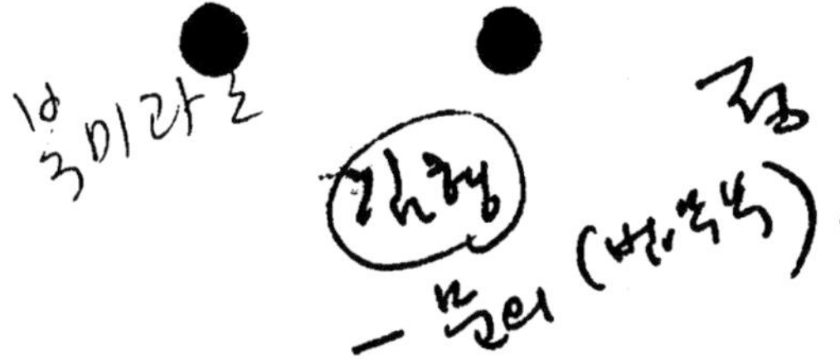

주 라 성 총 영 사 관

주라성 720-238 1982.2.11.

수신 : 장 관

참조 : 영사교민국장, 미주국장

제목 : 이신범의 현황 문의 진정

1. 당지 캘리포니아 주의회 의원으로서 그동안 한인사회를 위하여 많은 공헌을 하여왔고 당관과도 친교가 두터운 MIKE ROOS 의원이 별첨 진정서한을 당관에 보내 왔읍니다.

2. 동 서한에 의하면 1981.6 김대중 사건으로 체포되어 9년 형기로 진주 형무소에서 복역중인 이 신범에 관하여동인의 건강과 현황을 물어 왔는 바, 동건에 관하여 조회후 회시 바랍니다.

3. 동 의원에 대하여는 파우치 왕래 시간이 있으므로 본건 회보에 시간이 다소 소요될 것이라고 말해 두었음을 첨언합니다.

첨 부: 동 서한 사본 1부. 끝.

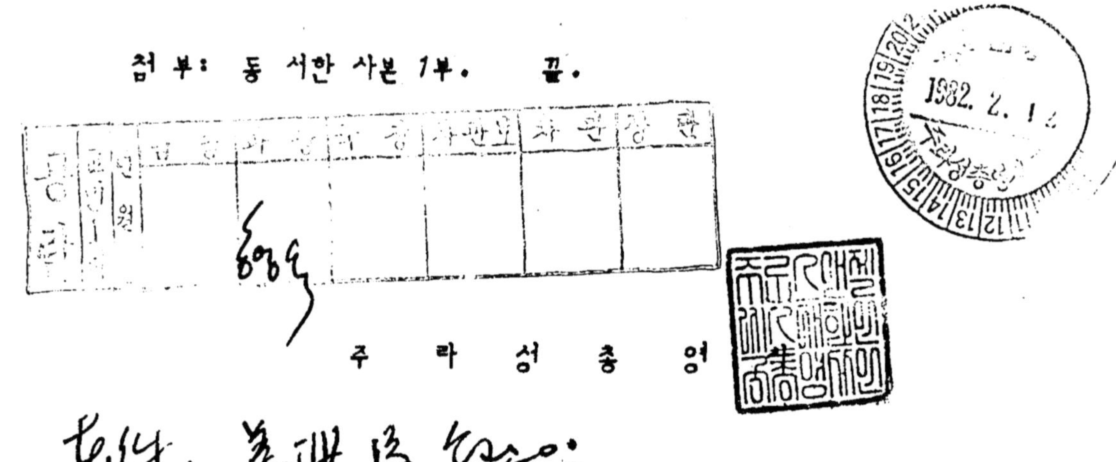

주 라 성 총 영

0177

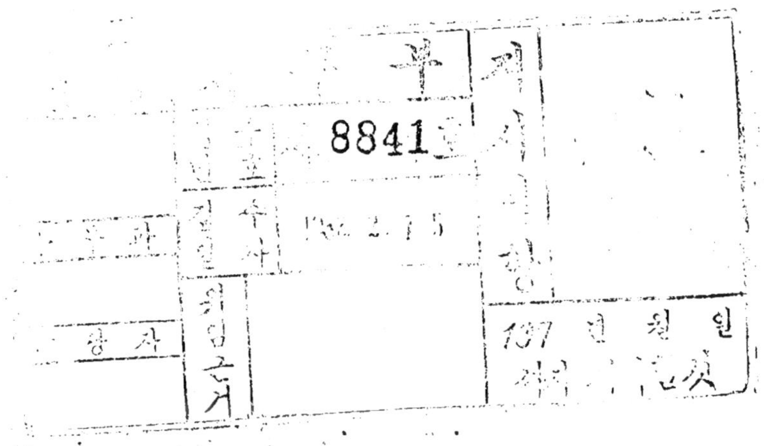

0178

SACRAMENTO ADDRESS
STATE CAPITOL
SACRAMENTO 95814
(916) 445-7644

DISTRICT OFFICE ADDRESS
600 SO. NEW HAMPSHIRE AVE.
LOS ANGELES, CA 90005
(213) 386-8042

Assembly
California Legislature

COMMITTEES:
ELECTIONS AND REAPPORTIONMENT
GOVERNMENTAL ORGANIZATION
HOUSING AND COMMUNITY DEVELOPMENT
UTILITIES AND ENERGY
JOINT LEGISLATIVE ETHICS COMMITTEE
POLICY RESEARCH MANAGEMENT COMMITTEE
SELECT COMMITTEE ON MASS TRANSIT
SELECT COMMITTEE ON
ENERGY ALTERNATIVES IN AGRICULTURE

MIKE ROOS
MAJORITY FLOOR LEADER
ASSEMBLYMAN, FORTY-SIXTH DISTRICT

January 15, 1982
Los Angeles

Min Soo Park
Korean Consul General
5455 Wilshire Boulevard
Los Angeles, CA 90036

Sir:

A constituent has contacted my office and expressed concern regarding the health and overall well being of a Mr. Shin Bom Lee.

Mr. Lee is currently serving a 9 year prison term in relation to the Kim Dae Tung incident of last June, 1981. I would greatly appreciate your inquiring into his present health and status at Jin Ju Penitentiary.

If you have any further questions, please do not hesitate to call me.

Respectfully yours,

MIKE ROOS

MR:dp:c

0179

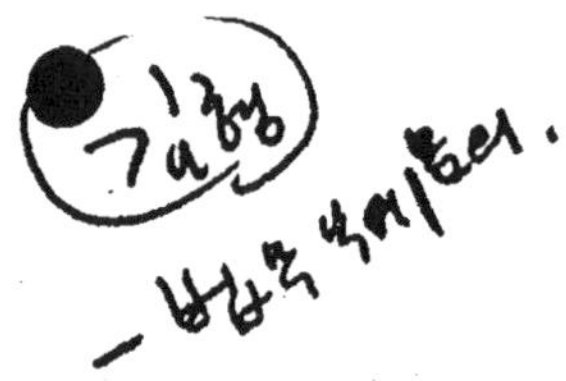

주 라 성 총 영 사 관

주라성 720-238　　　　　　1982.2.11.

수신 : 장　관

참조 : 영사교민국장, 미주국장

제목 : 이신범의 현황 문의 진정

1. 당지 캘리포니아 주의회 의원으로서 그동안 한인사회를 위하여 많은 공헌을 하여왔고 당관과도 친교가 두터운 MIKE ROOS 의원이 별첨 진정서한을 당관에 보내 왔읍니다.

2. 동 서한에 의하면 1981.6 김대중 사건으로 체포되어 9년 형기로 진주 형무소에서 복역중인 이 신범에 관하여동인의 건강과 현황을 물어 왔는 바, 동건에 관하여 조회후 회시 바랍니다.

3. 동 의원에 대하여는 파우치 왕래 시간이 있으므로 본건 회보에 시간이 다소 소요될 것이라고 말해 두었음을 첨언합니다.

첨부: 동 서한 사본 1부. 끝.

주 라 성 총 영

0180

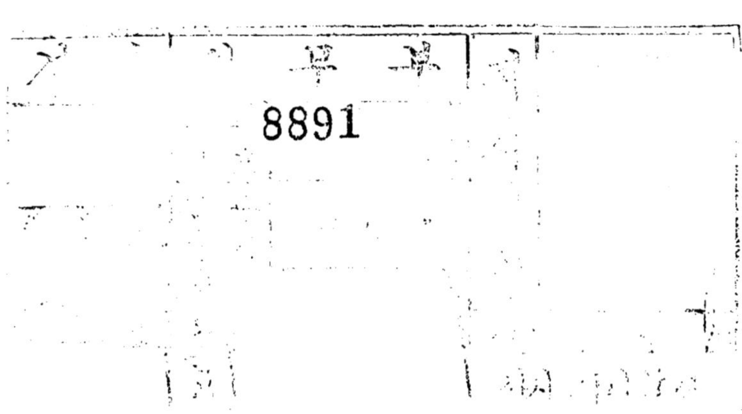

0181

SACRAMENTO ADDRESS
STATE CAPITOL
SACRAMENTO 95814
(916) 445-7644

DISTRICT OFFICE ADDRESS
600 SO. NEW HAMPSHIRE AVE.
LOS ANGELES, CA 90005
(213) 386-8042

Assembly
California Legislature

COMMITTEES:
ELECTIONS AND REAPPORTIONMENT
GOVERNMENTAL ORGANIZATION
HOUSING AND COMMUNITY DEVELOPMENT
UTILITIES AND ENERGY
JOINT LEGISLATIVE ETHICS COMMITTEE
POLICY RESEARCH MANAGEMENT COMMITTEE
SELECT COMMITTEE ON MASS TRANSIT
SELECT COMMITTEE ON
ENERGY ALTERNATIVES IN AGRICULTURE

MIKE ROOS
MAJORITY FLOOR LEADER
ASSEMBLYMAN, FORTY-SIXTH DISTRICT

January 15, 1982
Los Angeles

Min Soo Park
Korean Consul General
5455 Wilshire Boulevard
Los Angeles, CA 90036

Sir:

A constituent has contacted my office and expressed concern regarding the health and overall well being of a Mr. Shin Bom Lee.

Mr. Lee is currently serving a 9 year prison term in relation to the Kim Dae Tung incident of last June, 1981. I would greatly appreciate your inquiring into his present health and status at Jin Ju Penitentiary.

If you have any further questions, please do not hesitate to call me.

Respectfully yours,

MIKE ROOS

MR:dp:c

0182

기안용지

분류기호 문서번호	미북 700-	(전화번호)	전결규정 조 항 전결사항
처리기간		국 장	
시행일자	1982.3.4.		
보존년한			
보조기관	과 장		협 조
기안책임자	김형국	북 미 과	

경 유	
수 신	법무부장관
참 조	교정국장
제 목	수감자 문의

1982. 3. 5 의무과

1982. 3. 05 통제

Mike Roos 캘리포니아 주 의회의원은 82.1.15자 별첨 서한을 통해 김대중 사건 관련자 이신범의 건강 및 현황을 주타성 총영사관에 문의해 왔는 바, 동 질의에 적절히 회신할 수 있도록 필요한 자료를 당부로 송부하여 주시기 바랍니다.

첨 부 : 동서한 1부. 끝.

정서

관인

발송

0183

0201 - 1 - 8 A(갑)
1969. 11. 10. 승인

정직 질서 창조

190㎜×268㎜ (2급인쇄용지 60g/m²)
조 달 청(3,000,000매 인 쇄)

기안용지

분류기호 문서번호	미북 700-	(전화번호)	전결규정 조 항 전결사항
처리기간		국 장	
시행일자	1982.2.18.		
보존년한			
보조기관	과 장		협조
기안책임자	김형국	북미과	
경유 수신 참조	국방부장관		
제목	수감자 문의		

Mike Roos 캘리포니아 주의회의원은 82.1.15자 별첨 서한을 통해 김대중 사건 관련자 이신범의 건강 및 현황을 주라성 총영사관에 문의해 왔는 바, 동질의에 적절히 회신할 수 있도록 필요한 자료를 당부로 송부하여 주시기 바랍니다.

첨부 : 동 서한 1부. 끝.

0184

0201 - 1 - 8 A(갑)
1969. 11. 10. 승인

정직 질서 창조

190mm×268mm (2급인쇄용지 60g/m²)
조 달 청(3,000,000매 인 쇄)

이 신 범

- 나 이 : 35세
- 학 력 : 서울법대 재학중 제적
- 김대중 사건 연루자로서 80년 7월 9일 내란음모죄로 구속되어 8년형을 선고받고 복역중 82.12.24 특사로 석방됨.
- 83.2.17 신병치료차 도미
- 미국내에서 반정부 활동 계속중

0185

관리번호 82-501

외 무 부

원 본

착신전보

번 호 : USW-04036 　　일 시 : 021649 　　종 별 :

수 신 : 장 관 사본: 류병헌 대사

발 신 : 주 미 대사

제 목 :

공람	미주국	82년 4월 3일	담 당	담당관			차 관	장 관

금 4.2 (금) 하원 외무위 인권소위의 FATEMI 전문 위원은 진주교도소에 수감중인 이신범 (김대중 사건 연류자) 이 다친 목과 척추치료를 교도소 당국에 단식 으로 요구한 결과 일시치료 혜택은 받았으나 아직 충분한 치료를 받지 못하여 다시 단식 으로 들어갔다는 제보가 있다고 당관에 통보해 오면서 사실 여부와 신상을 문의하여 왔는바 가능한 조속 회신바람.

(미북)

예 고 : 82.12.31. 까지

1982.12.31.에 예고문에 의거 일반문서로 재분류 됨

검토필(1982.6.30)

미주국 정치정보국 BA 대사

0186

PAGE 1

82.04.03 12:48
외신 2과 통제관

82-505

기안용지

분류기호 문서번호	미북 700-565	(전화번호)	전결규정 조 항 전결사항
처리기간		국 장	
시행일자	1982.4.6.		
보존년한			

보조기관	과 장			협조		
기안책임자	김재범	북미과				

경유 수신 참조	법무부장관	발신	1982.4.6. 외무부	통제	1982.4.6 외무부
제목	구속자 현황 문의				

미하원 외무위원회 인권소위원회 Fariborz S. Fatemi 전문위원은 김대중 사건 관련 진주교도소에 수감중인 이신범이 부상한 목과 척추 치료를 교도소 당국에 요구하기 위해 단식한 결과 일시적 치료 혜택은 받았으나 충분치 못하여 재차 단식에 들어갔다는 소식이 있었음을 82.4.2. 주미 대사관에 통보해옴과 동시 이의 사실여부와 실상을 문의하여 왔으니 이에 대한 답변자료를 조속 회보하여 주시기 바랍니다. 끝.

4.9 保安課 金係長에게 독촉

0187

정서 관인 발송

0201-1-8A(갑) 1969. 11. 10. 승인

정직 질서 창조

190mm×268mm(2급인쇄용지 60g/m²) 조달청(3,000,000매 인쇄)

(긴재) 원 본

관리번호	82-567

외 무 부 착신전보

번 호 : USW-04172 일 시 : 151640 종 별 :

수 신 : 장 관

발 신 : 주미대사

제 목 :

고	미	82년	담 당	과 장	국 장	차관보	차 관	장 관
람	주	4월						
	국	16일	725					

연: USW-04036

1. 하원 외무위 인권소위의 FATEMI 전문위원은 당관에 이신범에 관하여 재문의해 왔으며, 상원 CLAIBORNE PELL 외무위원과 하원 RONALD V. DELLUMS 군사위원도 동인에 관하여 문의하는 공한을 보내왔는바 연호건 가능한한 조속 회신하여 주시기 바람.

2. 탐문한바에 의하면 이신범의 처가 미국에 거주하고 있다고하며, 동인이 의회당 각계에 이신범에 대한 관심을 촉구하고 다니는 것으로 알려져 있음을 참고 바람

(미북)

예 고: 1982.12.31. 까지

1982.12.31.에 예고문에 의거 일반문서로 재분류 됨

4/16 720-3278, 4917, 4974
法務部保安課 金주천 係長에게 再督促

미주국 정차보 정문국 청와대 안기 보안사

0188

PAGE 1

82.04.16 13:51
외신 2과 통제관

82-56p

기안용지

분류기호 문서번호	미북 700-651	(전화번호)	전결규정 조 항 전결사항
처리기간		국 장	
시행일자	1982.4.16.		
보존년한			
보조기관 과 장		협조	
기안책임자	김재범	북미과	
경유 수신 참조	법무부장관	발송 82.4.17 외무부	통제 검열 1982.4.17 외무부
제 목	구속자 현황 재문의		

연 : 미북 700-565 (82.4.6)

1. 주미대사 보고에 의하면, 미상원 외교위원회 Claiborne Peil 의원 (민주당, 로드아일란드주)과 하원 군사위원회 Ronald V. Dellums 의원 (민주당, 캘리포니아주)도 이신범에 관한 문의서한을 주미대사에게 보내왔으며 하원 외무위원회 인권소위원회 Fariborz S. Fatemi 전문위원으로부터 동건에 관한 문의가 재차 있었다 하니, 연호 답변자료를 조속 송부하여 주시기 바랍니다.

0189

2. 이와관련, 이신범의 처가 현재 미국내에 거주하면서 의회등 각계에 남편에 대한 관심을 촉구하고 있다함을 참고하시기 바랍니다.

~~4.16 保安課 金주한 係長 安企部 [illegible]~~
4.20 金係長에게 再督促 끝.

정서 관인 발송

0201-1-8A(갑) 1969. 11. 10. 승인

정직 질서 창조

190mm×268mm (2급인쇄용지 60g/m²) 조달청(3,000,000매 인쇄)

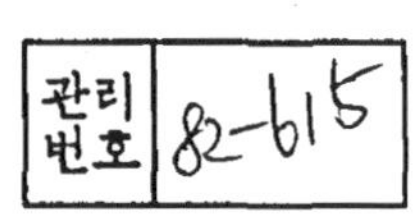

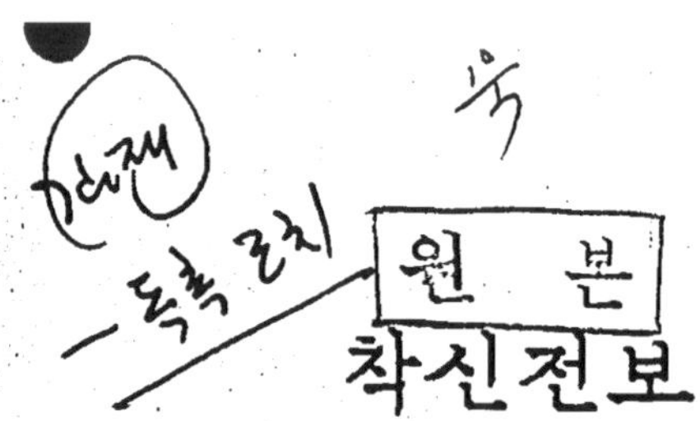

외 무 부

번 호 : USW-04286 일 시 : 231150 종 별 :

수 신 : 장 관 사본: 류병현 대사

발 신 : 주 미 대사 대리

제 목 : 이신범 관계

연 : USW-04036, 04172

1. 연호 이신범에 관하여 당관으로서는 동인이 고도소 당국으로 부터 충분한 치료를 받지못하고 있다는 주장은 사실과 다르다는 것을 우선 설명하고, 자세한 내용은 본부의 회신을 접하는대로 알려주겠다고 해두었음.

2. 동건에 관하여는 의회및 AMNESTY INTERNATIONAL 등에서 관심이 커지고 있으며 의회내에서 소위 + 인권문제+ 로 확대될 조짐마저 있으니, 이를 막기 위해서 적절한 해명자료를 조속 송부해 주시기 바람.

3. 동인에 관한 문의공한 (PELL 상원외무 위원, DELLUMS 하원군사위원및 EDWARDS 하원 법사위원) 사본은 파편 송부하겠음

(미북)

예 고 : 1982.12.31. 까지

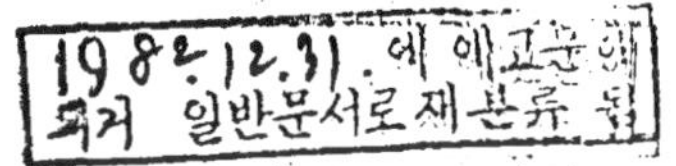

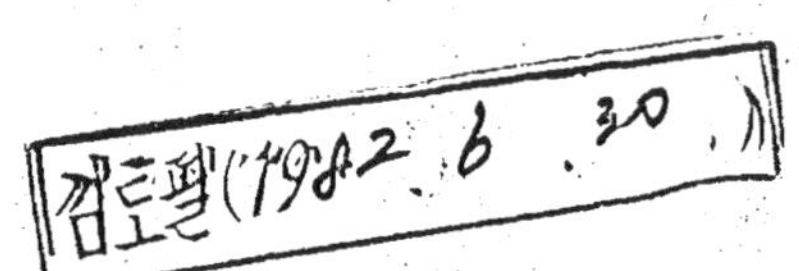

미주국 정차보 정문국 청와대 안 기 보안사 0190

PAGE 1

82.04.24 09:22
외신 2과 통제관

관리 82-623

기안용지

분류기호 문서번호	미북 700-	(전화번호)	전결규정 조 항 전결사항
처리기간		국 장	
시행일자	1982.4.26.		
보존년한			
보조기관	과 장		협조
기안책임자	김재범	북미과	
경유 수신 참조	법무부장관	발송 1982. 4. 26 외무부	통제 검열 1982. 4. 26
제 목	구속자 현황 회보 독촉		

연 : 미북 700-565 (82.4.6), 569(82.4.16)

주미대사는 별첨 전문과 같이, 이신범의 근황에 관한 미의회 및 국제사면위등의 관심이 증대하고 있고 의회내에서 소위 "인권문제"로 확대될 조짐이 있어 적절한 해명자료를 재요청해 왔으니 동자료를 조속 회보하여 주시기 바랍니다.

첨부 : 상기 전문 사본 1부. 끝.

4. 28 검찰 係長에게 독촉

5. 4 " " " "

0191

0201-1-8A(갑) 1969. 11. 10. 승인 정직 질서 창조 190㎜×268㎜(2급인쇄용지 60g/m²) 조달청(3,000,000매 인쇄)

정서 관인 발송

이신범 현황 문의

ㅇ 4.3. 주미대사의 보고에 따라 법무부 보안과에 문의공문 발송
  - 미하원 외무위 인권소위 "파테미" 전문위원이 이신범의 단식사실 여부와 실상문의

ㅇ 4.16. 주미대사의 재보고에 따라 법무부에 재문의 공문발송
  - 미상원 "펠" 의원 및 하원 "델럼즈" 의원이 이신범에 관한 문의서한을 주미대사에게 송부
  - "파테미" 전문위원도 재문의
  - 이신범의 처가 미국내에 거주하면서 의회등 각계에 관심 촉구중

ㅇ 4.26. 주미대사의 3차 보고에 따라 법무부에 독촉공문 발송
  - 미의회 및 국제사면위등의 관심증대
  - 의회내에서 소위 "인권문제"로 확대될 조짐

ㅇ 그 밖에 국제사면위 각국회원등으로부터도 진정서한 다수 접수 (미국 및 카나다로부터 82.1.1-4.14간 53명 진정)

0192

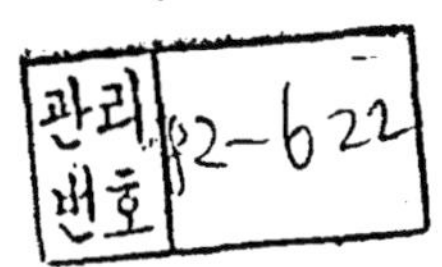

외 무 부

종 별

발신전보

번 호 : WUS-04238 일 시 : 261830

수 신 : 주미 대사대리

발 신 : 장 관

제 목 : 이신범 문제

대 : USW-04036, 04172, 04286

대호건 관계부처에 조회중인 바, 답변자료 접수즉시 회보하겠음. (미북, 법무부)

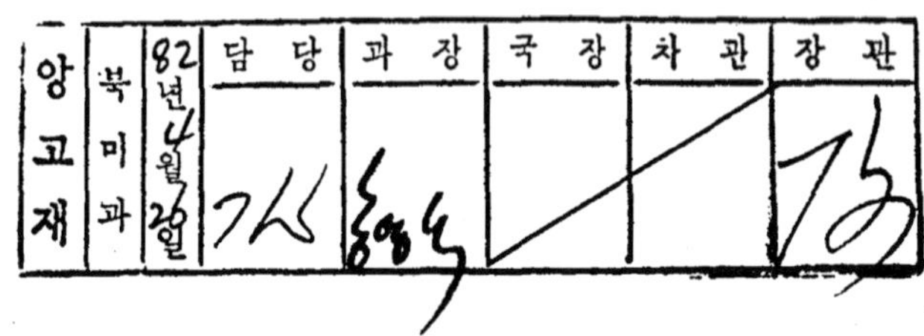

앙고재	북미과	82년 4월 26일	담 당	과 장	국 장	차 관	장 관

0193

발신시간 :

최종결재	
기 안 자	김재범

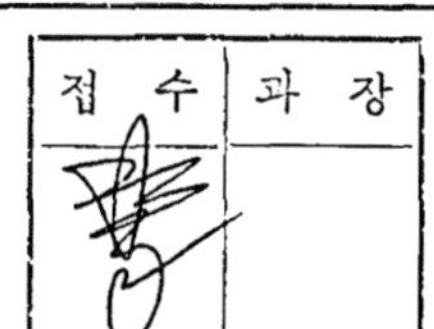

접 수	과 장

(검재)
— 보안 사본 1부

주 미 대 사 관

미국(정)700 - 1286 1982. 4. 28.

수신 : 장 관

참조 : 미주국장

제목 : 이신범관계 문의서한 사본 송부

대 : WUS - 04238

연 : USW - 04286

연호 서한사본 별첨 송부합니다.

첨 부 : 동 공한사본 3부. 끝.

주 미 대 사

0194

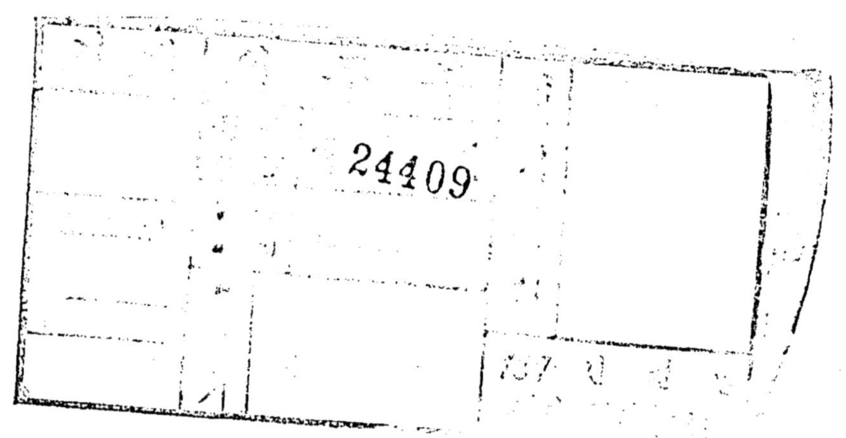

0195

82-670

기안용지

분류기호 문서번호	미북 700-76ρ	(전화번호)	전결규정 조 항 전결사항
처리기간		국 장	
시행일자	1982.5.4.		
보존년한			

보조기관	과 장	(서명)		협		
				조		
기안책임자	김재범	북 미 과				

경 유 / 수 신 / 참 조	법무부장관	발신		통제	검열 1982.5.4 외무부
제 목	서한 송부				

연 : 미북 700-565 (82.4.6), 569(82.4.16), 710(82.4.26)

1. 다음 미의회 의원들이 주미대사에게 보내온 이신범의 근황 문의서한을 별첨 송부합니다.

가. Claiborne Pell 상원의원(민주당, 로드 아일란드주)

나. Ronald V. Dellums 하원의원 (민주당, 캘리포니아주)

다. Don Edwards 하원의원 (민주당, 캘리포니아주)

2. 그 밖에 국제사면위 각국회원등으로부터도 진정서한이 다수 쇄도하고 있는 바, 연호 답변자료를 조속 송부하여 주시기 바랍니다.

첨부 : 상기서한 사본 3건 각 1부. 끝.

정서 / 관인 / 발송

0196

0201-1-8A(갑)
1969. 11. 10. 승인

정직 질서 창조

190mm×268mm (2급인쇄용지 60g/m²)
조 달 청(3,000,000매 인 쇄)

82-715

법 무 부

보안 700-103 720-4917 82. 5. 13.

수신 외무부장관

참조 미주국장

제목 수감자 문의에 대한 회신

1. 미북 700-565(82. 4. 6)와 미북 700-769(82. 5. 4)와 관련입니다.

2. 귀부에서 문의한 이신범에 대하여 다음과 같이 회보합니다.

° 이신범은 내란을 음모한 국사범으로서 합법절차에 따라 징역형(8년)을 선고받고 현재 타수용자들과 똑같은 환경에서 복역중에 있는 자로서

° 가족이 호소하고 있는 목디스크증세는 구속되기 훨씬 전인 79. 5.29. 목을 삐어 당시 서울 세브란스병원에서 진찰결과 이상감각에서 오는 증세로 6개월간 안정가료를 요한다고 진단되어 치료를 받은 사실이 있으며,

° 구속후인 81. 3.31. 이신범이 목디스크 증세 재발을 호소함에 따라 3차에 걸쳐 외부전문의 전주 한일병원 김충오를 초빙, x-레이 촬영등 정밀진찰을 실시한 바, "목부분에 근육이 위축된 상태로서 목운동에 다소의 불편은 있으나 목디스크 증상은 발견할 수 없다는 전문의사의 진단이었음.

° 현재 이신범의 건강상태는 수감생활에 지장이 없으며 외부병원 이송치료를 필요로하는 상태는 아님.

° 그러나 이신범의 목운동의 불편을 덜어주기 위해서 교도소당국은 필요한 약품투여 및 보조기구 "넥칼라","온수담푸" 등을 사용토록 허가하는등 건강관리에 최선을 다하고 있음.

0197

° 또한 이신범은 운동, 독서, 가족접견, 서신수발, 영치금품 차입등에 있어서 일반수용자와 동일한 처우를 받고 있음. 끝.

0193

법 무 부 장 관

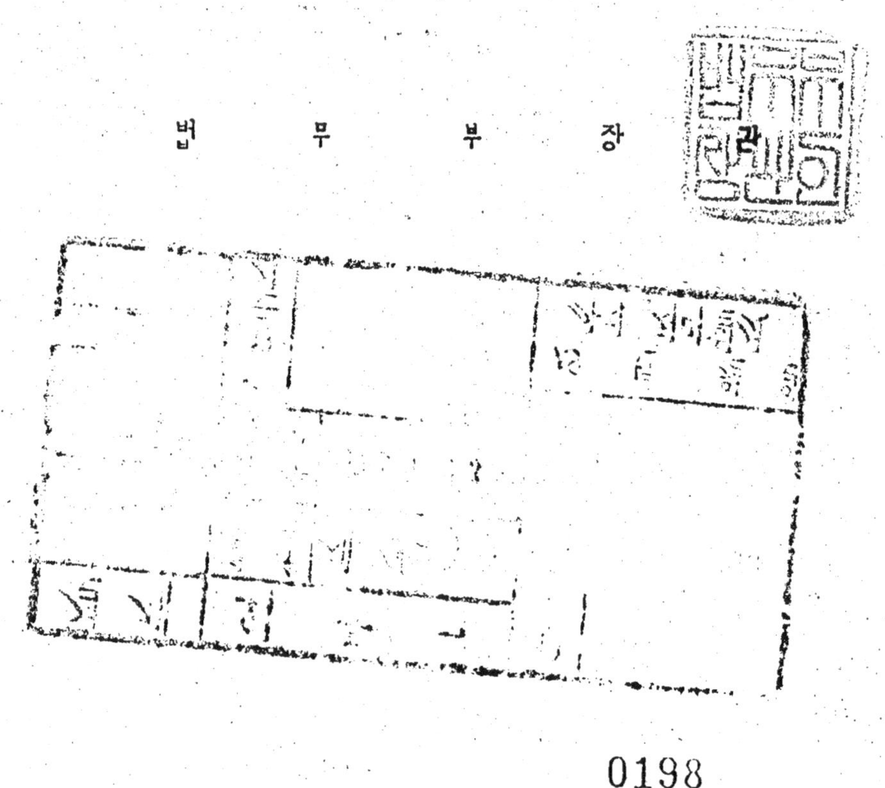

0198

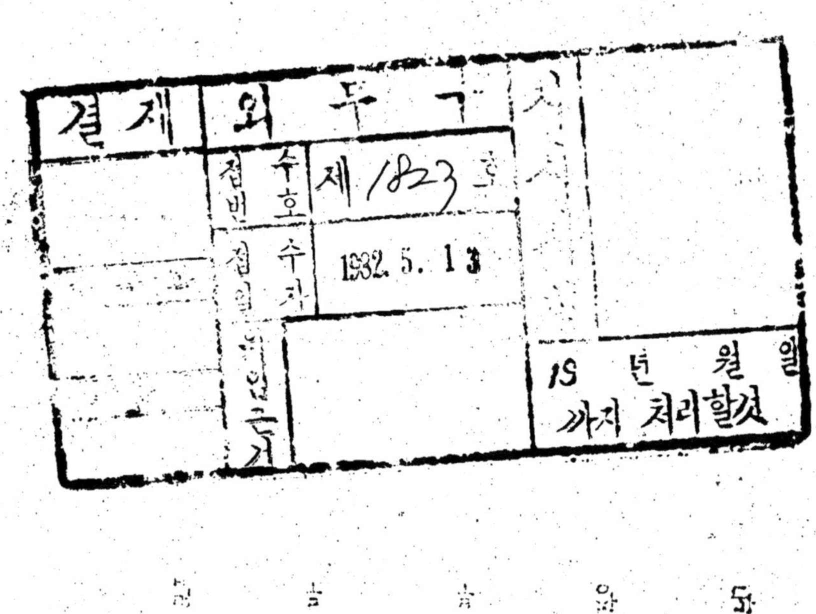

0199

관리번호 82-716

기안용지

분류기호 문서번호	미북 700-844	(전화번호)	전결규정 조 항 전결사항
처리기간		국 장	
시행일자	1982.5.13.		
보존년한			
보조기관	과 장		협조
기안책임자	김재범	북미과	
경유 수신 참조	주미 대사	발송 1982. 5. 13 외무부	검열 1982. 5. 13 통제관
제 목	수감자 문의 회보		

대 : USW-04036 (82.4.2), 04172(82.4.15),
04286(82.4.23), 미국(정)700-1286(82.4.28)

연 : WUS-04238 (82.4.26)

이신범의 현황에 관한 관계부처 회보를 별첨 송부하니, 문의자들에 대한 답변자료로 활용하시기 바랍니다.

첨부 : 법무부 공문 사본 1부. 끝.

정서

관인

발송

0200

0201-1-8A(갑)
1969. 11. 10. 승인

정직 질서 창조

190mm×268mm (2급인쇄용지 60g/m²)
조 달 청(3,000,000매 인 쇄)

관리 82-762

기안용지

분류기호 문서번호	미북 700-825	(전화번호)	전결규정 조 항 전결사항
처리기간		국 장	
시행일자	1982. 5.25.		
보존년한			
보조기관	과 장		협
기안책임자	김재범	북 미 과	
경 유			
수 신	주미 대사	발송 1982. 5. 26 외무부	검열 1982. 5. 26
참 조			
제 목	이신범 현황 회보		

연 : 미북 700-844 (82.5.13)

미하원 Ronald V. Dellums 의원 (민주당, 캘리포니아주)은 이신범의 즉각석방 및 외부병원이송 치료를 촉구하는 별첨서한을 본직에게 우송해 왔는바, 연호 답변자료에 따라 이신범의 현건강 상태가 수감생활에 지장이 없고 이송치료를 요하는 정도가 아니라는 내용의 귀하명의 서한으로 회보하고 동결과를 보고하시기 바랍니다.

첨부 : 상기서한 사본 1부. 끝.

정서 관인 발송

0201

0201-1-8A(갑)
1969. 11. 10. 승인

정직 질서 창조

190mm×268mm (2급인쇄용지 60g/m²)
조달청(3,000,000매 인쇄)

RONALD V. DELLUMS
8TH DISTRICT, CALIFORNIA

CHAIRPERSON,
COMMITTEE ON THE DISTRICT OF COLUMBIA

MEMBER,
ARMED SERVICES COMMITTEE

☐ 2136 RAYBURN BUILDING
WASHINGTON, D.C. 20515
(202) 225-2661

BARBARA LEE,
ADMINISTRATIVE ASSISTANT

ROBERT BRAUER,
SPECIAL COUNSEL

Congress of the United States
House of Representatives

ANY REPLY TO THIS LETTER SHOULD BE ADDRESSED TO OFFICE CHECKED:

☐ 201 13TH STREET, SUITE 105
OAKLAND, CALIFORNIA 94617
(415) 763-0370

☐ 3557 MT. DIABLO BOULEVARD
LAFAYETTE, CALIFORNIA 94549
(415) 283-8125

☐ 2490 CHANNING WAY, SUITE 217
BERKELEY, CALIFORNIA 94704
(415) 548-7767

DONALD R. HOPKINS
DISTRICT ADMINISTRATOR

May 5, 1982

His Excellency Mr. Hoh Shin-young
Minister for Foreign Affairs
1 Sejong-no
Ghongno-gu
Seoul, Republic of Korea

Dear Mr. Hoh Shin-young:

I am writing in regards to Lee Shim-bom, a law student at the Seoul National University who was arrested in June 1980 and tried by a military court in August the same year. He has been sentenced for nine years for what Amnesty International considers to be the peaceful expression of his political views.

I am concerned of reports that Lee Shim-bom is suffering from ill health; in particular, severe pain in his neck and lumbar regions. Apparently, he has been denied further medical treatment. There is concern among many parties that Lee Shim-bom's health may have deteriorated during the winter. I urge you to release him from prison immediately and transfer him to a hospital where he can receive full medical treatment.

Sincerely,

Ronald V. Dellums
Member of Congress

RVD/rdh

0202

May 24, 1982

Dear Congressman Dellums,

I have the pleasure in replying to your letter dated May 5 by which you asked for the immediate release and full medical treatment of Lee Shin-bom.

Mr. Lee was sentenced to eight years of imprisonment (under the legal process) on charges of plotting a rebellion against the State. He is presently serving his sentence under the same environment as that of other inmates.

His cervical disc syndrome that his family are complaining have once been treated since he was sprained by the neck on May 29, 1979, long before he was arrested, when he was diagnosed that a rest cure was necessary for six months following a medical examination at Seoul Severance Hospital.

As he complained the relapse of cervical disc symptoms on March 31, 1981 after his imprisonment, an external medical specialist was invited for three times to undertake such close medical examination as X-Ray (photographing) who diagnosed that, although Mr. Lee

0203

had some inconvenience in moving his neck due to contraction of cervical muscles, no cervical disc symptoms were found.

Mr. Lee's present health condition dose not give impediment to his confinement and the actual situation dose not need the transfer of Mr. Lee to an external hospital.

Nevertheless, the prison authorities do their best in aliviating his inconvenience of neck movement by prescribing medicine and allowing him to use auxilliary apparatus.

Mr. Lee also receives the same treatment as ordinary inmates in terms of excercise, reading, family interview, exchange of letters and loaning of cash and other possessions kept in custody.

I sincerely hope that you will convey the above explanation of mine on actual situation of Lee Shin-bom to all those who are concerned of him so that further misunderstanding may be prevented.

Yours sincerely,

Shinyong Lho
Minister

The Honorable
Ronald V. Dellums
2136 Rayburn Building
Washington, D.C. 20515

0204

관리번호	82-1039

원 본

외 무 부 착신전보

번 호 : USW-08227 일 시 : 181850 종 별 :

수 신 : 장 관

발 신 : 주미 대사

제 목 :

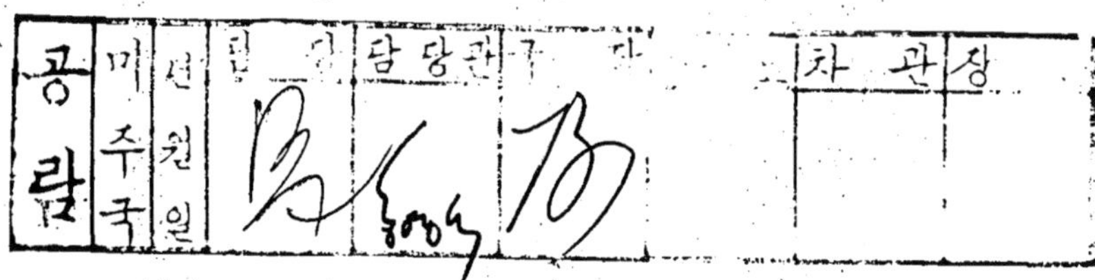

연 : USW-08123

1. 8.17. (화) 하원 인권소위 (위원장 BONKER) 의 FATEMI 전문위원은 인권소위에서 아국 인권 관계 청문회를 내 9.21(화) 개최키로 잠정 결정하였다고 당관에 알려왔음.

2. 동인은 또한 현재 복역중인 이신범을 서울 거주 하는 문병기 박사 (성형외과 의사) 가 진찰할 의향을 갖고 있음을 이신범의 가족이 BONKER 위원장에게 알려왔다고 하면서 문박사가 이를 진찰할수 있도록 협조하여 줄것을 당관에 의뢰하여왔음.

3. 아국 관련 청문회가 BONKER 위원회에서 개최 될 예정임을 감안, 문박사가 9월중에 이신범을 진찰할 기회를 준다면 아국의 인도적 조치가 부각될수 있을 것으로 사료되는바 본부의 방침을 상기 9월 청문회 개최 이전에 회시바람

(미안)

예고 : 1982.12.31. 까지

1982.12.31. 에 예고문에 의거 일반문서로 재분류 됨

미주국

0205

PAGE 1

82.08.19 10:36
외신 2과 통제관

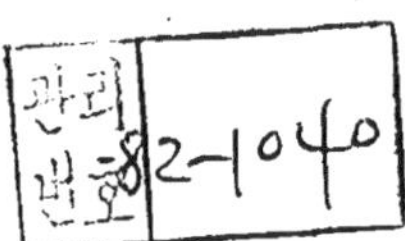

기안용지

분류기호 문서번호	미북 700-	(전화번호)	전결규정 조 항 전결사항
처리기간		국 장	
시행일자	1982.8.19.		
보존년한			
보조기관 과 장			협조
기안책임자	문하영	북미과	
경유 수신 참조	법무부장관, 국가안전기획부장	발송 No. 1982. 8. 20 외무부	통제
제목	수감자 진찰에 관한 의견조회		

미국 하원 인권소위원회 Fatemi 전문위원은 현재 내란을 음모한 국사범으로 복역중인 이신범에 대하여, 서울에 거주하는 문병기 박사 (성형외과 의사) 가 진찰할수 있도록 협조를 요청하여 왔는 바, ~~동인에 대한 진찰을 허가한다면 외국의 인도적 조치가 부각될수 있는 것으로 사료되니~~ 이에관한 귀부의 의견을 지급 회시바랍니다.

첨부 : 전문사본 1부. 끝.

0206

0201-1-8A(갑) 1969. 11. 10. 승인

190mm×268mm (2급인쇄용지 60g/m²) 조달청 (3,000,000매 인쇄)

기 안 용 지

분류기호 문서번호	미북 700-	(전화번호)	전결규정 조 항 전결사항
처리기간		장 관	
시행일자	1982. 8. 26.		
보존년한			
보조기관	국 장		협
	과 장		
기 안 책 임 자	문하영	북미과	
경 유 수 신 참 조	법무부장관	발신	1982. 8. 26 29792
제 목	구속자 근황문의		

연 : 북미 700-1459 (82. 8. 19.)

미 대사관은 Alan Cranston 미 상원의원 (민주당, 캘리포니아주) 이 현재 김대중 사건에 관련 복역중인 이신범이 2개월간 서신연락이 없음에 대하여 문의하는 내용의 별첨 서한을 보내 왔는바, 동인의서신연락 두절 이유 및 근황자료 (건강상태 포함)를 송부해 주시기바랍니다.

첨부 : 동 서한 사본 1부. 끝.

정서 관인 발송

0207

0201-1-8A(갑) 1969. 11. 10. 승인

정직 질서 창조

190㎜×268㎜(2급인쇄용지 60g/㎡) 조 달 청

THE UNITED STATES OF AMERICA

OFFICIAL BUSINESS

Mr. Ro-Myung Gong
Assistant Minister
for Political Affairs
Ministry of Foreign Affairs
Seoul, Korea

0208

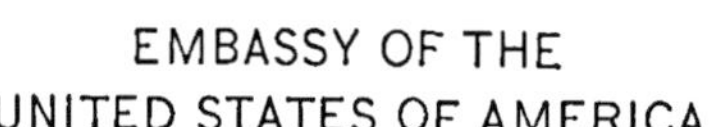

2.

EMBASSY OF THE
UNITED STATES OF AMERICA

Seoul, Korea

August 25, 1982

Mr. Ro-Myung Gong
Assistant Minister
for Political Affairs
Ministry of Foreign Affairs
Seoul, Korea

Dear Mr. Minister:

I am writing to you in the absence of Director General Kim Suk Kyu.

The Department of State recently received an inquiry from the office of Senator Alan Cranston concerning one of the Senator's constituents, Mrs. Myung Yu Lee. Apparently Mrs. Lee normally receives a monthly letter from her husband, Lee Shin Bom (a co-defendant of Kim Dae Jung's now in Chinju prison), but has not gotten a letter from him for the past two months. (It is our understanding that under prison regulations he is allowed to write to his wife once a month.)

I would appreciate it very much if your Ministry would check with the appropriate authorities to find out if there has been any recent difficulty in Mr. Lee Shin Bom sending letters to his wife. This information will be of great help to us in responding to Senator Cranston's office.

Sincerely,

Paul M. Cleveland
Deputy Chief of Mission

0209

STUDENTS

SEOUL, SEPT. 28 (AFP) - TWO STUDENTS OF THE PRESTIGIOUS SEOUL NATIONAL UNIVERSITY WERE ARRESTED FOR INSTIGATING AND ORGANIZING AN ANTI-GOVERNMENT DEMONSTRATION DOWNTOWN SEOUL LAST FRIDAY, POLICE SAID TODAY.

THREE STUDENT LEADERS OF THE BUDDHIST DONG-GUK UNIVERSITY HERE WERE ALSO FORMALLY PUT UNDER ARREST ON SIMILAR CHARGES.

THIS BRINGS TO 18 THE NUMBER OF STUDENT AGITATORS FROM SIX DIFFERENT UNIVERSITIES IN THE LAST 10 DAYS.

ANTI-GOVERNMENT DEMONSTRATIONS HAVE NOW BECOME A DAILY PHENOMENON, WITH THE SOUTH KOREAN PRESS REPORTING ONLY BRIEFLT ON THE ARRESTS OF STUDENT LEADERS.

0210

●● ●●文 -주미 통보.

관리번호 82-1065

법 무 부

보안 700-140 720-4917 82. 8. 28.

수신 외무부장관

참조 미주국장

제목 수감자 진찰에 관한 의견회보

1. 수감자 진찰에 관한 의견조회(미북 700-1459, 82. 8.20)와 관련임.

2. 이선범에 대한 서울거주 문병기박사(성형외과 의사)의 진찰에 대하여는 본인의 가족이 요청할 시 법규정에 의거 진찰을 받을 수 있음을 회보합니다. 끝.

1982.12.31.에 예고문에 의거 일반문서로 재분류 됨

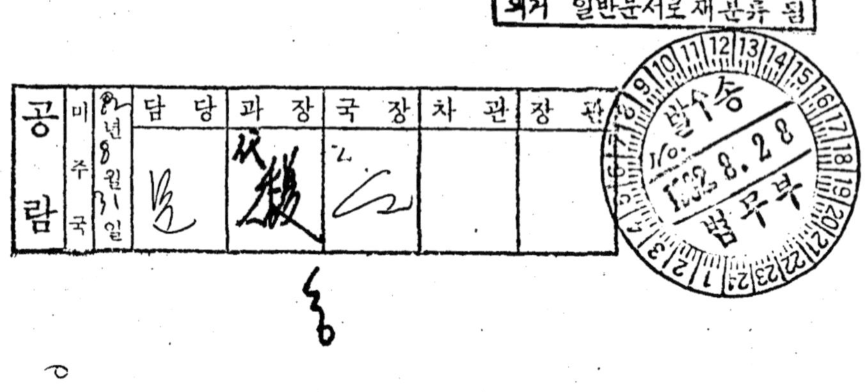

공람	미주국	82년 8월 31일	담당	과장	국장	차관	장관

법 무 부 장 관

0211

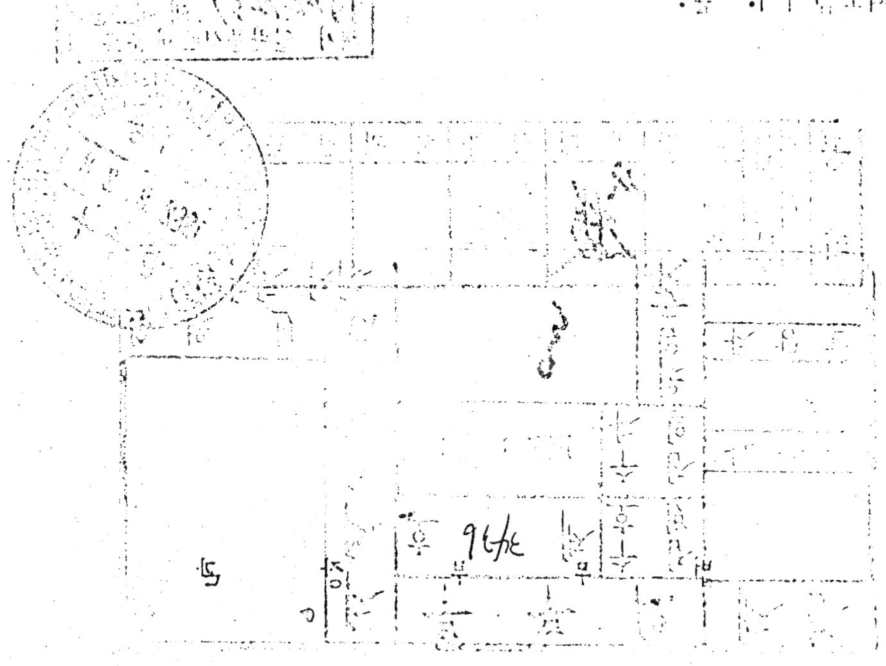

법 무 부

0212

보안 700 - 720-4917 82. 8. 28.

수신 외무부장관

참조 미주국장

제목 수감자 면접에 관한 의견회보

1. 수감자 면접에 관한 의견조회(미북 700-1459, 82. 8.20)와 관련임.

2. 이신범에 대한 서울기독 문화방송(김현장외 의사)의 면접에 대하여는 본인의 가족이 우방국 시민권자의 가족으로서 면접을 받을 수 있음을 회보합니다. 끝.

국가안전기획부

(965-6814)

대오 700- 2400　　　　　　　　　　　　　　　　1982. 8. 30.

수 신 : 외무부 장관

참 조 :

제 목 : 수감자 진찰에 관한 의견 조회에 대한 회신

1. 미북 700-1459(82.8.20)의 관련임.

2. 본건 이신범및 가족으로부터 문병기박사의 진단 요구가 있을시 인도적 차원에서 허용할 방침임을 통보하오니 미 하원인권소위 청문회 대책자료로 활용하시기 바랍니다. 끝.

공람	미주국	82년 8월 31일	담 당	과 장	국 장	차 관	장 관
			[signature]	[signature]			

0213

국가안전기획부장

행-22　81. 1. 1

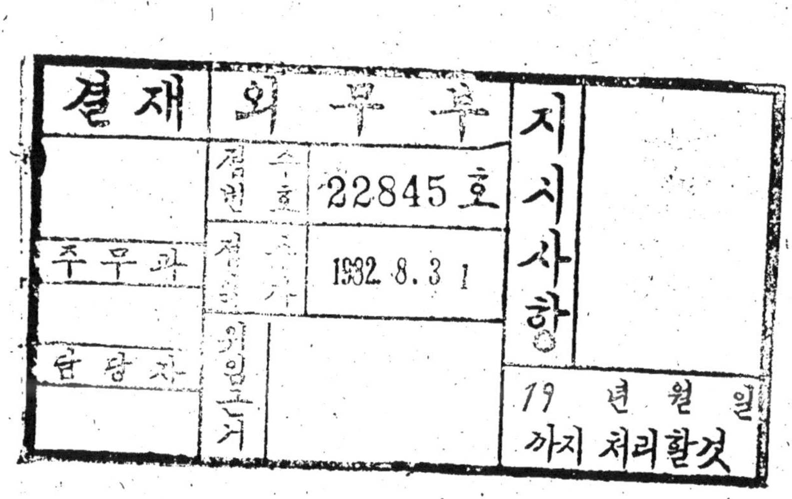

결재 | 외 무 부 | 지시사항
접수번호 22845 호
주무과 | 접수일자 1932. 8. 31
담당자 | 관련근거
19 년 월 일 까지 처리할것

0214

관리 82-1146

외 무 부

종 별

발신전보

번 호 : WUS-0901 일 시 : 011450

수 신 : 주미 대사

발 신 : 장 관

제 목 : 수감자 진찰

대 : USW-08227

대호, 법무부에 의하면 이신범의 가족(직계)이 요청할 경우, 법규정에 의거, 동인에 대한 문병기 박사의 진찰을 받을수 있다함. (미북)

1982.12.31.에 예고문에 의거 일반문서로 재분류 됨

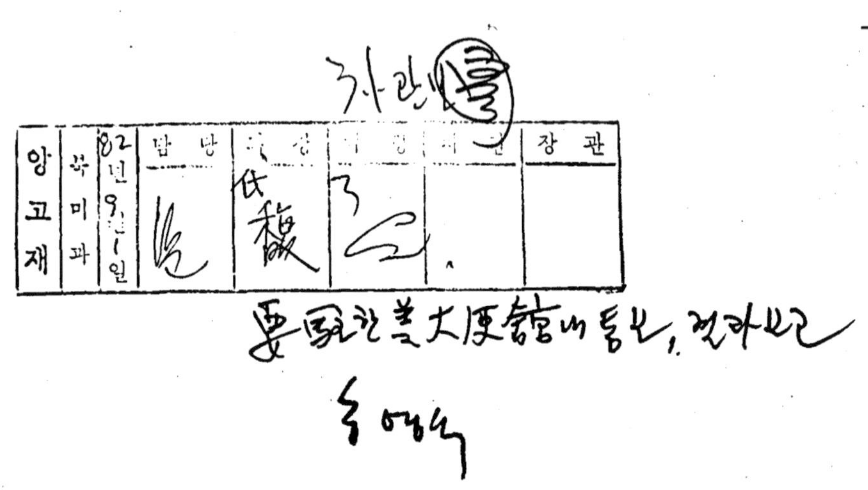

예고 : 82.12.31. 일반

0215

발신시간 :

최종결재	
기 안 자	문 하 영

접 수	과 장

법 무 부

보안 700 19866 720-4917 82. 9. 2.

수신 외무부장관

참조 미주국장

제목 수감자 문의에 대한 회신

1. 미북 700-29792(82. 8.26)로 요청한 수감자 이신범의 서신수발 문의사항과 관련임.

2. 모든 재소자는 서신을 수신 또는 발신할 경우에는, 행형법 제18조 및 동 시행령 제62조, 동 63조에 의거 내용의 검열을 받게 되고 그 내용이 교도상 부적당하다고 인정될 때는 불허가하게 되어 있습니다. 본건 이신범의 경우 7월에는 발신된 서신이 없으며, 8월에는 기히 서신이 발신되었음을 알려 드립니다. 끝.

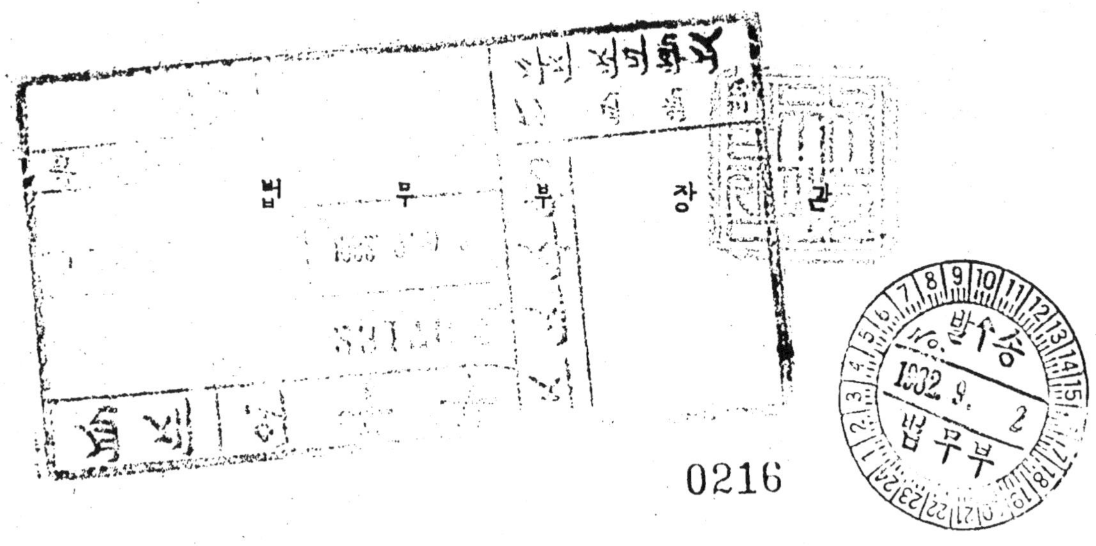
법무부 장관

0216

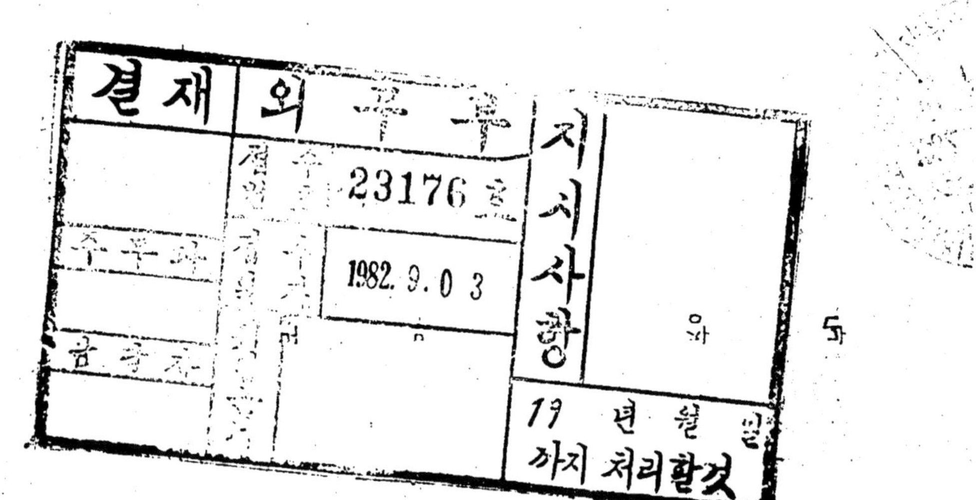

번호 미국 700 720-4917 82. 9.

수신 외무부장관

참조 미주국장

제목 수감자 문의에 대한 회신

1. 미북 700-2979(82. 8.26)로 요청한 수감자 이신범의

문의사항과 관련임.

2. 보통 재소자는 서신을 수신 또는 발신할 경우에는

제18조 및 동 시행령 제52조, 동 63조에 의거 내용의 검열을 받

그 내용이 교도상 부적당하다고 인정될 때는 불허가가 될 수 있

동건 이신범의 경우 7월에는 발신된 서신이 없으며, 8월에는

발신되었음을 알려 드립니다. 끝.

0217

September , 1982

Mr. Paul M. Cleveland
Deputy Chief of Mission
Embassy of the United States of America

Dear Mr. Cleveland,

I have the pleasure to answer your letter dated August 25 in which you requested Assistant Minister Ro Myung Gong to find out whether there had been any difficulty in Mr. Lee Shin Bo m sending letters to his wife in the States.

In this regard, I wish to inform you that, Mr. Lee's letter was already mailed in August and there was no letter in July. Just for reference, every convict's letter can be examined by the penitentiary authorities according to the relevant provisions of the penitentiary law. If its content is not suitable for the cause of correction, the authorities can reject to deliver the letter in and out.

I hope that ~~that~~ the above ~~explanation of mine about the actual situation~~ will be of help to you.

Yours sincerely,

Suk Kyu Kim
Director-General
American Affairs Bureau

국장 [signature] 제11차관보

0218

MINISTRY OF FOREIGN AFFAIRS
REPUBLIC OF KOREA

September 7, 1982

Mr. Paul M. Cleveland
Deputy Chief of Mission
Embassy of the United States of America

Dear Mr. Cleveland,

I have the pleasure to answer your letter dated August 25 in which you requested Assistant Minister Ro Myung Gong to find out whether there had been any difficulty in Mr. Lee Shin Bom sending letters to his wife in the States.

In this regard, I wish to inform you that, Mr. Lee's letter was already mailed in August and there was no letter in July. Just for reference, every convict's letter can be examined by the penitentiary authorities according to the relevant provisions of the penitentiary law. If its content is not suitable for the cause of correction, the authorities can reject to deliver the letter in and out.

I hope that the above will be of help to you.

Yours sincerely,

Suk Kyu Kim
Director-General
American Affairs Bureau

0219

회의참석 기록

1. 회의명 : 이신범에 대한 홍보대책 회의

2. 일 시 : 82.9.14(화) 10:00-12:00

3. 장 소 : 국가안전기획부 제1국 수사5과장실

4. 참석자 :

안기부	수사5과장, ████ 계장, 미주과 ████
법무부	보안과장
문공부	홍보조정실 보도담당관
외무부	북미과 김재범

5. 내 용

수사5과장 : 이신범이 교도소내에서 행형 질서를 문란시키고 국내외 가족들을 통해 각계에 물의를 일으키고 있는바, 정부로서는 더이상 당하고만 있을수 없으므로 역홍보를 전개해야 하겠는데 홍보효과를 거둘수 있는 좋은 방안을 말해 주기 바람.

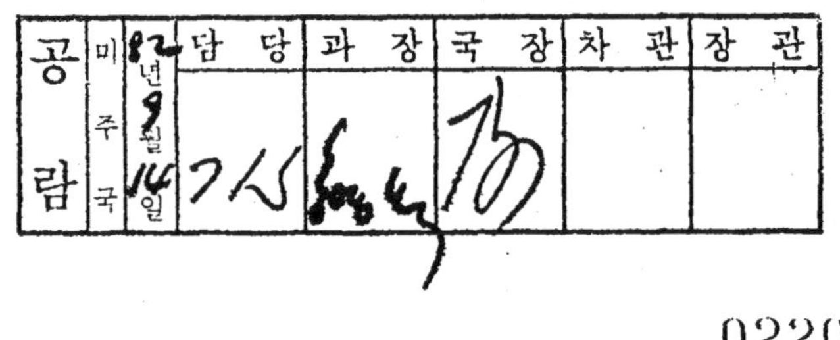

공람	미주국	82년 9월 14일	담 당	과 장	국 장	차 관	장 관
			(서명)	(서명)	(서명)		

0220

문공부 : 역홍보가 기술적으로는 가능할 것이나, 이신범건은 공개적으로 문제삼는 경우 일반에게 어느정도 잊혀진 김대중 사건을 다시 상기시키고 이신범에 대한 관심을 유발시키므로 정부로서는 얻는것보다 잃는것이 많을것임. 굳이 홍보활동을 한다면 일반홍보 매체를 이용하는 것보다 이문제를 거론하고 있는 일부 종교계 인사들로 그 대상을 한정하고 이신범 행위 및 주장의 부당성을 지적하는 방향으로 함이 좋겠으며, 정부가 직접 앞에 나서는 것보다 가능하면 국내외 인권 및 종교기관으로 하여금 특별위원회를 구성케 하여 사실조사 실시후 모든것이 아국 행형제도에 의해 적법히 처리되고 있다는 보고서를 받아 발표케 하는 방법도 고려될수 있겠음.

수사5과장 : 외국에 대한 홍보 방안은?

외무부 : 외국의 경우도 국내와 마찬가지로 우리정부가 갑자기 이신범 문제를 크게 취급한다는 인상을 주면 불필요한 관심을 자극할 우려가 있음. 다만 9.21. 미하원 인권소위 청문회시 동건이 거론될 상황이라면, 청문회 참석자들에게 정확한 진상자료를 제공해 줌으로써 대처할 수는 있겠음.

0221

수사5과장 : 친한 교포신문을 활용하는 방안과 해명이 필요한 대상을 선정하여 자료를 송부하는 방안은?

3국 미주과 : 정부가 교포사회의 비판세력을 호도한다는 인상을 주고 반발이 우려되므로 교포신문 이용은 바람직하지 못함. 지금까지 탄원을 해왔거나 이신범측의 진정을 접수한 기관 및 개인에게 한국 인권기관등의 명의로 해명서를 발송할수는 있는바, 이러한 대상으로서는 유엔인권위와 유엔 사무총장을 비롯, 동경, 제네바, 워싱턴, 라성등지의 경제인사들이 있음. 그러나 이신범이 원하면 문병기 박사의 진료를 받을수 있음을 미측에 분명히 알려 주었으므로 현재 더이상의 해명이 필요할 것으로 보지 않으며, 향후 문의가 있을 경우에 대비하여 해명자료를 충실히 수집, 축적해 놓으면 되겠음.

보안과장 : 외국인들은 수감자의 처우에 관심을 갖고 있으므로 이신범의건강상태와 대우, 교도소내에서의 질서 파괴 행위, 아국의 행형제도등을 중심으로 대중 매체의 활용없이 충분한 자료만 제공, 필요대상에게 전파되도록 하는 방안이 바람직함.

0222

그렇게 함으로써 우리나라 교도행정이 잘 되어가고 있다는 점과 수감자들에게 개전의정이 있으면 현행법 테두리내에서 계속 사면등 관대한 조치를 취하나 옥내 불법행위는 용납할 수 없다는 입장을 확실히 할수 있음.

일반문서로 재분류 (1983.12.31.)

0223

이신범 불법 저항행위에 대한 역홍보 등 대책 검토

82. 9. 14.

0224

이신범, 불법저항행위에 대한 역홍보 등 대책검토

1. 개 황

- 김대중일당 내란음모사건으로 구속되어 현재 진주교도소에 수감되어있는 이신범 (징역:8년)은
  - 목 디스크 증세를 이유로 소외병원 이송 치료
  - 2년이나 징역 살았으니 조속 석방
  - 개인 목욕탕 시설
  - 체포 조사 당시 가혹 행위자 처벌

  등을 요구

- 그 동안 지병인 목 디스크 치료 등 특별한 처우를하고있음에도 계속 처우 개선을 요구하면서 단식투쟁을 자행하고

- 모 (이 언) 및 처 (유명자, 미내거주)등으로 하여금 미국 백악관과 국무성, 상하 양원의원, 유엔, 기타 각국 언론, 종교·인권기관 등에 사실을 왜곡하여 구명 및 처우 개선 지원을 호소케하여 대 내외 여론을 환기

0225

○ 최근(8.22)에는 야간 경비 교대시 소란하여 잠을 못 잔다는 이유로 행패, 이를 만류하는 교도관을 구타 하는 등 불법행위 자행으로 행형질서를 문란케 하고있음.

○ 따라서 이와같은 행위를 계속 방치할 경우

- 교도 행정 부재 현상 노정 및 수형자 관리 소홀 인상.

- 불법행위 정당화 결과 초래

- 이신범의 불법 행위가 외부에 노출될 시 인권문제와 관련한 불필요한 잡음 유발 등 대 내외 여론 확산 등이 우려되므로

. 이신범에 대한 불법, 저항 활동을 역 홍보하여 왜곡 전파될 요소를 사전 봉쇄하고, 강력한 대책을 강구하여 불법 저항 활동을 저지코저함.

2. 불법 저항 사례(관련 동향)

○ 이신범은 구속되기 전인 79.5.29. 운동 잘못으로 목을 삐어 세브란스병원에서 치료 완치되었으나

0226

2

구속(80.7.9)된 지 1년 후인 81.3.31. 이후 현재까지 3회에 걸친 소외 전문의사의 진료를 받아 수감생활에는 이상이 없음에도 불구하고 동 진단을 불신하면서

- 81.5.10-5.14 (5일간)

  동 교도소 의무과장의 ×레이 필름 열람을 거부한다는 이유로 징계를 요구하면서 단식

- 82.2.15-2.26 (12일간)

  서울대 병원 등 이송치료를 요구하면서 단식

- 82.3.30-4.13 (4일간)

  ㅅ. 난로 및 개인 목욕탕 설치

  ㅅ. 서울대 병원 이송치료 등

  처우 개선 13개 사항을 요구하면서 단식

- 82.5.17-5.25 (9일간)

  병동 이감치료를 거부(결핵 환자 수용 이유)하면서

  ㅅ. 소외병원 이송치료

0227

3

ㅅ. 구속자 조속 석방

ㅅ. 가족 자유 면회 허용

등을 요구하면서 단식

ㅇ 82.4.23 모(이 연) 접견시

- 서울에서 의사를 데려온다해도 기계도 없고 정밀검사도 할수 없으니 데리고 올 필요가 없다.

- 병동에 이감시켜 놓고 치료를 잘해주고 있는 양 선전하기 위한 것 같다.

- 나도 2년이나 징역을 살았으니 석방을 시켜주던지 석방이 불가능하면 서울로 이송하여 치료라도 해주어야 할것이 아니냐 5.15까지 요구사항이 관철되지 않으면 단식하겠다고 언동.

ㅇ 82.5.18 모(이 연) 접견시

- 국민연합은 김대중, 윤보선, 함석헌,씨가 한 일인데 그 사람들은 밖에 있고 왜 우리만 감옥에 살아야하는가 0228

4

- 서울에 가면 서울 이송치료, 구속자 석방, 미국 가족(처)과 상호 방문토록 출국 허용을 요구하면서 단식 중에 있다고 전해라

- 그리고 미국 처에게 전하고 가급적 여러기관에 알려주라고 언동.

o 82.6.15 모(이 연) 접견시

- 윤보선과 공덕귀 여사에게 8.15 까지 석방되도록 이야기 하라고 하라

- 이곳 교도소는 형편없다. 징역을 많이 살것 같으면 병동이라도 좀 나은데로 보내라고 해라

- 형사나 안기부 사람들은 염탐하러 찾아오는 것이니 상대하지 말라고 언동

o 82.7.5 경 처 유명자 앞으로

- 편지를 받아보니 나에게 치료를 잘해주고 있는 것으로 알고 있는 모양인데 다 거짓이다.

0229

- 가을에 가서 이 문제에 대한 결말을 짓는 큰 싸움을 하게 될 것이다라는 내용의 서신 우송.

○ 모(이 연) 및 미국(L.A)에 거주하고 있는 처 유명자로 하여금 미 국무성을 비롯한 미 의회와 각국 언론계, 종교계, 인권기관 등에 왜곡 호소케하여

- 82.3.1-3.31 간 전후 23회에 걸쳐 미국, 영국, 독일, 일본, 불란서, 화란, 호주 등의 정부요원 및 인권기관 등에서 대통령 각하를 비롯한 아국 정부 요로에

ㅅ. 이신범 즉각 석방

ㅅ. 소외 병원 이송 치료 요구

등 내용의 탄원 전문을 발송케 하고

- 82.1.15 미 켈리포니아 주 의회 "마이크로프스" 의원은 주 라성 한국 총영사에게

"이신범의 건강 및 현황" 을 문의

- 82.4.24 미 상원 외무의원 "크레본 펠" 등 하원 군사의원,

0230

6

- "도날드 테란스" 및 하원 인권 소위 전문위원 "페리 보즈 파레니" 등은 아 공관에 "이신범이 조사과정에서 고문을 당하여 목 뼈와 척추가 부러졌는데도 일체 치료를 불허하고있다"고 해명자료 요구

- 82.7.10 미국 텍사스 주 휴스톤 거주 "머리언 머커빌리"는 외무부장관 앞으로 "이신범이 조사과정에서 고문을 당하여 목 관절과 요통으로 고통받고있으나, 적절한 치료 등이 거절된 채 독방에 감금되어 있다하니, 병원으로 옮겨 치료 받을수 있도록 즉각 석방하고 건강상태 보장과 감금에 대한 해명을 요망하는 탄원서 발신

- 82.8.17 미 하원 인권소위 "하트만" 전문위원은 주미 한국 대사관에 "9.21 개최되는 한국 인권 관계 청문회에서 거론될 이신범의 신병 치료 와 관련, 문병기 박사(을지병원 정형외과장)의 진찰을 받을 수 있도록 배려 요청"

-- 82.7.1-8.19 간 미국에 여행한 바있는 전주 예수 병원장(외과 전문의) "데이비드.존.실"에게 이신범 진찰을 요청.

0231

7

하는 등 국내외적으로 물의를 야기하여 국위를 손상.

○ 82.3.22 교도관에게

- 창가림판 시설을 제거하지 않으면 중대한 사태가 발생할것이다

- 병원 이송 문제 등은 상부에서 결정할 문제이지만 창가림판, 좌석.변기 시설 문제는 교도소에서 능히 할 수있는 일이니 상부에 밀지말라

- 목 디스크 치료에 필요하니 성인 욕조를 설치해 달라

고 요구, 교도소측에서 병원 이송치료는 불가하고, 가림판 설치는 보안상 불가피하다고 설득하자 자신의 손으로 창가림판을 파손 제거하고

○ 8.22 교도소 당직 주임에게

야간 경비 교대 소리가 커서 잠을 잘수 없으니 시정해 달라고 요구한 끝에 동 당직 주임이 "근무 수칙상 어쩔 수 없다"고 거절하자

0232

8

- 무조건 "뭐야 이놈아!" 하면서 당직주임의 가슴을 1회 뺨1회를 구타하여 동 당직 주임이 보안과로 연행코저 당기는 순간 앞으로 넘어져 좌측 팔 상단부에 약간의 찰과상 (길이3-4센티, 폭 1-2미리) 을 입었을 뿐인데도

- 9.6 정기 면회 과정에서 모 (이연)에게

"폭행을 당하여 좌측 어깨가 6센티 정도 찢어지고, ██████ ████████ 정식으로 인권위원회장에게 알려 문제 삼고, 10.7부터 무기한 단식을 하겠으니 이때를 마추어 처(유명자)를 귀국케하되, 미국 공항에서 옥중 단식하는 남편을 만나러 간다는 기자회견을 하도록하라" 는 등 사실을 과장 왜곡 전파케 하는 등 불법행위 자행.

3. 가족 동향

○ 모(이 연 : 73세)는 타 구속자 가족들과 같이 엔씨씨 목요예배 등에 참석하면서 이신범의 소외병원 이송치료와 처우 개선 등을 호소하는 여론을 환기시키고 있는 바 0233

- 81.2.16 명동성당 김추기경 신부 이선표 등을 방문하고

  ㅅ. 천주교계에서 아들(이신범)이 석방되도록 지원해 달라

  ㅅ. 진주교도소에 수감중인 아들을 서울교도소로 이감시켜 주도록 주선해 달라고 요청

- 82.4.6. 법무부를 방문 "이신범 건강 진단을 위해 서울 전문의의 관비 진찰을 허용해 달라" 고 요구

- 82.4.12 [redacted] 과 같이 "[redacted] 와 이신범을 살려 주십시오" 제하의 호소문을 작성한 후, 윤보선 등 230명의 서명을 받아 법무부장관에게 발송.

- 82.2.25. 주한 미 대사 "워커" 에게

  ㅅ. 나는 3월로 미국 시민이 되는 김대중 사건관련 이신범의 처이다.

  ㅅ. 남편 이신범의 현재 목 디스크로 긴급히 치료를 받기위한 항의의 표시로 단식 중에 있으니 그의 생명을 보호할 수 있도록 즉각 조치를 바란다는 내용의 전문을 발송.

0234

10

- 82.3.9 이신범 앞으로

ㅅ. 단식 소식을 듣고 조기석방 또는 서울 이송치료 (지병: 목 디스크)를 위해

ㅅ. 미 백악관(레이건 대통령 부인 등), 미 상원의원(케네디 의원) 등을 비롯하여 일본, 독일, 영국 등 전 세계 언론 기관 및 인권기관, 유엔, 기독교 단체 등에 탄원하고 도움을 호소 중인바

ㅅ. 앞으로 공식 기자회견 등 공표화 시키겠다는 등 내용의 서신을 우송

- 82.3.22 이신범에게

ㅅ. 수일 전 미국무성 및 상원의원 사무실로부터 당신의 소식과 계속 도와주겠다는 연락을 받았다.

ㅅ. 일본, 불란서, 서독 등 각지에서도 당신 문제가 보도되고 지원해 주겠다는 소식을 받고있다.

ㅅ. 미국 시민권자(자신)로서 요구사항이 관철될 때까지 지원을 약속한 요로에 계속 도움을 요청했다는 내용의 서신 우송

0235

11

- 82.3.25-5.14 간 대통령 각하, 대법원장, 내무부 장관 앞으로 "이신범을 서울병원 이송치료와 아울러 병 보석허가 등 조속 석방 요청" 내용의 탄원 서신 발송.

- 82.5.25 [REDACTED] 등을 대동 락성 총영사관을 방문하여 "이신범의 목 디스크로 심한 고통을 받고있으나 교도소에서 적절한 반응을 보여주지않아 수차 단식 투쟁으로 생명이 위독하니 서울 병원으로 이송치료를 받을수 있도록 선처해 달라" 고 요청

* 유명자는 5.20 자 신한민보(친북 용공신문)에 "이신범을 치료해 주지않고 오히려 전염병환자 감방으로 옮기려하고 있다"는 등 허위 날조된 기사를 게재하므로써 국위를 손상케한 점에 대하여 전혀 알지 못한 사실이라고 부인하면서

  ㅅ. 동 허위 보도와 관련 정식으로 항의하고 3대 일간지에 보도화 되면 서울 병원이송치료를 받을 수 있도록 건의하겠다고 하였으나 반응 없음.

0236

12

4. 건강 상태

ㅇ 이신범은 구속 전인 79.5.29 운동 잘못으로 목을 삐어 당시 서울 세브란스 병원(신경외과 의사:최종현) 에서 진찰 결과 경추 추간판 탈출증(頸椎椎間板脫出症, 목 부분이 아프면서 이상 감각으로 오는 증세)으로 진단되어 6개월간 안정 가료로 치유된 바 있으나

ㅇ 구속 후인 81.3.31. 목 디스크 증세 재발을 호소함에 따라 외부 전문의사(진주 한일병원 신경외과 원장:김충의) 를 초빙 검진및 x 레이검사를 실시한 결과 "자각 증상외에는 경추부의 수액 탈수증(頸椎部位水液脫水症, 경추 간판 수액이 빠진상태)이라는 소견을 발견할 수 없었고

ㅇ 82.2.19 재차 외부 진찰 요청에 따라 전시 (한일병원의사) 김충오가 진료하려하자 "전에 진료한 바 있었다는 " 이유로 거부

ㅇ 82.3.25 전시 김충오가 재차 진찰한 결과

0237

"x 레이 선상이나 검진 기계로서는 전혀 알수 없고 목 부분의

13

근육이 위축되어 다소 불편이 있는 것으로 진단

* 그간 철제 침대 및 행거 트렉션(목 견인대) 온수 담프, 보조 넥칼라(목 받침대) 등을 차입, 치료 중에 있음.

° 82.3.23 지병인 치질증세 호소로 진주시 한일병원 외과 전문의 최성숙을 초빙 진료(항문 연고 치료) 중인 바 현재 건강상태는 수감생활에 지장이 없음.

* 82.4.23 병동으로 이감 치료코저하였으나 결핵환자가 있다는 이유로 거부 한 바 있음.

5. 홍보 대책

° 홍보 방법

- 이신범에 대한 불법 저항활동을 역홍보하여 왜곡 전파될 요소를 사전 봉쇄

- 활용 가능한 국내외 홍보 매체를 최대한 활용 효과 거양.

0238

ㅇ 홍보 방법

- 국내홍보(문공부, 안기부)

ㅅ. 주요일간지 및 텔레비젼을 이용하여 이신범의 불법행위, 건강 치료및 처우 개선상태를 보도

ㅅ. 홍보 책자 제작 후 국내 언론, 종교 인권관계 기관 등에 배포

- 미국 등 국외홍보(외무부 및 안기부)

ㅅ. 주한 각국 대사관에 홍보자료 작성 배포

ㅅ. 각국 공관으로 하여금 각 주재국의 정부요로 및 언론, 종교, 기타 인권 관계 기관에 홍보 자료 작성 배포

ㅅ. 각 주재국 교포신문 및 친한 언론기관에 게재 유포

6. 검토 사항

ㅇ 홍보 시행 시의 득실 등 효과 분석

ㅇ 홍보의 구체적 방안 및 요령

0239

15

ㅇ 수감 관리 대책

- 외부 의사 진찰

- 불법행위 등 징벌

- 기타 처우 문제

0240

· 16

기안용지

분류기호 문서번호	미북 700-	(전화번호)	전결규정 조 항 전결사항
처리기간		국 장	
시행일자	1982.9.28.		
보존년한			
보조기관	과 장		협조
기안책임자	김재범	북미과	
경 유 / 수 신 / 참 조	법무부장관	발신 33622	통제 검열 1982.9.29
제 목	수감자 진찰		

대 : 보안 700-180 (82.8.28)

주한 미국 대사관 David Blakemore 참사관은 별첨 당부 미주국장앞 서한과 같이, 이신범의 모친이 이신범에 대한 외래의 진찰을 요청하는 서한을 이신범이 수감중인 교도소 소장에게 82.9.14. 발송한 후 이를 전화로도 요구하였으나 교도소 당국으로부터 아무런 조치가 없다고 알려 왔는 바, 동건에 관한 귀부 검토 결과를 회보하여 주시기 바랍니다.

첨부 : 상기 서한 사본 1부. 끝.

정서

관인

발송

0241

0201-1-8A(갑)
1969. 11. 10. 승인

190mm×268mm(2급인쇄용지 60g/m²)
조 달 청(3,000,000매 인 쇄)

THE UNITED STATES OF AMERICA

OFFICIAL BUSINESS

Mr. David Blakemore
Political Counselor
Embassy of the
United States of America
Seoul, Korea

Mr. Kim Suk Kyu
Director General
American Affairs Bureau
Ministry of Foreign Affairs
Republic of Korea
Seoul, Korea

0242

EMBASSY OF THE
UNITED STATES OF AMERICA

Seoul, Korea

September 28, 1982

Mr. Kim Suk Kyu
Director General
American Affairs Bureau
Ministry of Foreign Affairs
Republic of Korea
Seoul, Korea

Dear Mr. Kim:

In view of our earlier discussions on the subject of the health of the prisoner Mr. Yi Shin-pom, and consistent with our continuing efforts to defuse issues before they become an irritant in US-Korea relations, I want to pass on to you the following information on Mr. Yi's family and their efforts to have him examined by an outside physician.

After you and I last discussed this situation, we informed Yi Shim-pom's mother of the need for her to make a formal request, both orally and in writing, to the head of the prison where her son is interned. According to Mrs. Yi, she sent a written request to the head of the prison on September 14, and followed up her letter with a personal call on the head of the prison. Despite these efforts to follow the procedure you prescribed, there is no evidence of movement or intention by the prison authorities to allow Mr. Yi to be checked by an outside doctor.

Because I know you share my interest in resolving this matter in an amicable way, I thought you would find this additional information helpful. I would appreciate your advice as to how I should respond to the Members of the U. S. Congress who continue to show an interest in this case.

Sincerely,

David Blakemore
Political Counselor

0243

82
1210

―요약 회신안 作成

법 무 부

보안 700-209 720-4917 82. 10. 13

수신 외무부장관

참조 미주국장

제목 수감자 진찰에 대한 회신

1. 미북 700-33623(82. 9.28) 과 관련임.

2. 주한미국대사관 David Blakemore 참사관이 귀부 미주국장 앞으로 보낸 서한에서 이신범의 모친이 전주교도소장에 외래의사의(문병기박사) 진찰을 요청하여도 아무런 조치가 없다고 알려온데 대하여 별첨 이신범의 동정 및 진료사항을 송부하오니 미참사관으로 하여금 본건에 대하여 충분히 이해하도록 계속 협조하여 주시기 바랍니다.

1982.12.31.에 예고문에 의거 일반문서로 재분류 됨

첨부 : 이신범의 동정 및 진료사항 1부

이신범 수형 관련자료 1부. 끝.

법 무 부 장 관

0244

4120

0245

이신범의 동정 및 진료사항

ㅇ 이신범은 김대중등과 정부전복을 음모타가 구속된 국사범으로 합법적 절차에 따라 징역형(8년)을 받고 현재 복역중인 자임.

ㅇ 본명이 호소하고 있는 목디스크 증세는 구속(80. 6. 17) 되기 훨씬전인 79. 5.29. 자신이 운동잘못으로 목을 삐어 서울세브란스 병원에서 치료를 받은 병력이 있었던 자로 81. 3.30. 목디스크 증세가 있다고 호소한 바 있음.

* 79. 5.29. 세브란스병원 의사 최종현 진단서 참조.

ㅇ 이신범 및 그 가족이 구속중 구타, 고문 등에 의해 목디스크 증세가 발병되었다고 주장하는 것은 위 사실로 보아 근거 없는 것으로 추측됨.

ㅇ 이신범의 목디스크 증세 호소에 따라 81. 3.31.부터 현재까지 5회에 걸쳐 교도소 소재지 진주한일병원 김충호박사(정형외과 전문의)로 하여금 정밀진찰 및 진료실시 결과

- 목부분이 약간 위축되어 다소 불편을 느끼는 정도이고
- 목부분이 아프다는 자각증상 외는 특이점이 없다고 진단되어 현재로서는 소외병원 이송치료를 요할 상태가 아님.

* 81. 3.31 - 3.26. 한일병원 정형외과장 김충오 진단서 참조.

ㅇ 그러나 교도소 당국은 이신범의 건강에 특별한 관심을 가지고

- 필요한 약물 투여
- 물리치료 기기 투입(목받침대, 목인견대, 철제침대, 온수담프등)

등 건강관리에 최선을 다하고 있음.

ㅇ 또한 이신범은

- 매일 1시간이상의 실외운동을 하고 있으며

0246

- 가족접견, 서신수발, 서적 및 영치금품 차입등 행형법상 타재소자와 동일한 처우를 받고 있음.

○ 특히 가족(처 유명자)이 지정하는 문병기박사(을지병원 정형외과장)의 진찰을 받도록 이미 허용하고 있음.

 * 가족이 아직 문병기박사의 진찰을 요청한 바 없음.

○ 위와 같은 처우를 하고 있음에도 이신범은

 - 81. 5.10- 82.10.10.까지 전후 7회에 걸쳐 단식투쟁을 하는 한편

 - 82. 3. 2. 교도관에게 감방 창문 가림판 제거를 요구, 규정상 불가하다고 하자 "제거하지 않으면 중대한 문제가 발생한다" 고 협박하면서 동 창가림판을 임의로 파손 제거하고

 - 82. 8.22. 야간 근무자 교대시 소리가 커서 잠을 잘 수 없다고 시정을 요구, 규칙상 불가피하다고 설득하자 교도관에게 "뭐야, 이놈아" 등 폭언을 하면서 가슴과 뺨 등을 구타하고도 오히려 교도관으로부터 구타 당하였다고 허위로 발설하는 등 의도적이고 불법적 행동으로 행형질서를 문란케 한 사실이 있음.

○ 귀하가 요청한 이신범의 외부의사 진찰문제는

 - 교도소 내에서의 적당한 치료가 불가능할 시 교도소장 직권으로 관비부담, 교도소 소재지 일반병원 의사의 보조진찰을 받을 수 있으며 (행형법 제29조)

 - 교도소 소재지 이외의 지역에 있는 일반병원의 의사 또는 특정의사의 진찰을 받고자 할 때에는 가족의 치료비 부담으로 특별허가를 받도록 되어 있음.(행형법 제28조)

 - 그러나 이신범의 서울소재 정형외과 문병기박사의 진찰에 대하여는 현재까지 가족이 치료비 부담으로 진주교도소장에게 특별신청하여

0247

7 - 2

허가를 받아야 하는데 이신범가족이 서면이나 구두(전화)로 신청한 사실이 전혀없었고,

- 지난 9.14. 이신범 모친이 진주교도소장에게 보낸 서신에서 외부전문의사의 진료를 부탁한 바 있으나 이는 관비에 의한 진주시내 전문의사의 진료를 말하는 것으로서 그동안 진주시내 한일병원 김충오 전문의사의 5차 (81. 3.31, 81. 7.28, 81.10.19, 82. 2.19, 82. 3.25)에 걸친 진료를 한바 있고,
- 10월중에도 동의사의 전문적인 진단을 할 예정으로 있음.
- 이신범의 모친이 82. 9.23. 이신범에게 보낸 서신내용에 진주에 있는 한일병원 의사한테 치료를 받으라고 종용한 사실이 있는 것으로 보아 서울 소재 문병기박사의 진찰과는 관련이 없는 것으로 판단됨.
- 또한 본인 또는 가족이 문병기박사의 진료요청이 있을 시는 하시라도 허용할 것임.

0248

이 신 법 수 형 관 련 자 료

" 귀부에서 이신범에 대한 관련사안이 제기
되면 본자료중에서 국익에 유익하다고 판단
되는 사항을 선택 사용하여 주시기 바랍니다."

0249.

1. 개 요

- 김대중 일당 내란음모 사건으로 현재 진주교도소에 복역중(징역 8년)인 이신범은
  10.26사태 직후 정치적, 경제적 난국이 겹친 심각한 위기와 북괴의 끊임없는 침략 위협 등 국가적 난국을 역이용하여, 김대중과 공모, 학생등을 선동 폭력적 민중 봉기로 유혈혁명사태를 유발하여 정부를 전복하고 김대중을 수반으로 하는 정권을 수립하는 등 국가를 변란할 목적으로 내란을 음모한 국사범인 자로
- 본명은 구속되기 전인 79. 5.29. 자신의 운동 잘못으로 목을 삐어 서울 세브란스 병원에서 치료받은 바 있으나 본건으로 구속된 후인 81. 3.31 갑자기 목디스크 증세가 재발되었다고 호소함에 따라 5회에 걸쳐 특별히 소외전문의사의 진찰을 실시케 한 결과 "목부분의 근육 위축으로 아프다는 자각증세" 외에는 특이 증상을 발견할 수 없어 수형 생활에 지장이 없다고 진단되었음에도 불구하고
- 동 이신범은 사실을 왜곡하여
  - 목디스크 증세등으로 수감생활을 할 수 없다고 주장, 소외병원 이송 치료 및 석방을 요구하면서
    - 교도관 구타
    - 교도소 시설 파괴
    - 욕설, 반항 등 불법 저항

    행위를 자행하는 한편
  - 국내외 인권기관 등에는
    마치 "조사과정에서 고문으로 목뼈와 척추 등이 부러졌는데도 일체 치료를 불허" 하고 있는 양 왜곡 전파하여 각국 인권기관으로부터 아국정부 요로에 소외병원 이송치료 및 석방지원을 호소케 하여

0250

국위를 손상하고 있는 등 수형태도가 불량함.

2. 건강상태

- 현재 이신범의 건강상태는 수형생활에 하등 지장이 없고 소외병원 이송치료를 요하는 상태가 아님.
- 다만 이신범은 구속전인 79. 5.29. 운동 잘못으로 목을 삐어 당시 서울 세브란스병원(신경외과의사 : 최종현)에서 진찰결과 경추추간판 탈출증(頸椎椎間板脫出症 , 목부분이 아프면서 이상감각으로 오는 증세)으로 진단되어 6개월간 안정 가료를 받은 바 있으나(진단서 ⑦ 참조)
- 구속후인 81. 3.31 목디스크 증세 재발을 호소함에 따라 외부전문의사(진주 한일병원 신경외과 원장 : 김충호)를 초빙, 검진 및 x-레이검사를 실시한 결과 "자각증상 외에는 경추부의 수액탈수증(頸椎部位水液脫水症 : 경추 간판 수액이 빠진 상태)이라는 소견을 발견할 수 없었고 (진단서 ② 참조)
- 82. 2.19. 재차 외부 진찰 요청에 따라 전시 (한일병원 의사) 김충오가 진료하려하자 "전에 진료한 바 있었다" 는 이유로 거부
- 82. 3.25. 전시 김충오가 재차 진찰한 결과 "x레이 선상이나 검진 기계로서는 전혀 알 수 없고 목부분의 근육이 위축되어 다소 불편이 있는 것으로 진단(진단서 ③ 참조)
- 82. 3.23. 지병인 치질증세 호소로 진주시 한일병원 외과전문의 최성숙을 초빙, 진료(항문 연고 치료)중인 바 현재 건강상태는 수감생활에 지장이 없음.(소견서 ④ 참조)

0251

3. 처우관계

o 교도소 당국에서는 동 진단결과에 따라 목운동의 불편을 덜어주는 등 건강에 특별한 관심을 갖고

- 필요한 약품 투여
- 행거 트랙션(목 인견대)
- 보조 넥칼라(목 받침대)
- 온수답프
- 철제 침대

등을 특별 구입 지급하여 사용토록 조치하는 등 건강관리에 최선을 다하고 있으며

o 또한 이선범은

- 매일 한시간 이상의 실외 운동
- 가족접견, 서신수발, 서적 영치금품 차입 허용 등 행형법상 타 재소자와 동일한 처우를 받고 있으며

o 또한 교도소 당국은 본명을 병동에 수용, 전문의로 하여금 일정기간 목디스크 증상에 대한 관찰 진료토록 특별배려를 했으나 전염병환자가 많다는 이유로 이를 거절하고 있음.

4. 수형태도

o 본명에 대하여는 교도소 당국에서 건강관리를 위해 특별한 처우를 하고 있음에도

- 소칙을 위반
- 행형규정에도 없는 개인 목욕탕 설치 요구
- 소외병원 이송치료 사유가 없는데도 계속 이송등을 요구, 단식을 하는 등 행형질서를 문란케 하는 사례가 많은 바

0252

° 심리로서

- 81. 5.10- 82.10.10.간 전후 7회에 걸쳐 단식투쟁을 자행하는 한편
- 82. 3.22. 교도관에게 감방창문 가림판 제거를 요구, 규정상 불가하다고 하자
  "제거하지 않으면 중대한 사태가 발생할 것이다" 고 협박하면서 창 가림판을 임의로 파손 제거
- 82. 8.22. 담당 교도관에게 야간 근무자 교대소리가 소란하여 잠을 잘 수 없다는 이유로 시정을 요구, 교도관이 근무 수칙상 불가며 하다고 설득하자 "뭐야, 이놈아" 등 폭언을 하면서 교도관의 가슴과 뺨을 구타하는 등 행패를 부리고 오히려 교도관이 자신을 구타했다고 생떼를 부리고
- 82. 9. 6. 가족(모 이연) 면회시 교도관에게 구타 당하여 좌측 어깨가 6센티미터 정도 찢어졌다고 허위 발설, 대내외 여론을 환기하도록 당부하는 등 의도적이고 불법적 행위 자행.

° 또한 본명은 미국에 거주(L.A.)하고 있는 처 유명자에게 서신을 통하여

- 목 디스크 발병원인이 조사과정에서 고문에 의한 것이다.
  * 사실은 구속 1년전 운동 잘못으로 발병.
- 척추가 부러졌는데도 일체 치료를 하지 않은 채 독방에 감금하고 있다는 등 허위사실을 날조 전파하므로서 진실을 오도케 하고 있음.

0253

연번호 71-317

1. 환자의 주소	서울 서대문구 남가좌동 290-23
2. 환자의 성명	이신범
3. 병명 (임상적 / 최종)	경추추간판탈출증
4. 발병일	1979년 4월경
5. 향후 치료 의견	상기증으로 본원 신경외과 외래에서 가료 받고 있으며 이후 약 6개월간 중노동, 격무등 피하고 안정가료 하여야 될것으로 사료됨
6. 비고	

위와 같이 진단함

발행인 1979년 5월 29일

서울특별시 서대문구 신촌동 134번지

연세대학교 의과대학

부속세브란스병원

15470 의사성명 최종현

0254

진 단 서 ②

등록번호
번 호　　　　　　　　주민등록번호

1. 환자의주소	진주 고도초 1
2. 환자의성명	이 신현　성별 (남)·여　생년월일 년 월 일　연령 만31세
3. 병 명 ☑ 임상적 □ 최 종	수핵탈수증 상흉부 외증 (경추 4.5번)　국제질병분류번호
4. 발 병 일	79. 5
5. 향후 치료 의견	~~상병증이 있는한 향후　감 안정 가료를 요함~~ 상기 환자는 상기 병명으로 당병원에 1981.3.31 래원. 검진 및 X-ray 上. 자각증상 외는 경추부 수핵탈수증이라는. 이학적인 소견을
6. 비 고	보일 할수 없음. 추후관찰을 요함

위와 같이 진단함.

발 행 일　1981 년 3 월 31 일
병원주소　경남 진주시 본성동 1—7
병 원 명　한 일 병 원　한일병원 정형외과
과장(전문의) 김 충 ㊞
전화번호　② 1393—5　진주시본성동1—7 전화 6407 7770

(참고)　(관인이없는것은무효임)
1 본인 확인은 진료의사가 주민등록증과 대조(미성년자인때는 기타 본인을 특정

0255

진 단 서 ③

병록번호

연 번 호 41　　　주민등록번호

1. 환자의주소	진주교도소
2. 환자의성명	이신범　성별 (남) 여　생년월일　년 월 일　연령 만37세
3. 병 명 □ 입 적 □ 최 종	진구성 수핵탈수증 경추부 의증 (경추 4,5번간) 　　국제질병분류번호
4. 발 병 일	79. 5
5. 향 후 치 료 의 견	~~합병증이 없는한 향후 간 안정 가료를 요함.~~ 상기 환자는 상기 병명으로 본원에서 검진한바 현재 감각증상이 계속 지속되므로 안정가료가 약 4주이상 될것으로 사료되며 현재
6. 비 고	이하 확인 소견은 발견할수는 없음

위와 같이 진단함

발행일　19 82 년 3 월 26 일

병원주소　경남 진주시 본성동 1—7

병원명　한 일 병 원

전화번호　② 1 3 9 3 ～ 5

한일병원 정형외과
의학박사
과장(전문의)　김 충 오

~~진주시 본성동 1-7 ②1 93~5~~

(참고)　(관인이없는것은무효임)

1. 본인 확인은 진단의사가 주민등록증과 대조(미성년자일때는 기타 본인을 특정할수 있는 방법으로 대체할 수 있다) 확인하고 날인한다

2. [illegible]

0256

소 견 서 ④

성 명 이 신범

생년월일 남자 33세

주민등록번호

주 소 진주교도소

발 병 일

병 명 치핵

현재까지 치료경위 좌욕실시 좌약주입

소 견 치핵으로 쉽게 출혈할수 있는 상태이나
좌욕은 계속실시하고 좌약은 사용하는것

용 도 이 좋은것으로 사료됨

상기와 같이 소견함

1982년 3월 23일

0257

한 일 병 원

진주시 본성동 1-7 7-7 7446 최성숙

이신범 근황에 대한 관계부처 회보 요지

1. 이신범 가족으로부터 문병기 박사 진찰 신청을 받은 바 없음.

2. 이신범 모친이 9.14. 진주교도소장에게 보낸 서한은 관비에 의한 진주시내 전문의 진료를 뜻하는 것으로 81.3.31. 이래 5차에 걸쳐 치료한 바 있고 10월중에도 진단을 실시할 예정임.

3. 이신범 모친이 9.23. 이신범에게 보낸 서신에서 진주시내 병원 의사의 치료를 받도록 종용한 것으로 보아 문박사 진찰과는 무관한 것으로 판단됨.

4. 문박사 진료요청은 하시라도 허용될 것임.

참고 : 형법관계 규정

- 교도소내 치료 불능시 관비로 교도소 소재지 병원 의사 진찰이 가능함.
- 교도소 소재지 이외 지역 병원 의사 또는 특정의사 진찰 희망시 자비부담으로 특별허가가 가능함.

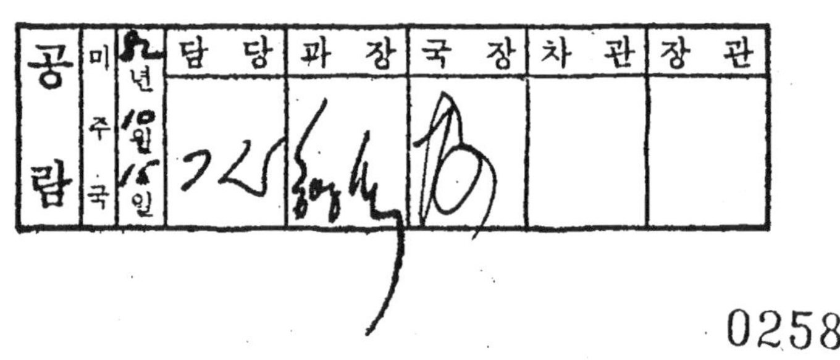

공람	미주국	82년 10월 15일	담 당	과 장	국 장	차 관	장 관

0258

관리 번호 82-1240

기안용지

분류기호 문서번호	미북 700-1817	(전화번호)	전결규정 조 항 전결사항
처리기간		국 장	
시행일자	1982.10.22.	추열	
보존년한			
보조기관 과 장			협조
기안책임자	김재범	북미과	
경유 수신 참조	주미 대사	발송 1982. 10. 22 외무부	통제 검열 1982.10.22 외무부 보안담당관
제 목	이신범 관계 자료		

연 : 미북 700-925 (82.5.25).

1. 이신범에 관한 주한 미국 대사관측의 문의서한과 이에대한 본부 회한을 이신범 동정 및 진료사항에 관한 관계부처 자료와 함께 별첨 송부하니, 미측으로부터 문의가 있을 시 적절히 대처하시기 바랍니다.

2. 이와관련, 연호로 지시한 Ronald V. Dellums 하원의원앞 귀하명의 답서 사본을 참고로 송부하여 주시기 바랍니다.

첨부 : 1. 주한 미국대사관측 서한 및 본부회한 각 2건.
2. 관련자료 1부. 끝.

정서 관인 발송

0259

1205-25(2-1)A(갑)
1981. 12. 18 승인

정직 질서 창조

190mm×268mm (인쇄용지 2급 60g/m²)
조 달 청 (000,000매 인쇄)

Dear Mr. Blakemore,

With reference to your letter of September 28 informing me of Mr. Lee Shin-bom's family and their efforts to have him examined by an outside physician, I should like to convey to you the findings of the authorities concerned on this subject as the following:

When the treatment of an inmate is considered impossible in prison, the head of the prison is authorized to give him at government expenses an auxiliary treatment of outside doctors of hospitals located in the area of the prison.

If the inmate wants to receive treatment from a doctor living outside the area of the prison, a special permission can be given for this at the expense of his family.

The letter his mother sent to the head of the prison on September 14 as mentioned in your last note was a request for a treatment by a doctor at the government expense. This kind of treatment was given to him for five times by Dr. Kim Choong-ho of Hanil Hospital in Chinju and another treatment by the same doctor is scheduled for October.

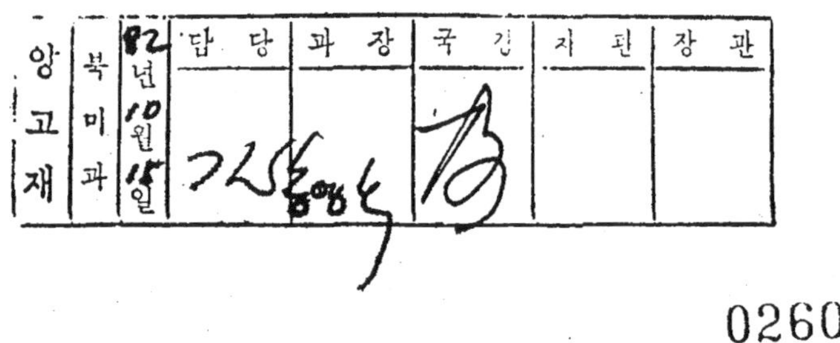

0260

In this regard, I wish to make it clear to you that permission will be given whenever Mr. Lee or his family request for medical examination by outside doctors such as Dr. Moon Byung-ki (at their own expenses.

It is my earnest hope that you will explain the actual situation in the most appropriate way to all those who are interested in this subject in your country.

Yours sincerely,

Suk Kyu Kim
Director General
American Affairs Bureau

0261

MINISTRY OF FOREIGN AFFAIRS
REPUBLIC OF KOREA

October 18, 1982

Dear Mr. Blakemore,

With reference to your letter of September 28 informing me of Mr. Lee Shin-bom's family and their efforts to have him examined by an outside physician, I should like to convey to you the findings of the authorities concerned on this subject as the followings:

When the treatment of an inmate is considered impossible in prison, the head of the prison is authorized to give him at government expenses an auxiliary treatment of outside doctors of hospitals located in the area of the prison.

If the inmate wants to receive treatment from a doctor living outside the area of the prison, a special permission can be given for this at the expense of his family.

The letter his mother sent to the head of the prison on September 14 as mentioned in your last note was a request for a treatment by a doctor at the government expense. This kind of treatment was given to him for five times by Dr. Kim Choong-ho of Hanil Hospital in Chinju and another treatment by the same doctor is scheduled for October.

In this regard, I wish to make it clear to you that permission will be given whenever Mr. Lee or his family request for medical examination by outside doctors such as Dr. Moon Byung-ki at their own expenses.

Mr. David Blakemore
Counselor
American Embassy
Seoul 110

0262

It is my earnest hope that you will explain the actual situation in the most appropriate way to all those who are interested in this subject in your country.

Yours sincerely,

Suk Kyu Kim
Director General
American Affairs Bureau

0263

MINISTRY OF FOREIGN AFFAIRS
REPUBLIC OF KOREA

October 18, 1982

Dear Mr. Blakemore,

With reference to your letter of September 28 informing me of Mr. Lee Shin-bom's family and their efforts to have him examined by an outside physician, I should like to convey to you the findings of the authorities concerned on this subject as the followings:

When the treatment of an inmate is considered impossible in prison, the head of the prison is authorized to give him at government expenses an auxiliary treatment of outside doctors of hospitals located in the area of the prison.

If the inmate wants to receive treatment from a doctor living outside the area of the prison, a special permission can be given for this at the expense of his family.

The letter his mother sent to the head of the prison on September 14 as mentioned in your last note was a request for a treatment by a doctor at the government expense. This kind of treatment was given to him for five times by Dr. Kim Choong-ho of Hanil Hospital in Chinju and another treatment by the same doctor is scheduled for October.

In this regard, I wish to make it clear to you that permission will be given whenever Mr. Lee or his family request for medical examination by outside doctors such as Dr. Moon Byung-ki at their own expenses.

Mr. David Blakemore
Counselor
American Embassy
Seoul 110

0264

It is my earnest hope that you will explain the actual situation in the most appropriate way to all those who are interested in this subject in your country.

Yours sincerely,

Suk Kyu Kim
Director General
American Affairs Bureau

264-1

Allison Kels[illegible]y
2035 N,Lake [illegible]rive #3
Milwaukee,Wisconsin
53202   U.S.A.

MILWAUKEE, WI 532
PM
11 SEP
1982

Philip Mazzei
Patriot Remembered
USA airmail
40c

His Exellency Mr.Lee Bum-suk
Ministry of Foreign Affairs
1 Sejong-no
Chongno-gu
Seoul,Republic of Korea

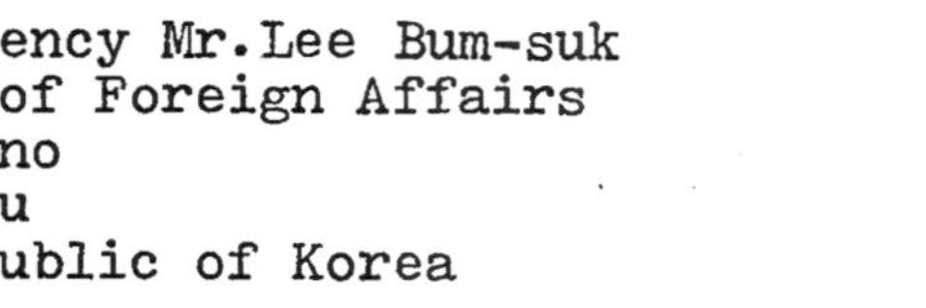

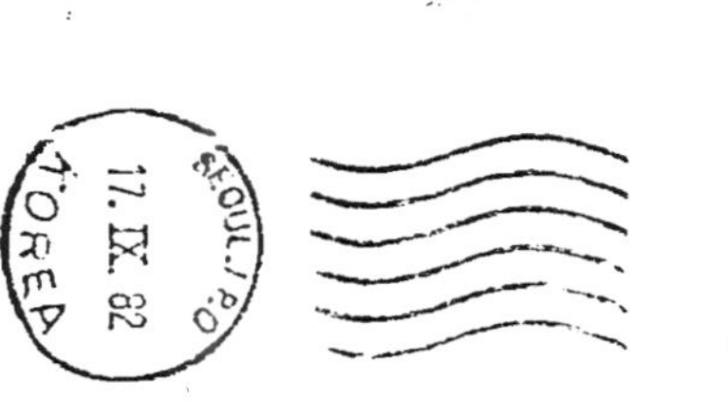

0265

Amnesty International

Adoption Group 106

304 W. 58th Street
New York, N.Y. 10019

Allison Kelsey
2035 N.Lake Drive #3
Milwaukee,Wisconsin
53202 U.S.A.

His Exellency Mr.Lee Bum-suk
Ministry of Foreign Affairs
1 Sejong-no
Chongno-gu
Seoul,Republic of Korea

Your Exellency:

I am a member of Amnesty Internatioal writing again about Mr.Lee Shim-bom who is thought to be being held in an Army prison in Seoul.He was arrested on 20 June 1980 for inciting a "rebellion" which was in fact a peaceful demonstration advocating a democratic government and a constitution,a need that the present government of Korea does not wish to acknowledge.In addition to this,we have reason to believe that Mr.Lee Shim-bom was mistreated (physical beatings) during the interrogations subsequent to his arrest.

In light of these injustices,we request your government to release Mr.Lee Shim-bom or at the very least grant him a fair re-trial.

I am certain that having brought this situation to your attention a solution can be found.

Yours respectfully
and sincerely,

Allison Kelsey

0266

Amnesty International is a worldwide human rights movement which works impartially for the release of prisoners of conscience: men and women detained anywhere for their beliefs, color, ethnic origin, sex, religion or language, provided they have neither used nor advocated violence. Amnesty International opposes torture and the death penalty in all cases without reservation and advocates fair and prompt trials for all political prisoners. Amnesty International is independent of all governments, political factions, ideologies, economic interests and religious creeds. It has consultative status with the United Nations (ECOSOC), UNESCO and the Council of Europe, has cooperative relations with the Inter-American Commission on Human Rights of the Organization of American States, and has observer status with the Organization of African Unity (Bureau for the Placement and Education of African Refugees). Amnesty International was the receipient of the 1977 Nobel Prize for Peace.

CHAIRMAN, BOARD OF DIRECTORS
David Hinkley

EXECUTIVE DIRECTOR
Gerhard A. Elston

October 22, 1982

Dear Mr. Kelsey,

I take the pleasure in replying to your letter concerning Mr. Lee Shin-bom, who is serving his sentence in accordance with legal procedure.

The cervical disc syndrome he is complaining have once been treated since he was sprained by the neck on May 29, 1979, long before he was imprisoned on June 19, 1980.

As he complained the relapse of cervical disc symptom on March 31, 1981, an external medical specialist was invited to undertake close medical examinations. The doctor diagnosed that, although Mr. Lee had some inconvenience in moving his neck due to contraction of cervical muscles, no disc symptom was found.

In fact, Mr. Lee's present health condition does not give impediment to his confinement.

Prison authorities also do their best in aliviating the inconvenience in his neck movement by prescribing medicine and allowing him to use auxilliary apparatus.

0267

Mr. Lee receives the same treatment as ordinary inmates in terms of excercise, reading family interview, exchange of letters and loaning of cash and other possessions in custody.

In this regard, I earnestly hope that you will explain the actual situation of Mr. Lee to all those who are concerned for him so that further misunderstanding may be avoided.

Yours sincerely,

Bum Suk Lee
Minister

Mr. Alison Kelsey
2035 N. Lake Drive #3
Milwaukee, Wisconsin
53202 U.S.A.

0268

주 미 대 사 관

미국(정)700 - 3166 1982. 10. 27.

수 신 : 장 관

참 조 : 미주국장

제 목 : 이신범관계 답서

연 : 미국(정)700 - 1286

대 : WUS - 0507

Ronald V. Dellums 하원의원, Claiborne Pell 상원의원 및 Don Edwards 하원의원 등의 이신범에 관한 문의 서한에 대해 별첨과 같이 회신했음을 보고합니다.

첨 부 : 동 회신서한 3부. 끝.

1982. 10. 2

주 미 대

공람	미주국	82년 11월 1일	담 당	과 장	국 장	차 관	장 관

0263

결 재	외 무 부		지시사항	
	접수번호	60691 호		
주 무 과	접수일자	1982. 11. 1		
	처리근거			
담 당 자			198 년 월 일 까지 처리할것	

0270

EMBASSY OF THE REPUBLIC OF KOREA
WASHINGTON, D. C.

May 14, 1982

The Honorable
Don Edwards
House of Representatives
2307 RHOB
Washington, D.C. 20515

Dear Mr. Edwards:

With regard to your letter concerning the treatment and health of Mr. Lee Sin Bum,I have been informed of the following details.

It is true that Mr. Lee suffers from neck pain; however, he incurred a neck injury on May 29, 1979, before his arrest and imprisonment. At the time of the said injury, May 29, 1979, Mr. Lee was hospitalized and examined by a physician. And at that time, the examining doctor found no severe injury and prescribed no special treatment, only, bed rest.

After his arrest, Mr. Lee again complained of neck pain. In addition to the treatment given him by prison doctors, Mr. Lee was examined and x-rayed by three other physicians. Though these three physicians came to the same conclusion as the first examining doctor in 1979; prison authorities are now providing Mr. Lee with medicines and physical therapy equipment for his neck.

Mr. Lee has not complained about his medical treatment. He is currently allowed to meet with his family and receive and send letters. However, Mr. Lee's family, who want his early release, has appealed for such, on the grounds of physical abuse.

0271

I hope that I have answered your questions and helped lessen your concern over the treatment and health of Mr. Lee.

With best regards,

Sincerely,

Byong Hion Lew
Ambassador

0272

EMBASSY OF THE REPUBLIC OF KOREA
WASHINGTON, D. C.

May 14, 1982

The Honorable
Claiborne Pell
United States Senate
325 RSOB
Washington, D.C. 20510

Dear Senator Pell:

With regard to your letter concerning the treatment and health of Mr. Lee Sin Bum, I have been informed of the following details.

It is true that Mr. Lee suffers from neck pain; however, he incurred a neck injury on May 29, 1979, before his arrest and imprisonment. At the time of the said injury, May 29, 1979, Mr. Lee was hospitalized and examined by a physician. And at that time, the examining doctor found no severe injury and prescribed no special treatment, only, bed rest.

After his arrest, Mr. Lee again complained of neck pain. In addition to the treatment given him by prison doctors, Mr. Lee was examined and x-rayed by three other physicians. Though these three doctors came to the same conclusion as the first examining physician in 1979; prison authorities are now providing Mr. Lee with medicines and physical therapy equipment for his neck.

Mr. Lee has not complained about his medical treatment. He is currently allowed to meet with his family and receive and send letters. However, Mr. Lee's family, who want his early release, has appealed for such, on the grounds of physical abuse.

0273

I hope that I have answered your questions and helped lessen your concern over the treatment and health of Mr. Lee.

With best regards,

Sincerely,

Byong Hion Lew
Ambassador

0274

EMBASSY OF THE REPUBLIC OF KOREA
WASHINGTON, D. C.

May 14, 1982

The Honorable
Ronald V. Dellums
House of Representatives
2136 RHOB
Washington, D.C. 20515

Dear Mr. Dellums:

With regard to your recent letter concerning the treatment and health of Mr. Lee Sin Bum, I have been informed of the following details.

It is true that Mr. Lee suffers from neck pain; however, he incurred a neck injury on May 29, 1979, before his arrest and imprisonment. At the time of the said injury, May 29, 1979, Mr. Lee was hospitalized and examined by a physician. And at that time, the examining doctor found no severe injury and prescribed no special treatment, only, bed rest.

After his arrest, Mr. Lee again complained of neck pain. In addition to the treatment given him by prison doctors, Mr. Lee was examined and x-rayed by three other physicians. Though these three doctors came to the same conclusion as the first examining physician in 1979; prison authorities are now providing Mr. Lee with medicines and physical therapy equipment for his neck.

Mr. Lee has not complained about his medical treatment. He is currently allowed to meet with his family and receive and send letters. However, Mr. Lee's family, who want his early release, has appealed for such, on the grounds of physical abuse.

0275

I hope that I have answered your questions and helped lessen your concern over the treatment and health of Mr. Lee.

With best regards,

Sincerely,

Byong Hion Lew
Ambassador

0276

관리번호 83-168

(검재범) 법무부조회 OK

외 무 부 착신전보

번 호 : LAW-126　　　　일 시 : 01261600　　　　종 별 : 지 급

수 신 : 장 관 (영재, 기정)

발 신 : 주 라성 총영사

제 목 : 이신범 방미

칼리포니아주 하원 여당(민주당)원내총무 MIKE ROOS 는 83.1.21 본직앞으로 보내온 공한에서 최근 한국정부의 정치범 석방 특히 이신범의 석방 조치를 환영하면서 동의원의 선거구민인 이신범의 처가 가족과의 합류를 위한 이신범의 방미가 늦어질지 모른다고 우려를 표명한바에 따라 본직에게 이 신범이 조속히 방미 할수있도록 배려하여 줄것을 요청하여 왔는바 이신범의 현재의 법적지위 출국전망 기타 동의원에게 회신하는데 도움이 될수있는 사항을 회시 바람 .끝.

예고 : 1983.12.31.일반

검토필(1983.6.30.)

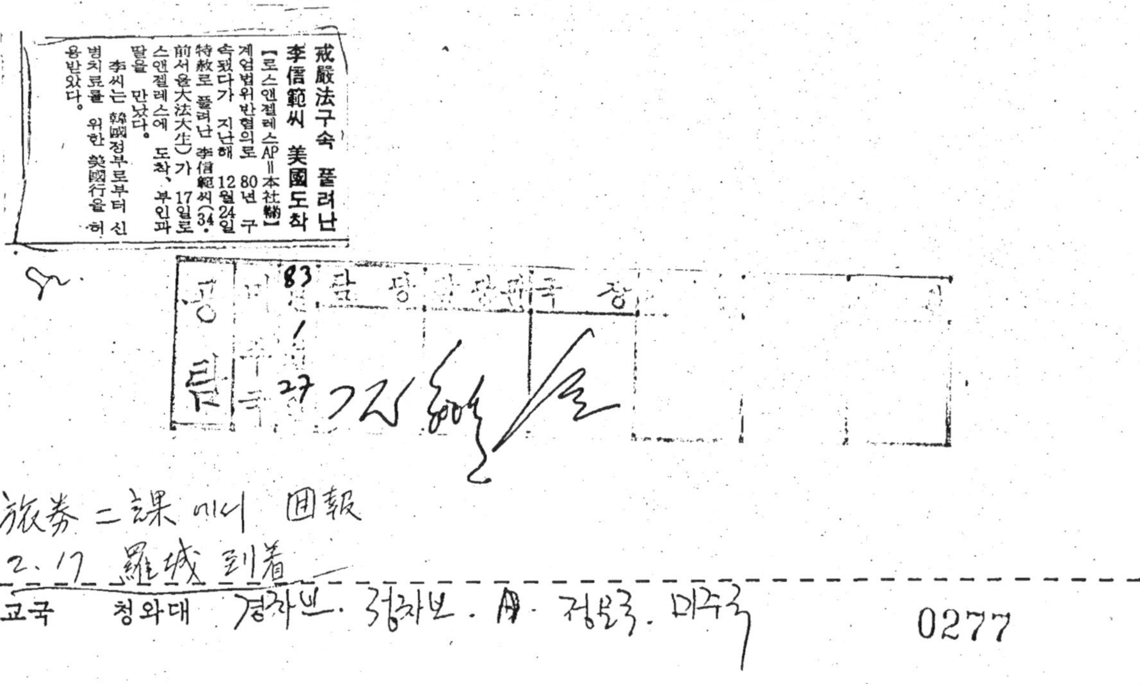

戒嚴法구속 풀려난 李信範씨 美國도착

【로스앤젤레스AP=本社特約】 계엄법위반혐의로 80년 구속됐다가 지난해 12월24일 特赦로 풀려난 李信範씨(34·前서울大法大生)가 17일 로스앤젤레스에 도착, 부인과 딸을 만났다.

李씨는 韓國정부로부터 신병치료를 위한 美國行을 허용받았다.

旅券二課 에서 回報
2.17 羅城 到着

영교국　청와대　경차보.　정차보.　정보국.　미주국

0277

PAGE 1

83.01.27 11:03
외신 2과 통제관

외 무 부 착신전보

번 호 : SFW-614 일 시 : 10111200 종 별 :

수 신 : 장 관 (미북) 사 본 : 주 미 대사 QSP 필

발 신 : 주 상항 총영사

제 목 : 한국 관계 기사 (이신범 회견 내용)

1. 광주 사건 관련자 이신범 (워싱톤 소재 COMMISSION ON US-ASIAN RELATIONS OF THE CENTER FOR DEVELOPMENT POLICY DIRECTOR) 이 10.10 당지를 방문, 동인의 INTERVIEW 내용이 10.11.자 SAN FRANCISCO CHRONICLE 지에 보도됨.

2. 동인은 88 서울 올림픽은 한국내 소위 민주회복 운동의 RALLYING POINT 가 될 것이라고 말하고 88 올림픽이 국내 정치에 변화의 계기가될 것이라는 등의 주로 반정부 발언을 한 것으로 보도 되었음.

3. 동 기사 파편 송부함

(총영사 문기열-국장)

미주국 1차보 정문국 청와대 안 기

PAGE 1

84.10.12 11:34
외신 1과 통제관

0278

4. 통혁당사건 관련자 임동규에 대한 처우, 1984-85

0279

김3

주 뉴 욕 총 영 사 관

주뉴욕(고) 725- - 0489 1984. 2. 27.

수신 장 관

참조 미주국장, 국제기구조약국장

제목 수감자 처우 문의

뉴욕주 Hastings 소재 Amnesty International Hastings-Dobbs Ferry 지부에서는 통혁당 사건으로 현재 대전 교도소에 수감중인 임동규 (수감자번호 3607)의 처우에 관하여 별첨과 같이 당관에 질의하여 왔아오니, 동건 답변에 관한 관계 부처 의견을 회시하여 주시기 바랍니다.

첨부 : 질의서 및 관계 서한 사본. 끝.

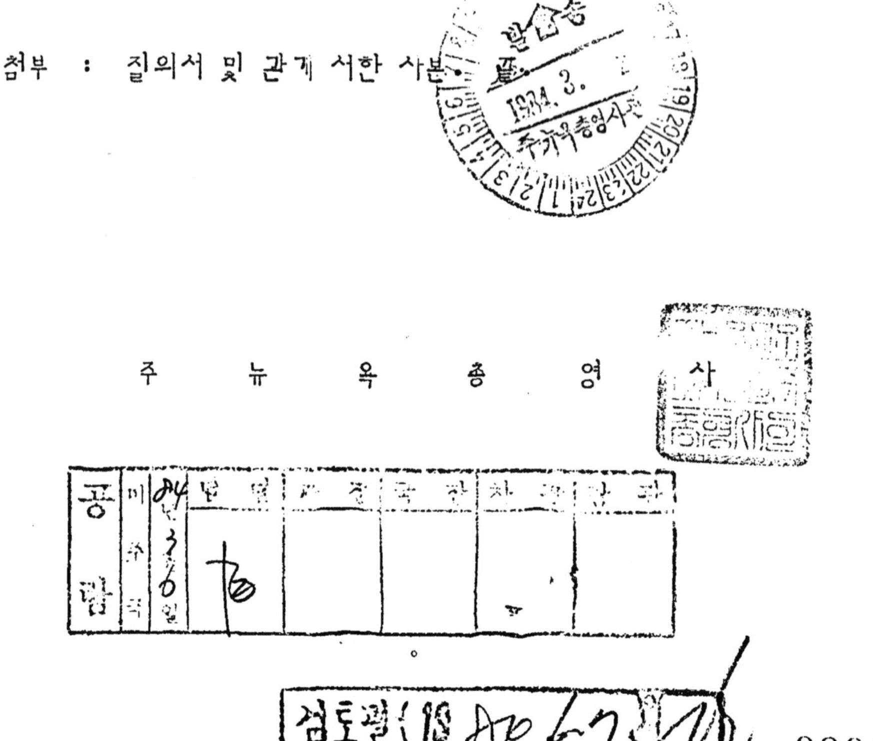

주 뉴 욕 총 영 사

공람	미주국	84. 3. 6일					

검토필(19 ...)

0280

외 무 부

접수번호 제 13769 호

접수일자 1984. 3. 05

주 무 과

지시사항

198 년 월 일까지 처리할것

0281

Amnesty International of the USA
Hastings - Dobbs Ferry Chapter
Adoption Group 253

70 Southgate Avenue
Hastings, New York 10706
February 17, 1984

Dr. Se Jin Kim
Consulate General
The Korean Consulate
460 Park Avenue
New York, NY 10022

Dear Dr. Kim,

Sarita Copeland and I very much appreciated meeting with you and Consul Chun to discuss the status and particulars of Mr. Im Tong-gyu's case.

As you requested, we are putting our questions in writing, and we would be grateful if we could receive specific answers to them. The questions are as follows:

* Did Mr. Im receive the package of clothing we sent him in early January of 1984?

* Did he receive the New Year's cards many members of our community sent him in late December?

* If so, will he be able to continue to receive greeting cards from members of the community?

* How often is his family allowed to visit him?

* Who presently has access to Mr. Im's trial records?

* Could we receive a copy of the record of his trial proceeding, and can you assist us in that process?

* Who was Mr. Im's lawyer during the South Korean National Liberation Front trial?

* What is the current status of Mr, Im's case?

* What was the evidence used at the trial to prove that Mr. Im was a member of the South Korean National Liberation Front?

* Why of the seven defendants in the Unification Revolutionary Party case is Mr. Im serving a life sentence even though his co-defendants in the Unification Revolutionary Party case have been released?

0282

Dr. Se Jin Kim
February 17, 1984
Page 2

* Why were 29 of the defendants in the South Korean National Liberation Front case released and not Mr. Im?

* Can you provide detailed information about the state of Mr. Im's health at the present time?

As we discussed the other day, would it be possible while we are waiting for a response from the Ministry of Justice, to receive a copy of the Ministry's response to the earlier inquiry into Mr. Im's case that you told us about? I will call your office next week to affirm this.

I am enclosing a brochure about Amnesty International and six articles about Mr. Im from various local newspapers and newsletters.

I thank you once again for meeting with us.

Yours respectfully and sincerely,

Rebecca Cooney

Rebecca Cooney
Group 253 President

0283

NEW YORK STATE UNITED TEACHERS
153 Wolf Road
Box 15-008
Albany, New York 12212-5008

ADDRESS CORRECTION REQUESTED

Nonprofit Org.
U.S. Postage
PAID
Permit #83
Somerset, NJ

NEW YORK TEACHER

OFFICIAL PUBLICATION OF NEW YORK STATE UNITED TEACHERS

Vol. XXV, No. 2, September 19, 1983

Ban Lifted on South African Educator While... 0284

South Korean Is Jailed for 'Anti-State' Views

WASHINGTON, D.C. — A 44-year-old South Korean labor educator is serving a life sentence for "anti-state" activities. According to Amnesty International, the worldwide human rights agency which has adopted Im Tong-gyu as a prisoner of conscience, the charges stem from Im's attempt to peacefully express his political opinions against the government's agricultural policy.

Im was arrested in March 1979 along with six others, including his two brothers, and accused of membership in two illegal organizations. Such charges, under South Korea's National Security Law, Anti-Communist Law and Criminal Code, according to Amnesty International, are frequently preferred against people who have peacefully criticized the government.

PRISONERS OF CONSCIENCE

Problems Research Institute, was held incommunicado from March 1979 until July 1979 and deprived of sleep for six days. Some of the others arrested with him have suffered serious injuries, including a broken leg and a broken spine.

Letters requesting his release should be addressed to His Excellency Prime Minister Kim San Hyup, The Prime Minister's Office, 1 Sejong-no Chongno-gu, Seoul, Republic of Korea. Copies should go to His Excellency Byong Hion Lew, Embassy of Korea, 2370 Massachusetts Ave., N.W., Washington, D. C. 20008.

On a happier note, Amnesty International reports that Fanyana Mazibuko, a South African educator whose case was reported in the Nov. 30, 1980 issue of the *New York Teacher*, has been removed from the list of "banned" persons and is now able to resume his work.

Banned South Africans are forbidden to travel, publish, communicate with each other, or participate in political activities. Bannings are administrative and not the Security Act, under which the bannings are imposed, resulted in the orders being withdrawn on July 1 for Mazibuko and 54 others. However, banning orders were immediately reimposed on 10 and a new banning has been announced for a current total of 11 bannings in South Africa.

The human rights agency hailed the reduction in banning orders but noted that the new bannings are for five year periods (up from two or three year terms) and that banned persons still have no legal rights to challenge the decrees.

Amnesty International, winner of the Nobel Prize for Peace in 1977, adopts as prisoners of conscience men and women detained anywhere for their beliefs, color, ethnic origin, sex, religion or language provided

THE HERALD STATESMAN

Amnesty International seeking local support for Korean prisoner

By Michael Sweeney
Special to the Herald Statesman

"Freedom is not a divisable thing," said Mayor Rolon Reed early Saturday afternoon as he stood in the Dobbs Ferry Grand Union parking lot just after signing a petition to raise support for prisoners of conscience. "So long as one man or one woman is in jail anywhere in the world I am less free."

Mayor Reed was one of half a dozen local politicians who came to support the Hastings-Dobbs Ferry chapter of Amnesty International in a petition drive this weekend. Other local politicans to show up included County Legislator Audrey Hochberg, Assemblyman Richard Brodsky, and County Legislator Paul Feiner. The local chapter is now concentrating on generating publicity for a South Korean prisoner of conscience Im Tong-gyu.

As Rebecca Cooney, Amnesty International member of Hastings explained, through sheer force of publicity the organization attempts to pressure governments into freeing unjustly held prisoners. On some occasions the organization is successful. Ms. Cooney tells of an incidnt which conviced her to join Amnesty International: A labor organizer who was jailed in the Dominican Republic. The organization began generating critical publicity and members wrote letters directly to the prison. As sacks of letters arrived authoirities in that country gradually began easing conditions for the prisoner, until finally he was simply freed.

Ms. Cooney explains that Amnesty International does no legislative lobbying because it wants to remain completely impartial. The oganization sponsors such local petition drives, letter writing campaigns, and attempts to put pressure on embassies to, in turn, put pressure on governemtns guilty of violating freedom rights issues. The organization also publishes a yearly report on the human rights conditions around the world.

The Hastings-Dobbs Ferry chapter hopes to obtain about 450 signatures during its drive this weekend. Ms. Cooney says the local chapter is sponsoring a Christmas card drive for the North Korean prisoner. Members reported that the response of residents has been mixed.

"One person said that what we were doing is silly," said member Bonnie Schapira. "I just don't understand that attitude. It is a very rare thing — in the history of mankind — to be able to stand in a public place and voice one's opinions."

0285

WESTCHESTER WEEKLY

The New York Times

SUNDAY, DECEMBER 11, 1983

0286

Four Amnesty Groups Active in County

By TESSA MELVIN

WHEN Carmen Popescu stepped into the bright August sunlight beyond her prison last summer in Bucharest, Rumania, guards handed her a food package from Dobbs Ferry.

The release of Mrs. Popescu, who had been jailed in 1981 for "propaganda against the socialist state," had been the goal of Amnesty International Adoption Group No. 253, Hastings-Dobbs Ferry Chapter.

The Amnesty International organization and its local chapters never claim credit for the release of a prisoner, although vigorous efforts may have been made in the process. The 15 teachers, homemakers and business executives in Adoption Group 253 wrote more than 100 letters to Rumanian officials, Congressional Representatives, State Department officials and to the press on Carmen Popescu's behalf. They sent food parcels at their own expense. Last spring, they held a vigil near the Rumanian Mission to the United Nations in New York City and accounts of the vigil were broadcast by Radio Free Europe.

After Mrs. Popescu was released, her case coordinator in Hastings, Rebecca Cooney, said: "Before I joined Amnesty International, I never felt that I, as an individual, could make such a difference." Miss Cooney, a Hastings resident who is director of public education for Inform, a nonprofit environmental-research organization, added: "We don't know if our efforts caused Carmen's release, but it seems too coincidental."

Miss Cooney joined Amnesty International after seeing the film "Missing," a 1982 political thriller based on an actual event: the disappearance of a young American

Continued on Page 20

The New York Times/Joyce Dopkeen

Members of Hastings-Dobbs Ferry Amnesty International chapter writer during a South American coup.

She first joined the "Urgent Action Network" of Amnesty International, which issues immediate appeals to prevent torture or rescue prisoners who need medical attention or who have received a death sentence. Later, she joined the newly formed adoption group meeting in Hastings.

There are about 75 active members of Amnesty International in the county. On member, Sarita Copeland, explained her decision to join by saying: "I want to put the energy we have as Americans to speak out and to talk and to move things instead of saying 'I'll give $10.' Through Amnesty International, you can do something for another who doesn't have the political freedom they should — who are repressed for doing not much more than we have done."

There are four "adoption groups," as the basic Amnesty action unit is called, in the county. Each meets monthly to plan strategies for their "prisoners of conscience," who include a Uruguayan construction worker, a Soviet poet and a Turkish trade unionist.

As defined by Amnesty International, "prisoners of conscience" are "men and women detained anywhere for their beliefs, color, ethnic origin, sex, religion or language, who have neither used nor advocated violence."

According to Amnesty sponsors, the definition demands impartiality and places the organization above politics. "Human-rights abuses take place anywhere in the political spectrum," Miss Cooney said. Mrs. Copeland added: "It's not important that the people who complained about Carmen Popescu's imprisonment agreed with her politically. Most people in jail are dissidents. The criteria is the same in every country."

Amnesty International began in England 22 years ago and has grown to more than 750,000 members in 150 countries. Last year the international human rights organization gave its chapters nearly 5,000 cases of human rights violations to look into, out of many more reports received. Amnesty International received the Nobel Peace Prize in 1977.

The organization's headquarters in England is also the research center, which documents records of human rights violations. Cases are then assigned to adoption groups. Group organizers say the assignments are made with care, to insure, in the words of the Amnesty International Handbook, that "sufficient overall political contrast is maintained to preclude any suspicion that the individual Amnesty group is politically biased."

Adoption groups usually work on two or three cases simultaneously, helping prisoners of conscience representing all elements of the political spectrum. As a further safeguard against political bias, adoption groups are not assigned "prisoners of conscience" from their own countries.

Mrs. Popescu's was the first case coordinated by the Hastings group. With three possible choices offered to the group by the international secretariat, Mrs. Popescu was picked, Mrs. Copeland said, "because her case seemed the most helpless, and because she seemed most like us." Mrs. Popescu, a 41-year-old single parent and office worker, had been imprisoned, according to Miss Cooney, "after she tried to sign a human rights appeal."

Before Mrs. Popescu's release, the group adopted a second "prisoner of conscience," Im Tong-gyu, a South Korean sentenced to two terms of life imprisonment for belonging to two banned political parties. Amnesty International said it believes that the real reason for Mr. Im's arrest was his criticism of the Government's farm policies. Mr. Im, formerly head of the general affairs division at Korea University's Labor Problem Research Institute, had also tried to help farmers form independent cooperatives. The Hastings Amnesty group has written to, among others, President Reagan, Senator Edward M. Kennedy and Cesar Chavez, head of the United Farm Workers of America, seeking their help in obtaining Mr. Im's release.

In Tarrytown, Adoption Group 125 meets each month at the Hackley School to consider how to help Rikhard Spalin, a member of the True and Free Seventh Day Adventist Church in the Soviet Union. Mr. Spalin, the group says, is serving a seven-year sentence for publishing a religious journal. An Albert Einstein College of Medicine research biologist, Leonard Lothstein, chairman of the Tarrytown group, is organizing support for Mr. Spalin among church members in the county.

A second political prisoner supported by the group is Amalia Solarizch, a Uruguayan woman whose husband, a former "prisoner of conscience," fled the country for Sweden. When Mrs. Solarizch, preparing to join her husband, sought asylum in the Swedish Embassy in Uruguay, she "disappeared," according to Amnesty members. The Tarrytown group is trying to locate Mrs. Solarizch and has enlisted the aid of Representative Benjamin Gilman.

Advising the Tarrytown group is Ludmilla Alexeeva Williams, a faculty member at the Hackley School and a founding member of the Helsinki Watch Group, organized by the Soviet scientist Andrei Sakharov to monitor his country's compliance with the 1975 Helsinki Accords on European security and cooperation. Mr. Lothstein said that members of the Watch Group who had been residents of the Soviet Union had all been imprisoned there or expelled from the country.

At 10:30 one morning last week, students in the humanities department of the State University of New York at Purchase conducted a 45-minute reading of parts of the trial of Gintautus Iesmantas, a 53-year-old Soviet poet found guilty of writing poetry advocating freedom for Lithuania. Shortly after his arrest in 1980, Mr. Iesmantas was adopted by Amnesty International Group 42 in White Plains.

The group decided that if their prisoner had been imprisoned for writing 36 pieces of poetry, "we'd like to see it," said Joan Sandifor, coordinator of the group. It "arranged" for samples of the poetry to be smuggled out of the Soviet Union, but instead received 16[illegible] typed pages of the transcript of Mr. Iesmantas's trial.

Mrs. Sandifor, an industrial relations specialist who is not currently employed, described herself as one who "really truly believes human rights cannot be left to governments." She estimated that she spent about 15 hours a week on Amnesty International business. "People can make a difference," she said. "I'm very interested in travel plans. When Andropov's son went to Madrid, we had letters waiting for him at the embassy."

Amnesty Group No. 154 reaches from its base in Harrison to an imprisoned law student, Leon Yelome, in West Africa and to a Turkish trade unionist, Ali Sahin, one of 52 union leaders whose lengthy trial captured international attention. Although the adoption group's chairman, Joan Selig, said she had no personal knowledge of Mr. Sahin's condition, "There have been continuing allegations of mistreatment and torture of these men." A year ago Representative Richard L. Ottinger read into the Congressional Record a description of the plight of Mr. Sahin and a commendation of the efforts of Amnesty Group No. 154.

Yesterday, the four Westchester adoption groups of Amnesty International observed the celebration of Human Rights Day. The day also marked the culmination of an international petition drive — originally proposed by Mr. Sakharov — seeking a universal amnesty for all "prisoners of conscience." ■

0287

The ENTERPRISE

THE HOMETOWN NEWSPAPER DEVOTED TO HASTINGS-ON-HUDSON, DOBBS FERRY AND ARDSLEY

Vol. 9, No. 15 © Copyright 1983 Hastings Enterprises, Inc. *Thursday, December 15, 1983* *Thirty-five cents per issue, $12 per year*

To The Editor:

This week President Reagan has proclaimed as Human Rights Week. In accordance with this and the holiday season that is upon us, the Hastings-Dobbs Ferry Chapter of Amnesty International invites the community to send holiday greeeting cards to a South Korean prisoner whose release the group is working for.

This prisoner, Mr. Im Tong-gyu, is serving two life sentences for belonging to two banned political parties, yet he has not used nor advocated violence. Before his arrest he was a labor relations specialist, and had been critical of his government's farm policies.

Conditions in South Korean jails are harsh. We hope that Mr. Im will personally receive the cards we send him. However, if his mail is withheld, the prison authorities will become aware of our interest and concern and will treat Mr. Im with greater regard for his human and legal rights.

Please send cards wishing him good health and well-being, assuring him that his American friends are remembering him. Air mail postage for a post card to Korea is 28 cents and 40 cents for an envelope. His address is: Mr. Im Tong-gyu, Prisoner 3607, Taejon Prison, 1 Choongchon-dong, Taejon-shi, Choongnam 300, The Republic of Korea.

Rebecca Cooney, Grop President
Amnesty International of the USA
Hastings-Dobbs Ferry Chapter
Adoption Group 253
Hastings

0288

SOUTH PRESBYTERIAN CHURCH

South Broadway, Dobbs Ferry, NY

MORNING WORSHIP

September 11th, 1983
10:00 a.m.

AMNESTY INTERNATIONAL: AN OPPORTUNITY FOR MINISTRY

In March of 1979, Im Tong-gyu, head of General Affairs Division at Korea University Labor Problem Research Institute, was arrested and charged with (among other things) being a member of the banned "Unification Revolutionary Party". In January, 1980, he was sentenced to life imprisonment. He is now at Taejon Prison, #3607.

Before his arrest, Mr. Im was working with farmers to establish independent agricultural cooperatives and was critical of the government's agricultural policies, the Saemaul Undong (the New Village Movement). Like thousands of other prisoners of conscience, Mr. Im is a matter of concern to Amnesty International -----including the local chapter which meets at the Unitarian Church in Hastings. As the Korean equivalent of Thanksgiving called Ch'usok (Harvest Moon Festival) approaches, you are asked to join others in sending greetings to Mr. Im at Taejon Prison. Postage for a card is 28¢, for a letter, 40¢. The address is:

Im Tong-gyu #3607
Taejon Prison
1 Choongchon-Dong
Taejun-shi
Choongnam 300
Korea

Those interested in joining the local chapter of AI, should phone Rebecca Cooney, 478-0302. Meetings at the Unitarian Church are the second Thursday of each month.

0289

Old Jackson Avenue, Hastings-on-Hudson
New York 10706 -(914) 478-2710
Bettye A. Doty, *Minister*

-UME 37 No. 12 -- Editor: Betty Rose
-cember 7, 1983

SEND GREETINGS TO A KOREAN PRISONER

The Hastings-Dobbs Ferry Chapter (#253) of Amnesty International, which meets the second Thursday of every month in our Society building, urges society members to join them in sending holiday greetings to their adopted prisoner-of-conscience in South Korea, Mr. Im Tong-gyu.

Before his arrest in 1979 Mr. Im was working to improve the lot of Korean farmers. Amnesty believes that he was arrested because of his criticism of government agricultural policies. As with all Amnesty adopted prisoners, he has never used nor advocated the use of violence.

The chapter members hope that Mr. Im will personally receive the cards sent to him. But even if his mail is withheld, the prison authorities will become more aware of our interest and concern and will be encouraged to treat Mr. Im with greater regard for his human and legal rights. Prison conditions in South Korea are very severe, and we have heard that Mr. Im's health is poor.

Please send New Year's Greetings (New Year's Day is celebrated as a secular Korean holiday) with no political message. General wishes for his health and well-being, greetings from an American friend, reassurances that he is not forgotten, etc. are all appropriate.

Airmail postage for a postcard is 28¢; for an envelope 40¢. Address the greetings to:

Mr. Im Tong-huy, prisoner #3607
Taejon Prison
1 Choongchon-dong
Taejon-shi, Choongnam 300
Republic of Korea

The Amnesty International chapter will appreciate all of your efforts.

Tahnee Neill

0290

You Can Help

CONTRIBUTORS

I would like to make a contribution to AIUSA. Enclosed is my contribution of $________. (Contributors receive AIUSA's quarterly publication *Matchbox*).

MEMBERS

Members of AIUSA actively participate in the worl of Amnesty International and pay annual dues. They receive AIUSA's quarterly publication *Matchbox* and the membership newsletter, *Amnesty Action*, published seven times a year. ...embers are entitled to vote in AIUSA's Board of ...irectors election. To enroll as a member of AIUSA, please complete Parts A and B below.

...art A

So that I may participate in Amnesty International's work, I would like further information on:

- ☐ Joining an Adoption Group
- ☐ Working with the Urgent Action Network
- ☐ Joining a Campus Network Group
- ☐ Working with the Medical Capacity Committee
- ☐ Writing letters on behalf of prisoners of conscience featured in the "Appeals for Prisoners Conscience" section in AIUSA publications.

Part B

Enclosed are my dues:

- ☐ Individual $__________ ($20 minimum)
- ... Couple $__________ ($30 minimum)
- ... Student/Senior Citizen $12

...AME (please print)__________

ADDRESS__________

CITY__________

STATE__________ ZIP__________

Mail this coupon to:

AMNESTY INTERNATIONAL USA
National Office
304 West 58th Street
New York, NY 10019

Contributions to AIUSA are tax-deductible.

source: X005

AMNESTY INTERNATIONAL

is a worldwide movement which is independent of any government, political faction, ideology, economic interest, or religious creed. It plays a specific role within the overall spectrum of human rights work. The activities of the organization focus strictly on prisoners:

•It seeks the release of men and women detained anywhere for their beliefs, color, sex, ethnic origin, language, or religion, provided they have neither used nor advocated violence. These are termed "Prisoners of Conscience."

•It advocates fair and early trials for all political prisoners and works on behalf of such persons detained without charge or without trial.

•It opposes the death penalty and torture or other cruel, inhuman or degrading treatment or punishment of all prisoners without reservations.

AMNESTY INTERNATIONAL acts on the behalf o UN Universal Declaration of Human Rights and other int tional instruments. Through practical work for prisoners w its mandate, AI participates in the wider promotion and pr tion of human rights in the civil, political, economic, s and cultural spheres.

AMNESTY INTERNATIONAL has consultative s with the United Nations (ECOSOC), UNESCO and the Co of Europe, has cooperative relations with the Inter-Ame Commission on Human Rights of the Organization of A can States, and is a member of the Coordinating Committ the Bureau for the Placement and Education of African gees of the Organization of African Unity. Amnesty Internal was the recipient of the 1977 Nobel Prize for Peace.

HONORARY CHAIRPERSONS: Dr. Hanna Grunwald, Sean Bride, Victor Reuther, Michael Straight.
OFFICERS OF THE BOARD: Ann Blyberg, Chairperson; St Abrams, Vice Chairperson; Perdita Huston, Treasurer.
BOARD OF DIRECTORS: James David Barber, Patricia Fagen, Richard Halpern, Hurst Hannum, David Hawk, C Henry, Paul Hoffman, Candy Markman, Vincent McGee, Mendez, Michael Nelson, Mary Jane Patterson, Miles Pennyb Michael Posner, Joanne Fox Przeworski, Susanne Riveles, G Sagan, Phyllis Taylor, Yoshiyuki Watanabe, William L. W Yadja Zeltman.
EXECUTIVE DIRECTOR: John G. Healey

Cover artist Hans Schmitz at Galerie Kunze, Berlin

WHAT IS AMNESTY INTERNATIONAL?

. . . a worldwide movement of people working for the release of prisoners of conscience, for fair trials for political prisoners, and for an end to torture and the death penalty.

AMNESTY INTERNATIONAL HAS A SPECIALIZED ROLE

AI's mandate is specific and limited. It focuses on prisoners. Amnesty International works to:

- release "prisoners of conscience" —men, women and children detained anywhere because of their beliefs, color, sex, ethnic origin, language, or religion provided they have neither used nor advocated violence;
- obtain fair and prompt trials for all political prisoners;
- end torture and the death penalty in all cases and without reservation.

AI's mandate, based on the United Nations' Universal Declaration of Human Rights, reflects the belief that there are fundamental rights which transcend boundaries of nation, culture, and belief.

AMNESTY INTERNATIONAL IS IMPARTIAL

Wherever documented violations of specific human rights within the mandate occur, AI is at work. Amnesty International is independent of all governments, political factions, ideologies, economic interests, and religious creeds. Group members work for individual prisoners of conscience from differing ideological backgrounds. To safeguard impartiality, groups do not work for prisoners of conscience held within their own country.

AMNESTY INTERNATIONAL DOES PRACTICAL WORK

Members of AI send letters, cards, and telegrams on behalf of the imprisoned and tortured to government and other influential officials. A letter from an AI member on Long Island to a newspaper in Paraguay helped convince authorities to release several political prisoners there. AI's constant action begins to generate pressure. One well-written letter to a Minister of Justice is not pressure; a second letter is. The pressure continues until the violation stops.

In addition, members organize public meetings and arrange special publicity events, such as vigils at appropriate government offices or embassies. They collect signatures for international petitions and raise money to send relief, such as medicine, food, and clothing, to the prisoners and their families.

One New York adoption group enlisted the help of a Russian-speaking psychiatrist who telephoned a doctor at the psychiatric hospital in the USSR where their adopted prisoner was held. Many groups have mobilized lawyers in their area to work for lawyers imprisoned in South America and elsewhere.

AI never takes credit for "successful results" because many factors may enter into a government's decision to free someone. In any case, AI is concerned with getting results, not with getting credit.

AMNESTY'S INFORMATION IS ACCURATE

Research and documentation are cental to AI's work. The International Secretariat in London (with a staff of 150, recruited from at least 20 nations) has a Research Department which collects and analyzes information from a wide variety of sources. These include hundreds of newspapers and journals, government bulletins, transcripts of radio broadcasts, reports from lawyers and humanitarian organizations, as well as letters from prisoners and their families. AI representatives frequently go on missions to collect on-the-spot information. AI legal observers at times attend trials in which accepted international standards are at issue.

Amnesty International of the USA
Hastings - Dobbs Ferry Chapter
Adoption Group 253

Kate

70 Southgate Avenue
Hastings, New York 10706
January 27, 1984

689-4040

Will see her 10 A.M. to Feb. 14 Tues.

Dr. Se Jin Kim
Korean Consulate General
460 Park Avenue
New York, NY 10022

Your Excellency Kim:

As the Chairperson of Group 253, I am writing to you about the case of Mr. Im Tong-gyu, a labor relations specialist who is serving two life sentences at Taejon Prison (Mr. Im is Prisoner No. 3607) under the National Security Law, Anti-Communist Law and the Criminal Code.

I know members of my group have written to you about Mr. Im's case, so you may be familiar with the details of his case. However, if you are not, let me review them here. Mr. Im was first arrested in March, 1979 and later was tried before the District, Appeal and Supreme Courts for being a member of the "Unification Revolutionary Party". He was sentenced to life imprisonment in January, 1980. A month later he was charged with belonging to the "South Korean National Liberation Front" and tried again before the District, Appeal, and Supreme Courts. Again he received a life sentence in December, 1980. Prior to his arrest he was Head of the General Affairs Division at Korea University Labor Problem Research Institute.

Amnesty International believes Mr. Im is being held for his political beliefs, and not for connections to these two parties which have never been proved. Mr. Im has not used nor advocated violence, nor has he been convicted for such.

Members of my group would like to meet with you to discuss the status of Mr. Im's case, and the possibility of it being re-opened. Already we have written in the past year over 100 letters to President Chun and other Korean officials and have not received a response.

I will call you next week to see if we can set up a meeting.

Yours Respectfully and Sincerely,

Rebecca Cooney

Rebecca Cooney
Group 253 Chairperson

0293

관리번호 '84-246

기 안 용 지

분류기호 문서번호	미북 700-563	(전화번호)	전결규정 조 항 전결사항
처리기간		장 관	
시행일자	1984.3.6.		
보존년한			

보조기관			협조
국 장	전결		
과 장			
기안책임자	김 욱	복미과	

경 유		통제
수 신	법무부장관	
참 조	교정국장	
제 목	수감자 처우 문의	

미국 뉴욕주 Hastings 소재 Amnesty International Hastings-Dobbs Ferry 지부 Group 253 대표 (Rebecca Cooney) 는 현재 동 지부의 주요과제로 채택되어 있는 통혁당 사건 관련자 임동규 (무기수, 대전교도소 복역중 : No. 3607) 의 석방운동 문제와 관련, 주뉴욕 총영사앞 서한을 통하여 동인의 처우에 관한 질문을 별첨과 같이 제기하여 왔기, 이를 송부하오니 동건 답변에 대한 귀부 의견을 회보하여 주시기 바랍니다.

첨 부 : 1. 질의서한 사본 1부

2. 질의내용 번역문 1부

3. 관련 신문기사 및 자료 1건. 끝.

0294

예고 : 84.12.31.일반

검토필(1984.6.)

정서 / 관인 / 발송

0201-1-8A(갑) 1969. 11. 10. 승인

정직 질서 창조

190mm×268mm(2급인쇄용지 60g/m²) 조달청

Amnesty International Hastings-Dobbs Ferry 지부가

주뉴욕 총영사관에 제기해온 질문

- 임동규는 우리가 84.1월초 그에게 보내준 의류소포를 받아 보았는지?
- 임동규는 83.12월 우리 멤버들이 보낸 신년카드를 받아 보았는지?
- 그렇다면, 임동규는 우리 멤버들이 보내는 인사카드를 계속 받아볼수 있을 것인지?
- 임동규의 가족은 어느정도 자주 그를 면회할 수 있는지?
- 현재 누가 임동규의 재판기록을 접할수 있는지?
- 우리가 임동규의 재판과정 기록 사본 1부를 받을수 있으며, 귀하(주뉴욕 총영사)는 그 사본을 얻는데 도움을 줄수 있는지?
- 남민전 재판기간중 임동규의 변호인은 누구였는지?
- 임동규 케이스의 현재 상황은 무엇인지?
- 임동규가 남민전의 멤버였음을 입증하기 위하여 재판에서 사용된 증거는 무엇인지?
- 통혁당 사건의 7명의 피고인중에 다른 동료 피고인들은 석방되었건만 임동규는 왜 무기징역을 살고 있는지?
- 남민전 사건관련 피고인들중 29명은 석방이 되었는데 왜 임동규는 석방되지 않았는지?
- 귀하(주뉴욕 총영사)는 현재 임동규의 건강상태에 대한 상세내용을 알려줄수 있는지?

0295

변호를 받았으며 공판정에서 본인의 자백과 다른
피고인들의 진술에 의하여 남민전의 구성원으로서
국가보안법 위반 범죄를 저지른 것이 입증되었음.

◦ 임동규와 그의 배우자, 직계친족, 형제자매, 호주등이
판결문을 교부받을수 있도록 법률상 허용되어 있음.

3. 남민전 관련자 복역 현황

◦ 임동규등 현 수감자는 기히 석방된자들보다 죄질이
중한자들로서 무기징역 또는 10년이상의 징역형을
선고받은 자들임. 끝.

0296

0201 - 1 - 43A (2 - 2)
1972. 12. 29. 승 인

190mm×268mm (2급인쇄용지 60g/m²)
조 달 청 (3,000,000매 인 쇄)

1984年度 第1次 公館長會議
(1. 16~25, 서울)

임동규

○ 통혁당 사건 (68년) 관련

⇒ 기소유예

○ 남민전 사건 (78년) 발생

⇒ 통혁당 사건 관련도 문제 (79년 입건)

⇒ 무기징역

※ 1979. 3 체포 ⇒ 통혁당사건으로 무기징역(80.1)
남민전사건으로 무기징역(80.12)

0297

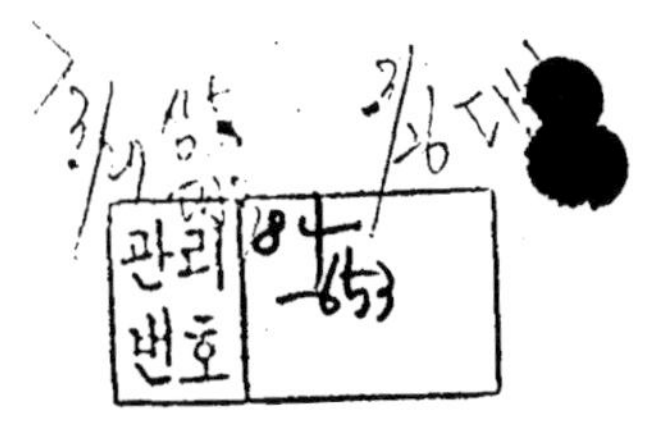

법 무 부

0590

검삼 700-78 (599-2187) 1984. 3. 24.

수신 외무부장관

참조 미주국장

제목 자료회신

공람	84.3.28	과장	심의관	국장	차관보	차관	장관

귀부 미북 700-563 (84. 3. 6) 과 관련, 임동규에 관하여 아래와 같이 회보합니다.

1. 임동규에 대한 처우현황

   ° 임동규의 건강은 양호하며 매월 1회씩 가족들을 면회하고 있음.

   ° 임동규는 84. 1. 9 뉴욕에서 발송된 의류소포를 받았음.

2. 임동규에 대한 재판관련사항

   ° 임동규는 재판기간중 변호사 노병준, 태윤기등의 변호를 받았으며 공판정에서 본인의 자백과 다른피고인들의 진술에 의하여 남민전의 구성원으로써 국가보안법위반 범죄를 저지른 것이 입증되었음.

   ° 임동규와 그의 배우자, 직계친족, 형제자매, 호주등이 판결문을 교부받을 수 있도록 법률상 허용되어 있음.

3. 남민전사건 관련자 복역현황

   임동규등 현수감자는 기히 석방된 자들에 비추어 죄질이 중한 자들로서 무기징역 또는 10년이상의 징역형을 선고받은 자들임. 끝.

0298

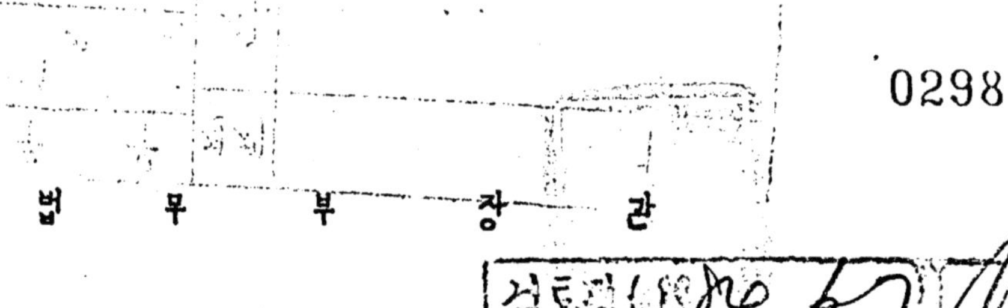

법 무 부 장 관

검토필(1984

법 무 부

검찰 700- (599-2187) 1984. 3. 24.

수신 외무부장관

참조 미주국장

제목 자료 회신

귀부 미북 700-563 (83. 3. 6)과 관련, 임동규에 관하여 아래와 같이 회보합니다.

1. 임동규에 대한 처우현황

o 임동규의 건강은 양호하며 매월 1회씩 가족들을 면회하고 있음.

o 임동규는 84. 1. 9 뉴욕에서 발송된 위문소포를 받았음.

2. 임동규에 대한 재판관련사항

o 임동규는 재판기간중 변호사 오병준, 태윤기등의 변호를 받았으며 동 법정에서 본인의 자백과 다른피고인들의 진술에 의하여 [illegible] 수[illegible]으로써 국가보안법위반 범죄를 저지른 것이 입증되었음.

o 임동규와 그의 배우자, 친지들, 형제자매, [illegible]이 [illegible] 고부받을 수 있도록 법률상 [illegible]되어 있음.

[illegible] 복역현황

임동규는 [illegible] 그의 [illegible] 지를에 비추어 죄질이 중한 [illegible] 10년이상의 장기형을 선고받은 자들임. 끝.

0299

관리번호 84-702

기 안 용 지

분류기호 문서번호	미북 700-852	(전화번호)	전결규정 조 항 전결사항
처리기간		장 관	
시행일자	1984.3.28.		
보존년한			

보조기관			협조
국 장	전결	심의관	
과 장			
기안책임자	김 욱	북 미 과	

경 유		발송	통제
수 신	주뉴욕 총영사	발송 No. 1984. 4. 3 외무부	검열 1984. 4. 3 외무부 보안담당
참 조			
제 목	수감자 처우 회신		

대 : 뉴욕(교) 725-489 (84.2.27)

대호 임동규의 처우에 관한 법무부의 회신을 아래 통보하니 Amnesty International Hastings-Dobbs Ferry 지부에 적의 설명하시기 바랍니다.

\- 아 래 -

1. 임동규에 대한 처우 현황

   ○ 임동규의 건강은 양호하며 매월 1회씩 가족들을 면회하고 있음.

   ○ 임동규는 84.1.9. 뉴욕에서 발송된 의류 소포를 받았음.

2. 임동규에 대한 재판 관련사항

   ○ 임동규는 재판기간중 변호사 노병준, 태윤기등의

0300

정서 관인 발송

0201-1-8A(갑) 1969. 11. 10. 승인

정직 질서 (190mm×268mm 인쇄용지 60g/m²)

길

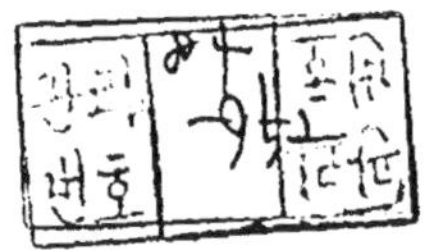

주 뉴 욕 총 영 사 관

주뉴욕(고) 725- 00971　　　　1984. 5. 3.

수신 장 관

참조 미주국장

제목 수감자 처우 설명

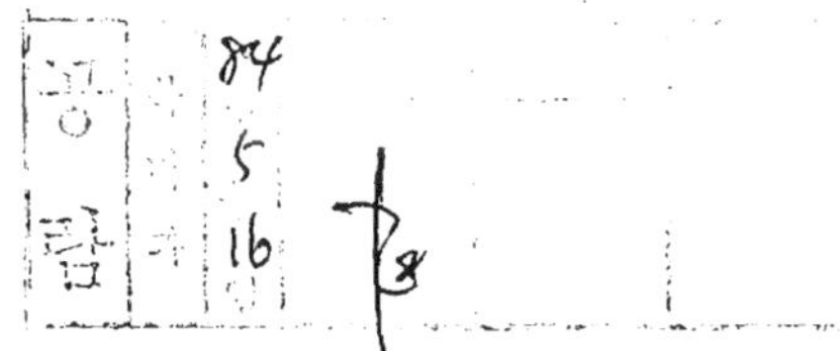

대 : 미북 700-852

연 : 뉴욕(고) 725-489

1. 당관은 84. 5. 3. 내방한 연호 Hastings-Doffs Ferry 지부의 Rebecca (Group President), Dr. Borrett 등 3인에게 대호 내용을 설명하였읍니다.

2. 동인들은 회신하여준데 사의를 표하면서 일부 문의(임동규앞 서한의 전달 여부, 임동규의 구체적인 범법내용등)에 대하여는 미흡하다고 유감을 표한바 있읍니다.

주 뉴 욕 총 영 사 대 리

0301

외 무 부		결재	
접수 일시	1994.5.14	지시사항	
번호	제 2499 호		
주무과			
담당자			
			처리할것

0302

김옥

주 뉴 욕 총 영 사 관

주뉴욕(고) 725- 01148 1984. 5. 30.

수신 장 관

참조 미주국장

제목 수감자 처우설명

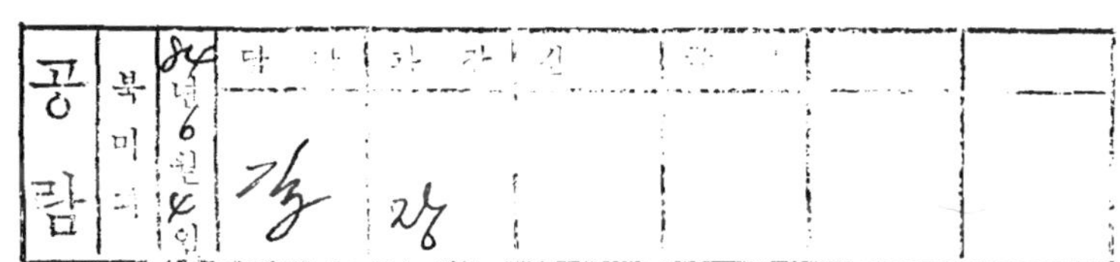

연 : 뉴욕(고) 725-00971

대 : 미북 700-852

1. Amnesty International 의 Hastings - Doffs Ferry 지부측은 연호로 보고한 대호 내용 설명과 관련하여 당관에 별첨 서한과 같이 몇가지 사항에 대하여 다시 문의하여 왔읍니다.

2. 동 문의에 대하여 추가로 설명하여줄 자료가 있으면 송부하여 주시기 바랍니다.

첨부 : 동서한 1부. 끝.

주 뉴 욕 총 영

0303

결 재	외 무 부		지시사항	
	접수번호	제 33526호		
주 무 과	접수일자	1984. 6. 02		
담 당 자	위임근거		198 년 월 일 까지 처리할것	

0304

RICHARD S. BARRETT, PH.D.

5 RIVERVIEW PLACE
HASTINGS-ON-HUDSON
NEW YORK 10706

May 22, 1984

Mr. Choi Koang Sik, Consul
Republic of Korea
460 Park Avenue
New York, NY 10022

Re: Im Tong-gyu

Dear Mr. Choi:

Ms. Rebecca Cooney, Ms. Sarita Copeland, and I appreciate the attention and courtesy you showed during our visit on May 3, 1984. We thank you for the information you provided about Mr. Im Tong-gyu.

The meeting was held to discuss questions raised by Ms. Cooney in her letter to Dr. Kim Se Jin dated February 17, 1984. It is the purpose of this letter to provide a record of the information you provided during the meeting, to indicate those questions in Ms. Cooney's letter for which you did not have a definite answer, and to clarify some answers on which we later felt unclear, and to ask for additional information. The questions asked by Ms. Cooney are followed by our understanding of your answers, and in some cases, additional comments or questions.

Q. Did Mr. Im receive the package of clothing we sent him in early January of 1984? A. Yes.

Did Mr. Im receive a package of food sent on April 6? Can he continue to receive packages? Can he receive non-political books? Is there anything he is forbidden to receive? Can he keep and use everything he receives?

Q. Did he receive the New Year's cards many members of community sent him in late December? A. Presumably "Yes."

Did he receive the cards?

Q. If so, will he be able to continue to receive greeting cards from members of the community? A. No response.

(You declined to intervene in the transmittal of a letter from Ms. Copeland to Mr. Im.)

Q. How often is his family allowed to visit him? A. Once each month.

0305

How long is a visit permitted to last? Who in addition to family members and attorneys are allowed to visit him?

Q. Who presently has access to Mr. Im's trial records? A. His immediate family only.

Q. Could we receive a copy of the record of his trial proceeding, and can you assist us in that process? A. No.

Q. Who was Mr. Im's lawyer during the South Korean National Liberation Front trial? A. Mr. Lho and Mr. Tai, who were appointed by the government.

In which trial or trials were these attorneys involved? If they were involved in only one trial, who served in the other? What are the full names and addresses of all of the attorneys? How and by whom were they appointed?

Q. What was the evidence used at the trial to prove that Mr. Im was a member of the South Korean National Liberation Front? A. Mr. Im's confession and "confessions of criminals."

Were the "criminals" his co-defendants? Did they receive any special consideration for testifying against Mr. Im?

In your answer you mentioned "evidence" and "proof evidence," and indicated that both were introduced at the trial against Mr. Im. What is the distinction between <u>evidence</u> and <u>proof evidence</u> as you used the terms? Are both evidence and proof evidence offered in addition to the confessions of Mr. Im and his co-defendants?

(During the discussion you denied reports received by Amnesty International that some of the defendants appeared in court with broken limbs, and in one case with a broken spine. We are deeply concerned that his confessions and the confessions of others used to convict him were obtained under extreme duress.)

Q. Why of the seven defendants in the Unification Revolutionary Party Case is Mr. Im serving a life sentence even though his co-defendants in the Unification Revolutionary Party case have been released? A. His crime was more serious.

With what crimes was he charged?

0306

Q. Why were 29 [now more than 70] of the defendants in the South Korea National Liberation Front case released and not Mr. Im? A. His crime was more serious.

With what crimes was he charged?

You indicated that if Mr. Im admitted his error and recanted [repented] he would be released. What are the specific steps which Mr. Im must take to be released?

Q. Can you provide detailed information about the state of Mr. Im's health at the present time? A. Nowadays, he is in good health. (No further details were given.)

Is it possible to have a health report from an independent source, such as the Red Cross?

Additional questions: Can Mr. Im write letters to members of Amnesty International or anyone else? Is there any restriction on the number or content of such letters?

We await a reply from you or from the Ministry of Justice.

Yours respectfully and sincerely,

Richard S Barrett

Member, Group 253 of Amnesty International

pc. President Ronald Reagan
Hon. Daniel Moynahan, Senator from New York
Hon. Alphonse Damato, Senator from New York
Hon. Robert Dole, Senator from kansas
Hon. Benjamin Gilman, Member of Congress
Mr. David K. Lambertson, Director of Korean Affairs, Department of State

0307

관리번호	84-1225

기 안 용 지

분류기호 문서번호	미북 700-1568	(전화번호)	전결규정 조 항 전결사항
처리기간		장 관	
시행일자	1984. 6. 21.		
보존연한			

보조기관	국장	전결	심의관	협조
	과장			
기안책임자		김규현	북미과	

경유		발신	통제
수신	법무부장관		
참조	교정국장		
제목	수감자 처우문의		

1984. 6.22 외무부

1984. 6.22 외무부 보안담당

대 : 검삼 700-78 (84.3.24)

연 : 미북 700-563 (84.3.7)

Amnesty International Hastings-Doffs Ferry지부측은 통혁당 사건 관련자 임동규에 대한 처우현황에 관하여 귀부에서 제공한 자료와 관련, 별첨 서한과 같이 추가 질문을 제기하여 왔기 이를 송부하니 이에 대한 회신 자료를 송부하여 주시기 바랍니다.

첨부 : 1. 질의서한 사본 1부.

2. 질의내용 번역문 1부. 끝.

정서 관인 발송

0308

1205-25(2-1)A(갑) 1981. 12. 18 승인

정직 질서 창조

190mm×268mm(인쇄용지 2급 60g/m²) 조 달 청(1,500,000매 인 쇄)

Amnesty International Hastings-Dobbs Ferry 지부가

귀부의 답변에 대해 주뉴욕 총영사관에 제기해온 추가 질문

- 임동규는 우리가 84.1월초 그에게 보내준 의류 소포를 받았다는데 4.6 송부한 식품소포도 받았는지?
- 임동규는 소포를 계속 받을 수 있는지?
- 임동규는 비정치적 서적들은 받아 볼수 있는지?
- 수령이 금지되어있는 것은 없는지?
- 임동규는 수령한 모든것을 소지, 사용할 수 있는지?
- 임동규는 83.12. 우리 회원들이 보낸 신년카드를 받아 보았을 것이라고 했는데 정말 받아 보았는지?
- 받아보았다면, 임동규는 우리 회원들이 보내는 인사카드를 계속 받아볼수 있을 것인지?
- 임동규의 가족은 매월 1회 그를 면회할 수 있다는데 면회 시간은 얼마나 되며 가족과 변호사외에 임동규와의 면회가 허용되는 사람은?
- 남민전 재판기간중 임동규의 변호는 노병준, 태윤기등 관선 변호인이 맡았다는데 이들은 어느 재판에서 변호를 맡았는지?

0309

- 만약 이들 변호사가 단 1회 변론을 맡았다면 다른 재판에선 누가 변론을 맡았으며 이들의 성명은? 또 이들을 누가 임명했는지?

- 임동규가 남민전의 회원이었음을 입증하기 위하여 임동규 본인의 자백과 다른 범인들의 진술이 증거로 사용되었다는데 이들은 공동피고인이 었는지?

- 이들 범인들은 임동규에게 불리한 증언을 하는대신 특별한 배려를 받았는지?

- 임동규의 자백과 공동피고인의 진술 이외에 다른 증거들이 재판에서 사용 되었는지?

- 통혁당 사건 관련 7명의 피고인중 공동피고인들은 석방되고 임동규는 무기징역을 살고있는 이유로 임동규의 죄질이 중함을 들었는데 임동규는 무슨 죄목으로 기소 되었는지?

- 남민전 사건관련 피고인들중 29명 (현재 70명이상) 은 석방되고 임동규는 석방되지 않은 이유로 임의 죄질이 중함을 들었는데 임동규는 무슨 죄목으로 기소되었는지?

- 임동규가 그의 잘못을 인정하고 개전의 정을 보이면 석방될 것이라는 시사를 하였는데, 임동규가 석방되기 위해 취할 특별한 조치는 무엇인지?

- 현재 임동규의 건강상태는 양호하다고 했는데 적십자사 같은 독립적인 단체로부터 임동규의 건강에 관한 보고서를 받을 수 있는지?

0310

o 임동규는 국제사면위 (Amnesty International) 회원들이나 다른사람들에게 편지를 쓸수 있는지?
서한의 횟수나 내용에 대해 어떤 제약이 있는지?

0311

RICHARD S. BARRETT, PH.D.

5 RIVERVIEW PLACE
HASTINGS-ON-HUDSON
NEW YORK 10706

May 22, 1984

Mr. Choi Koang Sik, Consul
Republic of Korea
460 Park Avenue
New York, NY 10022

Re: Im Tong-gyu

Dear Mr. Choi:

Ms. Rebecca Cooney, Ms. Sarita Copeland, and I appreciate the attention and courtesy you showed during our visit on May 3, 1984. We thank you for the information you provided about Mr. Im Tong-gyu.

The meeting was held to discuss questions raised by Ms. Cooney in her letter to Dr. Kim Se Jin dated February 17, 1984. It is the purpose of this letter to provide a record of the information you provided during the meeting, to indicate those questions in Ms. Cooney's letter for which you did not have a definite answer, and to clarify some answers on which we later felt unclear, and to ask for additional information. The questions asked by Ms. Cooney are followed by our understanding of your answers, and in some cases, additional comments or questions.

Q. Did Mr. Im receive the package of clothing we sent him in early January of 1984? A. Yes.

Did Mr. Im receive a package of food sent on April 6? Can he continue to receive packages? Can he receive non-political books? Is there anything he is forbidden to receive? Can he keep and use everything he receives?

Q. Did he receive the New Year's cards many members of community sent him in late December? A. Presumably "Yes."

Did he receive the cards?

Q. If so, will he be able to continue to receive greeting cards from members of the community? A. No response.

(You declined to intervene in the transmittal of a letter from Ms. Copeland to Mr. Im.)

Q. How often is his family allowed to visit him? A. Once each month.

0312

How long is a visit permitted to last? Who in addition to family members and attorneys are allowed to visit him?

Q. Who presently has access to Mr. Im's trial records? A. His immediate family only.

Q. Could we receive a copy of the record of his trial proceeding, and can you assist us in that process? A. No.

Q. Who was Mr. Im's lawyer during the South Korean National Liberation Front trial? A. Mr. Lho and Mr. Tai, who were appointed by the government.

In which trial or trials were these attorneys involved? If they were involved in only one trial, who served in the other? What are the full names and addresses of all of the attorneys? How and by whom were they appointed?

Q. What was the evidence used at the trial to prove that Mr. Im was a member of the South Korean National Liberation Front? A. Mr. Im's confession and "confessions of criminals."

Were the "criminals" his co-defendants? Did they receive any special consideration for testifying against Mr. Im?

In your answer you mentioned "evidence" and "proof evidence," and indicated that both were introduced at the trial against Mr. Im. What is the distinction between evidence and proof evidence as you used the terms? Are both evidence and proof evidence offered in addition to the confessions of Mr. Im and his co-defendants?

(During the discussion you denied reports received by Amnesty International that some of the defendants appeared in court with broken limbs, and in one case with a broken spine. We are deeply concerned that his confessions and the confessions of others used to convict him were obtained under extreme duress.)

Q. Why of the seven defendants in the Unification Revolutionary Party Case is Mr. Im serving a life sentence even though his co-defendants in the Unification Revolutionary Party case have been released? A. His crime was more serious.

With what crimes was he charged?

0313

Q. Why were 29 [now more than 70] of the defendants in the South Korea National Liberation Front case released and not Mr. Im? A. His crime was more serious.

With what crimes was he charged?

repented You indicated that if Mr. Im admitted his error and recanted he would be released. What are the specific steps which Mr. Im must take to be released?

Q. Can you provide detailed information about the state of Mr. Im's health at the present time? A. Nowadays, he is in good health. (No further details were given.)

Is it possible to have a health report from an independent source, such as the Red Cross?

Additional questions: Can Mr. Im write letters to members of Amnesty International or anyone else? Is there any restriction on the number or content of such letters?

We await a reply from you or from the Ministry of Justice.

Yours respectfully and sincerely,

Richard S Barrett

Member, Group 253 of Amnesty International

pc. President Ronald Reagan
Hon. Daniel Moynahan, Senator from New York
Hon. Alphonse Damato, Senator from New York
Hon. Robert Dole, Senator from kansas
Hon. Benjamin Gilman, Member of Congress
Mr. David K. Lambertson, Director of Korean Affairs, Department of State

0314

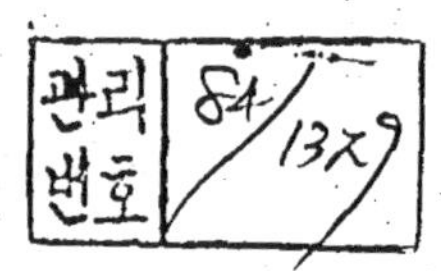

법 무 부

검삼 700-173 (599-2187) 1984. 7. 11.

수신 외무부장관

참조 미주국장

제목 자료회신

귀부 미북 700-1568 (84. 6. 21) 과 관련, 임동규에 관하여 아래와 같이 회보합니다.

1. 임동규에 대한 처우현황

° 임동규는 84. 4. 6 뉴욕에서 발송된 소포를 받았으며 앞으로도 계속 소포를 받을 수 있음.

° 다만 임동규 본인이 수령을 거부하거나 그 물품을 본인에게 교부함이 특히 부적당하다고 인정되는 때에는 이를 송부인에게 환부하거나 영치한 후 석방할 때 본인에게 환부할 수 있음.

° 임동규의 건강은 양호하며 정기적으로 의무관의 진단을 받고 있으므로 특별히 외부진료진의 진료를 받을 필요가 전혀 없음. 그리고 임동규 본인과 그의 변호인 또는 가족은 진단서를 발부받을 수도 있음.

° 임동규뿐만 아니라 모든 수형자는 규정에 따라 필요한 용무가 있을 때에 친족 이외의 자와 서신연락을 할 수 있으며 다만 수형자의 교화상 부적당하다고 인정되는 서신은 수발을 제한하고 있음. 그러나 단순히 인사를 전하는 내용의 서신등은 아무런 제한없이 수령할 수 있음.

° 임동규는 매월 1회씩 가족들을 면회하고 있으며 면회시간은 30분 가량임. 친족 또는 변호인 이외의 자에 대하여는 필요한 용무가 있을 때 면회를 허용하고 있음.

1984.7.12 법무부

0315

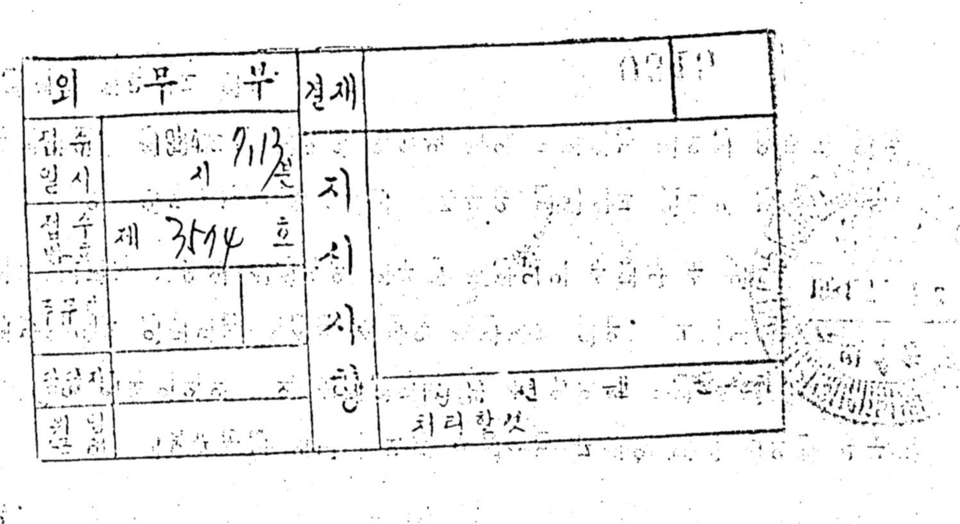
외 무 부

접수일시	시 분	결재
접수번호	제 3514 호	지시사항

처리할것

0316

2. 임동규에 대한 재판관련사항

○ 임동규는 반국가 단체인 남민전의 구성원으로써 국가변란을 기도한 범행등 (국가보안법위반 및 반공법위반)으로 기소되어 본인의 자백, 다른 공동피고인들의 진술에 의하여 범죄가 인정되었으며 그 이외에도 여러 증인의 진술과 압수물품이 범행을 인정하는데 증거가 되었음.

○ 임동규는 제1심에서 변호사 노병준의 변호를 받았으며 제2심에서는 변호사 태윤기의 변호를 받았음. 이들은 모두 임동규의 가족들이 선임한 변호인들임. 그리고 제3심에서는 변호사 고재규의 변호를 받았는데 사선변호인이 없었기 때문에 법원에서 직권으로 선정한 변호인이었음.

○ 임동규는 남민전사건으로 재판받기 이전에도 1979. 5. 9 반국가 단체인 조총련의 지령을 받고 간첩활동을 한 범행등 (국가보안법위반 및 반공법위반)으로 기소되어 1980. 4. 22 대법원에서 무기징역 판결이 확정된 바 있음.

○ 임동규에 대하여도 현행법 절차에 따라 수형태도 및 재범위험성 등을 고려하여 감형등 은전조치를 할 수 있으나 현재로서는 감형여부 및 그 시기를 전혀 예측할 수 없음. 끝.

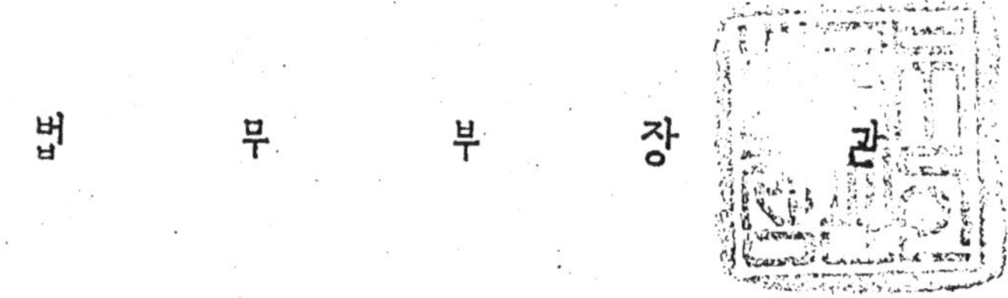
법 무 부 장 관

0317

관리번호 84-1452

기 안 용 지

분류기호 문서번호	미북 700- 1726	(전화번호)	전결규정 조 항 전결사항
처리기간		장 관	
시행일자	1984. 7. 27.		
보존년한			

보조기관				협조
국 장	전결	심의관		
과 장				
기안책임자	김규현	북미과		

경유 수신 참조	주 뉴욕총영사	발신	통제
제 목	수감자 처우 회신		

대 : 뉴욕(교)725 - 00971 (84.5.30)

대호 임동규의 처우에 관한 Amnesty International Hastings-Dobbs Ferry 지부의 재문의에 대한 법무부의 회신을 아래와 같이 통보하니 동 지부에 적의 설명하시기 바랍니다.

\- 아 래 -

1. 임동규에 대한 처우현황

   ○ 임동규는 84.4.6 뉴욕에서 발송된 소포를 받았으며 앞으로도 계속 소포를 받을 수 있음.

   ○ 다만 임동규 본인이 수령을 거부하거나 그 물품을 본인에게 교부함이 특히 부적당하다고 인정되는 때에는 이를 송부인에게 환부하거나 영치한 후 석방할때 본인에게 환부 할수 있음.

정서 관인 발송

0318

0201-1-8A(갑) 1969. 11. 10. 승인

정직 질서 창조

190mm×268mm(2급인쇄용지 60g/m²) 조. 달 청

○ 임동규의 건강은 양호하며 정기적으로 의무관의 진단을 받고 있으므로 특별히 외부진료진의 진료를 받을 필요가 전혀 없음. 그리고 임동규 본인과 그의 변호인 또는 가족은 진단서를 발부받을 수도 있음.

○ 임동규뿐만 아니라 모든 수형자는 규정에 따라 필요한 용무가 있을때에 친족이외의 자와 서신 연락을 할수 있으며 다만 수형자의 교화상 부적당하다고 인정되는 서신은 수발을 제한하고 있음. 그러나 단순히 인사를 전하는 내용의 서신등은 아무런 제한없이 수령할 수 있음.

○ 임동규는 매월 1회씩 가족들을 면회하고 있으며 면회시간은 30분 가량임. 친족 또는 변호인 이외의 자에 대하여는 필요한 용무가 있을때 면허를 허용하고 있음.

2. 임동규에 대한 재판 관련 사항

○ 임동규는 반국가 단체인 남민전의 구성원으로써 국가변란을 기도한 범행등(국가보안법위반 및 반공법위반)으로 기소되어 본인의 자백, 다른 공동 피고인들의 진술에 의하여 범죄가 인정되었으며 그 이외에도 여러 증인의 진술과 압수물품이 범행을 인정하는데 증거가 되었음.

○ 임동규는 제1심에서 변호사 노병준의 변호를 받았으며 제2심에서는 변호사 태윤기의 변호를 받았음. 이들은 모두 임동규의 가족들이 선임한

0319

변호인들임. 그리고 제3심에서는 변호사 고재규의 변호를 받았는데 사선 변호인이 없었기 때문에 법원에서 직권으로 선정한 변호인이었음.

○ 임동규는 남민전사건으로 재판 받기 이전에도 1979.5.9 반국가 단체인 조총련의지령을 받고 간첩 활동을 한 범행등(국가보안법 위반 및 반공법 위반)으로 기소되어 1980.4.22 대법원에서 무기징역 판결이 확정된 바 있음.

○ 임동규에 대하여도 현행법 절차에 따라 수형태도 및 재범위험성등을 고려하여 감형등 은전조치를 할수 있으나 현재로서는 감형여부 및 그 시기를 전혀 예측 할수 없음. 끝.

0320

0201 - 1 - 43A(2-2)
1972. 12. 29. 승인

190mm×268mm(2급인쇄용지 60g/m²)
조 달 청(3,000,000매 인 쇄)

김치

주 뉴 욕 총 영 사 관

주뉴욕(고) 725- 1984. 11. 28.

수신 장 관

참조 미주국장

제목 수감자 처우

대 : 미북 700-1926

연 : 주뉴욕(고) 725-01692 (84.9.6.)

당관은 대호의 임동규 처우에 관한 회신 내용을 Amnesty Int., (Hasting-Doffs Ferry 지부)측에 구두 전달하였음을 이미 보고하였는바, 동 Amnesty Int., 측은 별첨 서한과 같이 또다시 문의하여 왔기 보고하오니 추가로 설명하여줄 자료가 있으면 송부하여 주시기 바랍니다.

첨부 : 동서한 1부. 끝.

주 뉴 욕 총 영 사

0321

외 무 부		결재		
접수일시	1986 12 1. 시 분	지시사항		
번호	73909 호			

0322

(914) 478-1302

RICHARD S. BARRETT, PH.D.

5 RIVERVIEW PLACE
HASTINGS-ON-HUDSON
NEW YORK 10706

October 29, 1984

Mr. Choi Koang Sik, Consul
Republic of Korea
460 Park Avenue
New York, NY 10022

Re: Im Tong-gyu

Dear Consul Choi:

Ms. Rebecca Cooney, Ms. Sarita Copeland, and I very much appreciated meeting with you to hear the response of the Ministry of Justice to our questions regarding the particulars of Mr. Im Tong-gyu's case.

First, let me express my sorrow on the death of His Excellency Kim Se Jin. Mr. Kim was most helpful and courteous to the Members of group 253 of Amnesty International when we met with the this past spring. All of the members of Group 253 pass on to you and the other staff at the consulate our condolences.

Thank you for taking the time to explain the answers of the Ministry of Justice to our questions. Many of our questions are now answered. Others were not answered, and in addition, we have several new questions which have arisen since the meeting. Let me review what we do and do not know. The question mark (?) indicates answers which we do not have, or answers which remain unclear:

Q: Did Mr. Im receive the package of food sent on April 6, 1984?

A: Yes.

Q: Can he continue to receive packages? Can he receive non-political books?

A: Mr. Im can continue to receive packages sent to him unless he does not wish to receive them, or unless the authorities judge the contents to be unsuitable. In such a case, the parcel will either be returned to the sender or held for Mr. Im until his release.

Q: How long is a visit by family of lawyer permitted to last?

A: One half hour.

0323

Q: Is the half hour for both family and lawyer at the same time? Or can Mr. Im spend a half hour with each?

A: ?

Q: Who were Mr. Im's lawyers during the trials of the South Korean National Liberation Front? Were they family or a government appointed lawyers?

A: Mr. Byung Jun Rho, Mr. Yoon Ki Tai, and Mr. Jae Kyu Ko. Only Mr. Ko was appointed by the government.

Q: What are the dates of these trials?

A: ?

Q: Who were the lawyers for Mr. Im during the Unification Revolutionary Party trials and which were appointed by the family and which by the government?

A: ?

Q. What were the dates of these trials?

A: ?

Q: What was the evidence used to show that Mr. Im was a member of the South Korean Liberation Front?

A: His and his co-defendants' confessions as well as "other evidence."

Q: What was the "other evidence?"

A: ?

Q: What are the conditions under which Mr. Im would be released?

A: Mr. Im needs to "repent."

Q: What does it mean to "repent"? What actions must Mr. Im take?

A: ?

Q: Under what conditions would Mr. Im's sentence be commuted?

A: ?

0324

RICHARD S. BARRETT, PH.D.

Q: What is the condition of Mr Im's health, and can he be examined by and independent physician?

A: Mr. Im's health is excellent and he does not need to be examined by an independent physician.

Q: Is my Im alone in a cell, or is he in solitary confinement?

A: ?

Q: Is he allowed privileges? Which ones (including library, exercise, workshop or any others)?

We were delighted to hear that Mr. Im can write letters to us if he wishes to, and we hope to hear from him.

We thank you again for so generously taking the time to meet with us and we look forward to hearing from you about the answers to the questions to which we have indicated our lack of informton of lack of clarity.

I will call your office on about a month to see what you have learned from the Ministry of Justice.

Sincerely and respectfully,

Richard S Barrett

0325

Amnesty International Hastings-Doffs Ferry

지부가 귀부의 답변에 대해 주뉴욕총영사관에 제기해온 추가 질문

- 임동규의 가족과 변호사는 동인과 30분간 면회가 허용된다는데 이는 30분간 가족과 변호사를 동시에 면회함을 의미하는지 아니면 가족과 변호사를 개별적으로 30분간 면담할수 있음을 의미하는지 ?

- 남민전 재판일자는 ?

- 통혁상 사건 재판시 임동규의 변호를 담당했던 변호인은 누구인지 ? 이들중 가족이 선임한 변호인은 누구이며 국선 변호인은 누구인지 ?

- 통혁당 사건 재판 일자는 ?

- 임동규가 남민전 가담자였음을 입증하기 위해 임동규 본인의 자백과 다른 공동 피고인들의 진술, 그리고 '여타 증거들이 제시되었다는데 '여타 증거들'이란 무엇이었는지 ?

- 임동규가 '개전의 정'을 보이면 석방될수 있다고 했는데 '개전의 정' 이란 무슨의미이며 임동규는 어떤 행동을 취해야 하는지 ?

0326

o 임동규가 감형을 받기 위한 조건은 무엇인지 ?

o 임동규는 독방에 수감되어 있는지 아니면 격리 수감되어 있는지 ?

o 임동규에게 도서관 이용, 운동, 작업장 출장등이 허용 되고 있는지 ?

0327

관리번호 84-284

기 안 용 지

분류기호 문서번호	미북 700-3210	(전화번호)	전결규정 조 항 전결사항
처리기간		장 관	
시행일자	1984. 12. 12.		
보존연한			

보조기관				협조
	국 장	전결	심 의 관	
	과 장			
기안책임자		김규현	북 미 과	

경 유		발신 1984.12.13 외무부	통제 1984.12.13 외무부 보안담당관
수 신	법무부장관		
참 조	교정국장		
제 목	수감자 처우 문의		

대 : 검삼 700-173(84.7.11)

연 : 미북 700-1568(84.6.21)

Amnesty International Hastings-Doffs Ferry 지부측은 통혁당 사건 관련자 임동규에 대한 처우현황에 관하여 귀부에서 제공한 자료와 관련, 별첨 서한과 같이 추가질문을 재차 제기하여 왔기 이를 송부하니 이에대한 회신자료를 송부하여 주시기 바랍니다.

첨 부 : 1. 질의 서한 사본 1부

2. 질의내용 번역문 1부. 끝.

0328

정서 관인 발송

1205-25(2-1)A(갑)
1981. 12. 18승인

정직 질서 창조

190㎜×268㎜(인쇄용지 2급 60g/㎡)
조 달 청(1,500,000매 인 쇄)

법 무 부

검삼 700-294 (599-2187) 1984. 12. 26.

수신 외무부장관

참조 미주국장

제목 자료회신

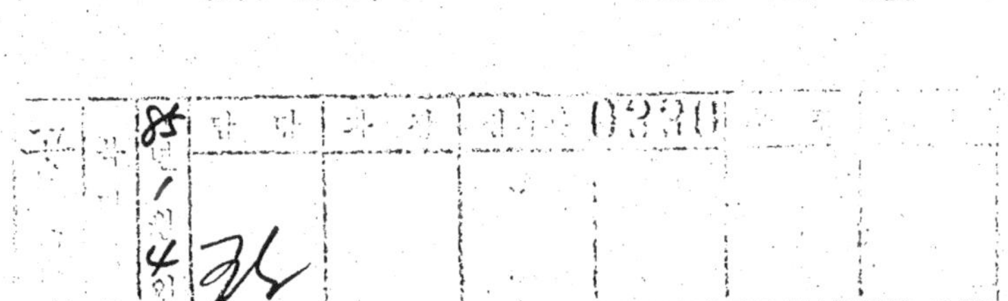

귀부 미북 700-3210 (84. 12. 13) 과 관련, 임동규에 관하여 아래와 같이 회보합니다.

1. 임동규에 대한 처우현황

○ 임동규는 정기적으로 가족들을 면회하고 있음.

○ 변호인의 접견은 법률상 무제한 허용되고 있으나 임동규는 현재 유죄판결이 확정되어 복역중에 있으므로 변호인이 선임되어 있지 않음.

○ 임동규는 다른 일반수용자와 마찬가지로 독거실에 수용되어 있으며 격리 수감된 사실은 없음.

○ 임동규는 도서관 이용, 운동, 작업장 출장이 허용되고 있을 뿐 아니라 관계규정에 따라 일반 수용자와 동일한 처우를 받고있음.

2. 임동규에 대한 재판관련사항

○ 임동규는 80. 5. 2. 1심에서 무기징역, 80. 9. 5. 2심에서 항소기각, 80. 12. 23. 3심에서 상고기각 판결을 선고받았음.

○ 임동규는 공판정에서의 본인의 자백, 다른 피고인들의 진술 이외에 "남민전" "민투위" 등의 강령, 규약, 행동준범, 총책이 김일성에게 보낸 보고문 초안등 도합 606점에 달하는 증거물에 의해 범행이 인정되었음.

0329

1984.12.27

6350

0330

o 임동규는 1968. 9 통혁당사건에 관련되어 입건된 일이 있으나 기소유예 처분을 받았음.

o 임동규는 다른 수형자와 마찬가지로 사면, 감형등 은전의 혜택을 받을 수 있으나, 현재로서는 그 실시여부나 시기를 예측 할 수 없으며 수형자에 대한 은전조치는 죄질, 수형태도, 재범 위험성등 여러 사정을 종합적으로 검토하여 시행하는 것임. 끝.

법 무 부 장 관

0331

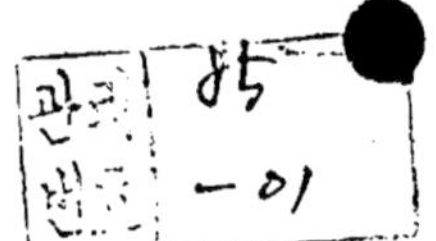

기 안 용 지

분류기호 문서번호	미북 700-	(전화번호)	전결규정 조 항 전결사항
처리기간		장 관	
시행일자	1985. 1. 4.		
보존연한			

보조기관				협조
국 장	전결	심 의 관		
과 장				
기안책임자	김규현	북 미 과		

경유 수신 참조	주 뉴욕총영사	발송 1985. 1. 05	검열 1985. 1. 05 외무부
제 목	수감자 처우 회신		

대 : 주뉴욕(고) 725-02303(84.11.28)

대호 임동규의 처우에 관한 Amnesty International Hastings-Doffs Ferry 지부의 추가문의에 대한 법무부의 회신을 아래와 같이 통보하니 동 지부에 적의 설명하시기 바랍니다.

- 아 래 -

1. 임동규에 대한 처우현황

   ○ 임동규는 정기적으로 가족들을 면회하고 있음.

   ○ 변호인의 접견은 법률상 무제한 허용되고 있으나 임동규는 현재 유죄판결이 확정되어 복역중에 있으므로 변호인이 선임되어 있지 않음.

   ○ 임동규는 다른 일반수용자와 마찬가지로 독거실에 수용되어 있으며 격리 수감된 사실은 없음.

/ 계 속 /

0332

정서 관인 발송

1205-25(2-1)A(갑) 1981. 12. 18승인 정직 질서 창조 190㎜×268㎜(인쇄용지 2급 60g/㎡) 조 달 청(1,500,000매 인쇄)

○ 임동규는 도서관 이용, 운동, 작업장 출장이 허용되고 있을뿐 아니라 관계규정에 따라 일반 수용자와 동일한 처우를 받고 있음.

2. 임동규에 대한 재판 관련사항

○ 임동규는 80.5.2. 1심에서 무기징역, 80.9.5. 2심에서 항소기각, 80.12.23. 3심에서 상고기각 판결을 선고 받았음.

○ 임동규는 공판정에서의 본인의 자백, 다른 피고인들의 진술 이외에 "남민전" "민투위"등의 강령, 규약, 행동규범, 총기, 실탄, 김일성에게 보낸 보고문 초안 등 도합 606점에 달하는 증거물에 의해 범행이 인정되었음.

○ 임동규는 1968.9 통혁당사건에 관련되어 입건된일이 있으나 기소유예 처분을 받았음.

○ 임동규는 다른 수형자와 마찬가지로 사면, 감형등 은전의 혜택을 받을수 있으나, 현재로서는 그 실시 여부나 시기를 예측할수 없으며 수형자에 대한 은전 조치는 죄질, 수형태도, 재범 위험성등 여러사정을 종합적으로 검토하여 시행하는것임. 끝.

0333

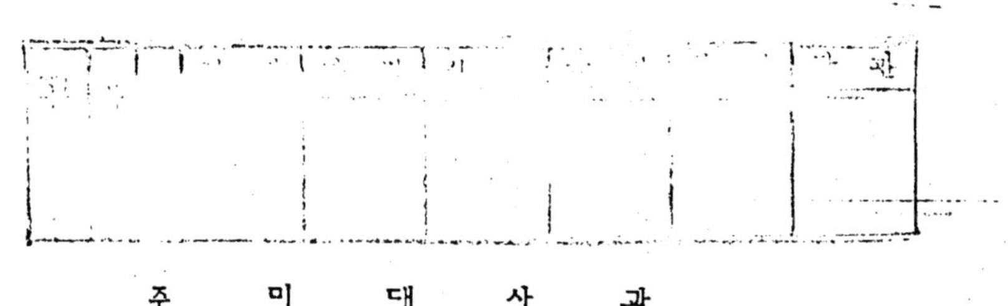

주 미 대 사 관

서구1과 미주혁 서기관 전체

미국(정) 700 - 547 1985. 2. 14.

수 신 : 장 관

참 조 : 구주국장, 미주국장, 정보문화국장

제 목 : 대 AI 활동

대 : 구일 720 - 71 (85.1.10)

1. 국제 사면위 (AI) 253지구 (뉴욕주 Hastings-Dobbs Ferry) 회장 Rebecca Cooney 는 남민전사건 주모자 임동규의 석방을 탄원하는 연서서한 전달 및 본건 토의를 위한 본직면담을 요청하는 서한을 84. 7월부터 3차에걸쳐 본직에게 보내온 이래 이에대한 당관의 입장을 수차 문의해 온 바 있읍니다.

2. 대호 AI 활동대응지침 접수에따라, 당관 한탁채공사가 85.2.14. 상기인등 AI 253지구 대표 4인을 면접 한바, 이들은 임동규의 즉각 석방을 탄원하는 400여명의 대통령 각하앞 연서서한 및 관련 신문기사등을 모은 사진첩, 동서명자명단이 게재된 The Enterprise 지 Westchester County 의원 Paul J. Feiner 의 본직앞 서한등을 수교하면서 전달해줄 것을 요망하였읍니다.

3. 한공사는 이들의 주장을 들은다음 , 북한의 부단한 위협하에있는 아국의 절박한 안보현실을 상세히 설명함과 동시 국가보안법 위반자인 임동규를

0334

외 무 부		결재		
접수 일시	1985. 2. 25 시 분	지시사항		
처리 번호	제 13855 호			
처리과				
과				
관련			년 월 일까지 처리한 것	

0335

양심수내지 정치점으로 지정한것은 노벨평화상을 수상한 AI 의 규약상 간첩 이나 폭력범에대한 불거론 원칙에 명백히 위배됨을 지적하고, 아국법정에서 테러범으로 확정판결을 받은 보안사범을 동맹국인 미국시민이 두둔한다는 것은 북괴와 대치하고 있는 아국의 안보에 크게 해가되는 심히 유감스러운 일이라고 말 하였읍니다.

4. 이들은 아측 설명내용의 정당성에 공감을 표시하고 자기들은 임동규가 한국정부를 폭력으로 전복하려한 테러범인 사실을 몰랐다고 하였읍니다. 또한 이들은 AI 본부가 최선의 방법으로 실태를 조사한후 양심수를 지정하고 있으나 관련 정보수집 능력에 한계가 있다는 점은 인정하며 임동규의 석방에도 관심이 있으나 현재의 수형상태 및 공판기록등 관련사항도 중요한 관심사항이라고 말하면서 다음사항에 관한 상세한 자료 제공을 요청하는 서한을 제출 하였읍니다.

가. 임동규에게 송부한 식품, 달력, 장갑등이 제대로 전달되었는지 여부

나. 임동규의 수령금지 품목

다. 임동규가 교도소에서 독실을 사용하는지 타수감자와 같은 방을 사용하는지 및 독서, 운동, 작업등이 허용되는지 여부

라. 지방법원, 고등법원 및 대법원에서의 개별사건에 대한 임동규측 변호인

마. 임동규의 남민전 가담협의 기소시 사용된 자신 및 공범의 자백이외의 증거

바. 통혁당 관련 타 피고인 전원 및 남민전 관련 피고인 전원 석방불구, 임동규만 석방되지 않는 이유

5. 상기인들의 탄원 이외에도 각지로부터 동건에관한 문의 및 탄원이 당관에 쇄도하고 있음을 감안, 아래와 같이 건의하오니 조치하여 주시기 바랍니다.

0336

가. 임동규관련 사건 발생 당시부터 기소시까지의 각종증거, 공판기록 및 수형상태에 관한 상세한 자료를 AI 본부에 제시하여 임동규에대한 양심수 지정을 철회토록 교섭

나. 상기 모든자료를 당관 및 주뉴욕총영사관을 비롯한 관계 공관에도 송부하여 항의나 문의에 능동적으로 대처

다. 임동규등이 테러범이라는 사실을 객관적으로 이해시킬수 있는 자료를 영문으로 종합, 작성하여 각지구 AI 에 배포

첨 부 : 1. 대통령각하 앞 연서서한 및 관련기사 사진첩 1권

2. The Enterprise 지에 게재된 서명자 명단 1부.

3. Paul Feiner 군의원의 본직앞 서한 사본 1부.

4. Rebecca Cooney 의 본직앞 서한 3건 사본 각 1부.

5. 당관 방문자들의 한공사앞 서한 사본 1부. 끝.

주 미 대 

0337

WESTCHESTER COUNTY BOARD OF LEGISLATORS

803 COUNTY OFFICE BUILDING
WHITE PLAINS, NEW YORK 10601
(914) 285-2813

PAUL J. FEINER
Legislator, 12th District
565 Broadway, Apt. 4-h
Hastings-on-Hudson, N. Y. 10706
(914) 478-1219

Member
Committee on Police
and Corrections
Committee on Health
and Hospitals

February 6,1985

His Excellency Mr. Lew byoung Hion
Ambassador of the Republic of Korea
Washington,DC

Dear Mr. Ambassador:

I am pleased that you have agreed to meet with representatives of the Dobbs Ferry/Hastings chapter of Amnesty International. The representatives of Amnesty International are not only representing their organization but also are speaking on behalf of many members of the Westchester County Board of Legislators and the people of Westchester.

We believe that it is of great importance that Mr. Im Tong gyu be granted a prompt and unconditonal release. As you know, he is a 45 year old South Korean labor educator and has been jailed in Taejon Prison since March,1979.

Mr. Im has neither used nor advocates violence.

We believe that he has been jailed because of his peaceful expression of his political beliefs and also feel that his incarceration is harmful to United States---Republic of Korea relations.

This is a top priority of ours ----and I hope that it will receive your top priority consideration. His freedom will indicate to the american people that your country is willing to maintain and improve its relations with the people of the United States.

Sincerely,

Paul Feiner

PAUL FEINER
Legislator

0338

Amnesty International of the USA
Hastings - Dobbs Ferry Chapter
Adoption Group 253

70 Southgate Avenue
Hastings, New York 10706
January 10, 1985

His Excellency Mr. Lew Byoung Hion
Ambassador of the Republic of Korea
2320 Massachusetts Avenue, N.W.
Washington, D.C. 20008

Your Excellency:

Several months ago I wrote you to see if it would be possible for the members of Amnesty International Group 253 to meet with you in order to discuss the case of Mr. Im Tong-gyu. I have enclosed my letter of October for your reference.

One additional concern not mentioned in that letter is that the U.S. Department of State has corroborated Amnesty International's allegation that Mr. Im is a prisoner of conscience, citing the 1983 Korean Council of Churches Report on Human Rights in Korea. This report states that Mr. Im is one of 70 or so remaining prisoners of conscience in Korea.

We are especially interested in learning about the evidence used to convict Mr. Im for both of his charges -- for which he is serving two life imprisonment sentences.

I will call your office next week to see if it is possible to arrange an appointment at your convenience.

Sincerely,

Rebecca Cooney

Rebecca Cooney
Chairperson, Group 253

0339

Amnesty International of the USA
Hastings - Dobbs Ferry Chapter
Adoption Group 253

70 Southgate Avenue
Hastings, New york 10706
October 3, 1984

His Excellency Mr. Lew Byoung Hion
Ambassador of the Republic of Korea
2320 Massachusetts Avenue, N.W.
Washington, D.C. 20008

Your Excellency,

I am writing to you as the Chairperson of Amnesty Internation USA Group 253, who, for almost the past two years, has been working on behalf of a Korean citizen serving two life imprisonment sentences, Mr. Im Tong-gyu.

Mr. Im, arrested in March 1979, is serving one sentence for being convicted of belonging to the "Unification Revolutionary Party" and the other for being convicted [in December 1980] for belonging to the "South Korean National Liberation Front". Our group is especially concerned about the evidence with which he was convicted in both cases and about the specific conditions which would allow him to be released.

This past summer our group developed a petition calling for Mr. Im's release, naming him a prisoner of conscience: that is, someone who is in prison for his beliefs, race or language and has not used nor advocated violence. Hundreds of citizens from our communities have signed the petition, and, like us, are concerned about the legitimacy of his imprisonment.

Our group is interested in meeting with you to present these petitions and to discuss the particulars of Mr. Im's case. I will call your office next week to see if we can arrange an appointment.

Sincerely and Respectfully,

Rebecca Cooney
Chairperson, Group 253

0340

Amnesty International of the USA
Hastings - Dobbs Ferry Chapter
Adoption Group 253

70 Southgate Avenue
Hastings, NY 10706
July 19, 1984

His Excellency Mr. Lew Byoung Hion
Ambassador of the Republic of Korea
2320 Massachusetts Avenue, NW
Washington, D.C. 20009

Your Excellency,

I am writing to you as the Chairperson of the Hastings-Dobbs Ferry Chapter of Amnesty International, the worldwide organization that works impartially on behalf of human rights.

Many citizens and elected officials are concerned about the imprisonment of Im Tong-gyu, a Korean labor relations specialist who is serving two life sentences in Taejon Prison. Amnesty Internationl believes he has been imprisoned for his political beliefs and is a prisoner of conscience. Mr. Im has not used nor advocated violence, though he was known at the time of his arrest in March 1979 to have been critical of his government's agricultural policies.

Mr. W. Tapley Bennett, Assistant Secretary, Legislative and Intergovernmental Affairs at the United States Department of State wrote to one elected official saying, "A report released in March 1984 by the Korean National Council of Churches Human Rights Commission (HRC) named Mr. Im as one of 73 'prisoners of conscience' (including 17 South Korean National Liberation Front case defendants) remaining in Korea following the release of over 400 such prisoners between August 1983 and March 1984." As you must know, the United States State Department would not cite such a report unless it believed it to be true.

The enclosed petition will show the extent of public support there is in my community for the release of this individual. I hope you will do all you can to convey this to President Chun as National Liberation Day approaches.

I thank you for your attention to this most urgent matter.

Sincerely and respectfully,

Rebecca Cooney

Rebecca Cooney
Chairperson, Group 253

0341

Amnesty International of the USA
Hastings - Dobbs Ferry Chapter
Adoption Group 253

70 Southgate Avenue
Hastings, New York 10706
February 14, 1985

Deputy Minister Han
Embassy of the Republic of Korea
2370 Massachusetts Avenue, N.W.
Washington, D.C. 20008

Dear Minister Han,

George Klein, Sarita Copeland, Patricia Lone, and I were grateful for the opportunity to discuss our community's and Amnesty International's concern for Im Tong-gyu, a Korean citizen sentenced to two life imprisonment terms for belonging to the "Unification Revolutionary Party" and the South Korean National Liberation Front. Amnesty International has found no convincing evidence that Mr. Im belonged to either of these parties.

Some of the particulars we are concerned with are:

* Has Mr. Im been receiving the packages individuals in our group and community have been sending? Among those sent were a package containing food such as crackers on October 3rd, a Sierra Club wall calendar on December 22, and gloves on January 4.

* What kinds of packages is Mr. Im prohibitted from receiving?

* What are Mr. Im's prison conditions? Is he in solitary confinement, does he share a cell with other prisoners, or does he have his own cell? What kinds of privileges does he have (library, exercise, workshop ...)?

* Who were Mr. Im's lawyers for each of his trials at the District, Appeal, and Supreme Court levels?

* What was the evidence used to convict Mr. Im of belonging to the "South Korean National Liberation Front" other than his own and his codefendants' confessions?

* Why have all of the defendants in the "Unification Revolunary Party" and most in the "South Korean National Liberation Front" been released and not Mr. Im?

We thank you for so generously taking the time to meet with us, and we look forward to hearing whatever answers you can provide to these urgent questions.

Sincerely and Respectfully Yours,

George Klein, Sarita Copeland, Patricia Lone, and Rebecca Cooney

0342

외교문서 비밀해제: 한국 인권문제 9
한국 인권문제 미국 반응 및 동향 1

초판인쇄 2024년 03월 15일
초판발행 2024년 03월 15일

지은이 한국학술정보(주)
펴낸이 채종준
펴낸곳 한국학술정보(주)
주 소 경기도 파주시 회동길 230(문발동)
전 화 031-908-3181(대표)
팩 스 031-908-3189
홈페이지 http://ebook.kstudy.com
E-mail 출판사업부 publish@kstudy.com
등 록 제일산-115호(2000. 6. 19)

ISBN 979-11-7217-063-9 94340
979-11-7217-054-7 94340 (set)